Arcipreste de Talavera o *Corbacho*

Letras Hispánicas

Alfonso Martínez de Toledo

Arcipreste de Talavera o Corbacho

Edición de Michael Gerli

CUARTA EDICIÓN

CATEDRA

LETRAS HISPANICAS

© Ediciones Cátedra, S. A., 1992
Telémaco, 43. 28027 Madrid
Depósito legal: M. 10.745-1992
ISBN: 84-376-0183-5
Printed in Spain
Impreso en Anzos, S. A.
Fuenlabrada (Madrid)

115993

Índice

INTRODUCCIÓN
La vida del autor 15
Las fuentes 28
El estilo 33
Ideal y ortodoxia: el contexto cultural del antifeminismo y
    el loco amor 38
El texto y la presente edición 47
Nota a la tercera edición 49

BIBLIOGRAFÍA SELECTA 51

ARCIPRESTE DE TALAVERA O CORBACHO

PREFACIO 61
CAPÍTULO I
    Cómo el que ama locamente desplaze a Dios 67
CAPÍTULO II
    Cómo amando muger agena ofende a Dios, a sí mismo, e
    a su próximo 69
CAPÍTULO III
    Cómo por amor se siguen muertes, omezillos, e guerras 71
CAPÍTULO IV
    De cómo el que ama es en su amar del todo temeroso 74
CAPÍTULO V
    Cómo el que ama aborresçe padre e madre, parientes,
    amigos 76
CAPÍTULO VI
    Cómo por amar vienen a menos ser preciados los amado-
    res 77
CAPÍTULO VII
    De cómo muchos enloquecen por amores 79
CAPÍTULO VIII
    De cómo honestad e continençia son nobles virtudes en
    las criaturas 80

CAPÍTULO IX
De cómo por hablar muchos se perjuran e son criminosos   82
CAPÍTULO X
De cómo cuanto mayor ardor es en la luxuria tanto
    mayor es el arrepentimiento ella complida   84
CAPÍTULO XI
De cómo el eclesiástico e aun el lego se pierden por amar   85
CAPÍTULO XII
Cómo el que ama non es sulícito sinón en amar   87
CAPÍTULO XIII
De los malos pensamientos que vienen al que ama   88
CAPÍTULO XIV
De cómo por amar acaesçen muertes e daños   90
CAPÍTULO XV
Cómo el amor quebranta los matrimonios   91
CAPÍTULO XVI
Cómo pierde la fuerça el que se da a luxuria   97
CAPÍTULO XVII
Cómo los letrados pierden el saber por amar   99
CAPÍTULO XVIII
Cómo es muy engañoso el amor de la muger   104
CAPÍTULO XIX
Cómo el que ama desordenadamente traspasa los diez
    mandamientos   110
CAPÍTULO XX
Del primero mandamiento, cómo lo traspasa el que ama
    desordenadamente   111
CAPÍTULO XXI
Del segundo mandamiento........................   112
CAPÍTULO XXII
Del tercero mandamiento.........................   114
CAPÍTULO XXIII
Del quarto mandamiento   115
CAPÍTULO XXIV
Del quinto mandamiento   116
CAPÍTULO XXV
Del sexto mandamiento   119
CAPÍTULO XXVI
Del séptimo mandamiento   120
CAPÍTULO XXVII
Del octavo mandamiento   122
CAPÍTULO XXVIII
Del noveno mandamiento   123
CAPÍTULO XXIX
Del décimo mandamiento   125
CAPÍTULO XXX
Del primero mortal pecado   126
CAPÍTULO XXXI
Del segundo pecado mortal.......................   128

8

CAPÍTULO XXXII
  Del terçero pecado mortal 129
CAPÍTULO XXXIII
  Del quarto pecado mortal 129
CAPÍTULO XXXIV
  Del quinto pecado mortal 130
CAPÍTULO XXXV
  Del sesto pecado mortal 132
CAPÍTULO XXXVI
  Del séptimo pecado mortal 133
CAPÍTULO XXXVII
  Cómo el que ama pierde todas las virtudes 135
CAPÍTULO XXXVIII
  En conclusión cómo por amar vienen todos los males . 144

SEGUNDA PARTE

CAPÍTULO I
  De los viçios e tachas e malas condiçiones de las perver-
    sas mugeres, e primero digo de las avariçiosas 145
CAPÍTULO II
  De cómo la muger es murmurante e detractadora 154
CAPÍTULO III
  De cómo las mugeres aman a diestro e a siniestro por la
    grand cobdiçia que tienen 157
CAPÍTULO IV
  Cómo la muger es envidiosa de qualquiera más fermosa
    que ella.. 160
CAPÍTULO V
  Cómo la muger según da non ay constancia en ella ... 167
CAPÍTULO VI
  Cómo la muger es cara con dos fazes 171
CAPÍTULO VII
  Cómo la muger es desobediente 175
CAPÍTULO VIII
  De cómo la muger sobervia non guarda qué dize nin faze 180
CAPÍTULO IX
  Cómo la muger es doctada de vanagloria ventosa 183
CAPÍTULO X
  De cómo la muger miente jurando e perjurando 187
CAPÍTULO XI
  Cómo se deve el ombre guardar de la muger embriaga 191
CAPÍTULO XII
  De cómo la muger parlera siempre fabla de fechos agenos 194
CAPÍTULO XIII
  Cómo las mugeres aman a los que quieren de qualquier
    hedad que sean 196
CAPÍTULO XIV
  Cómo amar a Dios es sabieza e lo ál locura 201

9

TERCERA PARTE

CAPÍTULO I
De las complisiones 205
CAPÍTULO II
De la complisión del ombre sanguino 206
CAPÍTULO III
De la calidad del ombre colórico 207
CAPÍTULO IV
De la calidad del ombre flemático 208
CAPÍTULO V
De la calidad del ombre malencónico 208
CAPÍTULO VI
De cómo los signos señorean las partes del cuerpo ... 209
CAPÍTULO VII
De la qualidad del sanguino 212
CAPÍTULO VIII
Del colórico, qué dispusición tiene para amar e ser
    amado 217
CAPÍTULO IX
De las condiçiones de los flemáticos para amar e ser
    amados 221
CAPÍTULO X
De cómo los ombres malencónicos son rifadores 229

QUARTA PARTE

CAPÍTULO I
Del común fablar de lo susodicho 233
CAPÍTULO II
Cómo Dios es sobre fados, planetas e el ánima non es
    sobjeta a ellos................................. 271
CAPÍTULO III
De cómo algunos quieren reprovar lo que Dios faze, con
    argumentos 298
El autor face fin a la presente obra e demanda perdón si
    en algo de lo que ha dicho ha enojado o no bien dicho 304
GLOSARIO 307

In Memoriam Berta González de Gerli

Introducción

La vida del autor

Alfonso Martínez de Toledo, según su propio testimonio, nació en 1398. Al comienzo del único manuscrito conservado de su obra más famosa, el llamado *Corbacho* que editamos aquí, declara que la acabó «en hedat suya de quarenta años» y pone la fecha 15 de marzo de 1438. En el *ex libris* de otro manuscrito (éste una *Crónica troyana)* que perteneció a nuestro autor (un bibliófilo ávido), Martínez nos dice que era oriundo de Toledo y porcionario de la catedral de esta ciudad[1]. Se supone que el arcipreste cursó estudios universitarios puesto que en varias obras suyas se refiere a sí mismo como Bachiller en Decretos[2]. Cristóbal Pérez Pastor, y más recientemente Vicente Beltrán de Heredia y Derek W. Lomax, piensan que asistió a la Universidad de Salamanca[3], aunque Martín de Riquer asevera que pudo

---

[1] «Alfonsus Martini, archipresbiter Talaverensis... porcionarius eclesiae Toletanae, eadem oriundus civitate.» El manuscrito se describe en el *Catálogo de las colecciones expuestas en las vitrinas del Palacio de Liria* (Madrid: publicado por la Duquesa de Alba, 1898), págs. 53-54.

[2] En *idem* el arcipreste se refiere a sí mismo como «in decretis bachalaureus», y en el prólogo de la obra que editamos aquí lo repite en castellano, «bachiller en decretos».

[3] Véase Alfonso Martínez de Toledo, *Arcipreste de Talavera*, edición de Cristóbal Pérez Pastor, Sociedad de Bibliófilos Españoles, 35

haber hecho la carrera en Toledo[4]. Sea lo que fuere, sin duda alguna Martínez poseyó una sólida preparación académica: todas sus obras demuestran una familiaridad íntima con la literatura vernácula y latino-eclesiástica del medioevo.

Desde 1415 hasta por lo menos 1418, nuestro autor fue prebendario de la Capilla del rey Don Sancho o de los Reyes Viejos en la catedral de Toledo. Un manuscrito del archivo catedralicio fechado en 1415 revela que «Alfonso Martínez de Toledo obo de aver de distribuçiones doscientos e çinquenta e dos maravedises e de las misas çiento e beinte e nueve maravedises; dos ducados son todo»[5]. Esta nota, en realidad una especie de recibo firmado por Martínez, demuestra que a la edad de diecisiete años tenía ya una posición bastante prestigiosa. Hacia 1420 nuestro autor debió de abandonar sus deberes eclesiásticos en su ciudad natal para viajar por el resto de la Península, sobre todo por la Corona de Aragón. Varios incidentes vistos por él durante estas andanzas juveniles son recordados en *Arcipreste de Talavera*.

Pérez Pastor supone que Martínez permaneció en la Corona de Aragón entre 1420 y 1430 puesto que su *Atalaya de las crónicas* (una síntesis de la historia de España comenzada en 1443) alude a los terremotos de Cataluña de 1427 y 1428 (Pérez Pastor, pág. vi). No obstante, la documentación hallada recientemente por Derek Lomax prueba que Martínez había vuelto a Castilla por lo menos una vez durante la década de

(Madrid: Vda. e Hijos de M. Tello, 1901), pág. vi; Vicente Beltrán de Heredia, *Cartulario de la Universidad de Salamanca*, Acta Salmaticensia, 17 (Salamanca: Universidad de Salamanca, 1970), página 554; Derek W. Lomax, «Datos biográficos sobre el arcipreste de Talavera», próximo a salir en las *Actas* del Cuarto Congreso de la Asociación Internacional de Hispanistas.

[4] Véase Alfonso Martínez de Toledo, *Arcipreste de Talavera*, edición de Martín de Riquer, Barcelona, Selecciones Bibliófilas, 1949, página 9.

[5] Véase Verardo García Rey, «El arcipreste de Talavera, Alonso Martínez de Toledo», *RBAM*, 5 (1928), pág. 300.

los 20 y que posiblemente hizo varios viajes a Cataluña en vez de uno solo. Sabemos que de vuelta a Castilla en 1424 comenzó a litigar contra Fernán García, el canónigo de Talavera de la Reina, para el arciprestazgo de dicha ciudad. El pleito sin duda fue decidido a favor de Alfonso Martínez, puesto que en 1427 ya poseía el título de Arcipreste de Talavera. En este año otro clérigo toledano llamado Francisco Fernández escribió al papa, Martín V, solicitándole que se le confiriera el arciprestazgo por haber contraído matrimonio el actual arcipreste, Alfonso Martínez de Toledo[6]. La súplica de Fernández, sin embargo, sufría de defectos formales y fue fácilmente impugnada por el acusado[7]. A pesar del fracaso de Fernández, el incidente hubo de haber tenido algunas consecuencias para Martínez porque en ese mismo año se encaminó para la Corona de Aragón otra vez.

De vuelta en Cataluña, Martínez se movió entre poderosos nobles y prelados, haciéndose «familiar» del séquito del Cardenal San Sixto (Juan de Casanova), y en 1430 con la ayuda del cardenal obtuvo la promesa de otro beneficio en la catedral de Toledo. Sin embargo, la formalización del nuevo nombramiento se demoró por estar la supuesta vacante ocupada por cierto Domingo González. Hubo denuncias y el proceso se prolongó todo el año de 1431. Frustrado por la lentitud de los trámites eclesiásticos, nuestro autor decidió encargarse personalmente del pleito y viajar a Roma para presentarlo en la Curia. La protección del Cardenal San Sixto fue indudablemente muy provechosa para el joven clérigo. Con la

---

[6] Se trata de una bula pontífica que alude al hecho. Véase Vicente Beltrán de Heredia, *Bulario de la Universidad de Salamanca (1219-1549)*, Salamanca, Universidad de Salamanca, 1966, II, 304, núm. 762. Las referencias subsiguientes a esta obra se darán en el texto.

[7] Este tipo de acusación era bastante común. Véase lo que dice Beltrán de Heredia, *Cartulario*, págs. 566-67. Véase también lo que dice el mismo arcipreste sobre el celo con que se perseguían los beneficios eclesiásticos en su tiempo (IV, capítulo 2).

ayuda de éste ganó su pleito y siguió acumulando beneficios en las iglesias de Castilla. En una declaración fechada el 28 de febrero de 1433 (Bulario, 864) Martínez enumera los cargos y honores que le pertenecen: Arcipreste de Talavera, Capellán de Reyes Viejos, Prebendario de Santa María de Nieva en Segovia, dos beneficios simples en las parroquias de Santa Leocadia y de San Ginés, y el derecho del canonicato de la colegiata de Talavera. De estas responsabilidades recibía una renta de ochenta libras tornesas al año, una cantidad respetable aunque no exorbitante.

Como familiar del Cardenal el arcipreste vivió casi dos años en Roma (1431-1433), y allí sin duda experimentó directamente el ambiente humanístico italiano. Pero la promesa de una brillante vida en la Curia Romana fue imprevisiblemente frustrada para nuestro autor al negarse su mecenas a apoyar la monarquía pontífica y aliarse con los rebeldes del Concilio de Basilea. Con toda probabilidad la tenue posición política de San Sixto hizo que su discípulo tuviera que abandonar Italia y regresar a Castilla.

De regreso en Toledo, la suerte del arcipreste se mejoró puesto que en un documento de 1436 aparece ya como «el honrrado e discreto varon Alfonso Martinez Toledo, bachiller en decretos, canonigo en la eglesia collegial de Santa María de [Talavera], capellan de nuestro señor el rey e capellan en la capilla del rey don Sancho en la iglesia de Toledo»[8]. Así pues, la escasa documentación para la biografía del arcipreste parece indicar que fue un hombre importante, respetado y amparado por poderosos nobles castellanos y aragoneses. Después de su larga estancia en Italia, volvió a Castilla y recibió la protección del mismo rey, don Juan II.

Aunque no se sabe a ciencia cierta quiénes fueron

[8] Archivo Histórico Nacional, clero, carpeta 2979, documento 14.

sus padres, debió de pertenecer a una familia destacada por lo que se deduce de la lápida que marca su tumba en la catedral de Toledo. La inscripción de ésta, aunque no da los apellidos, registra los títulos y beneficios del difunto. Además, la losa lleva un blasón policromado que es, según García Rey, «prueba [de] la condición distinguida de la persona a quien se contrae o familia a quien se refiere...»[9].

La lápida indica que el arcipreste, además de ser capellán de Juan II, también lo fue de su hijo, don Enrique IV, y que murió el 2 de enero de 1460. El año de defunción es un error probablemente del escultor que la hizo, puesto que sabemos que Martínez aún vivía en 1466 (Pérez Pastor, págs. xxii-xxiii). Por otra parte, en una bula pontífica dada en Roma el 7 de marzo de 1468 se nombra el nuevo arcipreste de Talavera a causa de la muerte reciente de Alfonso Martínez de Toledo (Bulario, 1218b). Si se considera la demora de comunicaciones entre Roma y Toledo, el nombramiento del nuevo arcipreste en marzo de 1468 sugiere que nuestro autor murió a principios del año. Por tanto, la fecha de fallecimiento que da el sepulcro (2 de enero) es probablemente la correcta. Así pues, Alfonso Martínez de Toledo murió a los setenta años en su ciudad natal el 2 de enero de 1468[10].

La obra

En el mismo epígrafe del manuscrito escurialense de donde se deduce la fecha de su nacimiento, Martínez de Toledo declara que desea que su obra se titule

---

[9] García Rey, pág. 302.
[10] Para todos los detalles, véase nuestro «The Burial Place and Probable Date of Death of Alfonso Martínez de Toledo», *JHP*, 1 (1977), págs. 231-238.

Arcipreste de Talavera. Desde la edición de 1498, sin embargo, es conocida popularmente como el *Corbacho,* y lleva el subtítulo de *Reprobación del amor mundano.* La mudanza de título y la añadidura del subtítulo probablemente se llevaron a cabo por dos razones. En primer lugar, por asociarse la obra de Martínez con la denuncia del amor y las mujeres que se encuentra en la alegoría misógina de Giovanni Boccaccio, *Il Corbaccio* (1355). El opúsculo del italiano logró gran popularidad en la Península Ibérica durante la baja Edad Media (hay una traducción catalana de Narcís Franch de 1397) y, como afirma Arturo Farinelli, ésta fue la obra en lengua vulgar más leída de Boccaccio durante esta época[11]. Cuando en 1438 apareció *Arcipreste de Talavera,* el público lector recordando el satírico tratado del humanista italiano percibió la orientación antifeminista de la obra de Martínez y la bautizó popularmente el *Corbacho.* El subtítulo indudablemente se debe también a otro recuerdo literario. En este caso es la fuente principal de nuestro autor: la «Reprobatio Amoris» («Reprobación del amor»), el tercer libro del *De amore* de Andreas Capellanus.

Arcipreste de Talavera es un tratado, o una manifestación vernácula del *tractatus* medieval. Originalmente el *tractatus* era un género ensayístico utilizado por los tempranos Santos Padres para difundir la sabiduría clásica en términos que concordaran con las creencias cristianas[12]. Con el creciente uso de las lenguas vernáculas la forma llegó a emplearse para el examen de cualquier tema filosófico, didáctico, o científico. Así pues, la obra del arcipreste es discursiva y no narrativa. No obstante, para ilustrar su argumentación y el hilo de su pensamiento, Martínez

---

[11] «Note sulla fortuna del *Corbaccio* nella Spagna medievale», en *Bausteine zur romanischen Philologies Festgabe für Adolfo Mussafia,* Halle, M. Niemeyer, 1901, pág. 401.

[12] Anna Krause, «Further Remarks on the Archpriest of Talavera», *BSS,* 6 (1929), pág. 57.

de Toledo se presta de *exempla*, o anécdotas satíricas que muchas veces poseen una trama y desarrollo dramático propios. La mayoría de estos episodios narrativos son derivados del caudal de la predicación medieval y tienen el fin de enseñar y entretener. Casi siempre, es decir, son cómicos, aunque la comicidad que encontramos en ellos a menudo raya en lo grotesco.

Otra fuente importante de los exempla de Martínez son los asuntos vistos y vividos por él mismo. De hecho, la unidad de la obra surge de los recuerdos «personales» que aduce para combatir el loco amor [13]. El arcipreste adopta la postura de un testigo de los hechos que cuenta y así matiza su obra con el tono de un moralizador que ha llegado a rechazar el pecado por el camino de la experiencia. A cada paso nos declara que su libro no es ficción, sino el fruto del desengaño personal. Hacia el final de la primera parte de su obra, por ejemplo, Martínez insiste que «Non es esto corónica nin istoria de cavallería, en las quales a las veses ponen c por b; que esto que dicho he, sabe que es verdad, e es debda de faltar dello o de grand parte. E non pienses que el que lo escrivió te lo dise porque lo oyó solamente, salvo porque por prática dello mucho vido, estudió e leyó; e cree, segund antiguos grandes e santos doctores, ello ser así». En su tratado el arcipreste siempre busca reforzar la autoridad escrita con la de la experiencia.

En su totalidad, *Arcipreste de Talavera* es estructurado a manera de un diálogo. Martínez se dirige a un «tú» interlocutor manteniendo así una constante tensión dialogística a través de todo su tratado. Es decir,

---

[13] Aunque Martínez declara que es testigo de todo lo que cuenta, al hablar de un elemento autobiográfico en las obras medievales es necesario proceder con cuidado. Muchas veces el autobiografismo de las obras medievales no es sino una estrategia didáctica. Véase Leo Spitzer, «Note on the Poetic and Empirical *I* in Medieval Authors», *Traditio*, IV (1946), págs. 414-422; también P. Lehmann, «Autobiographies of the Middle Ages», *Transactions of the Royal Historical Society*, 5.ª serie, III (1953), págs. 41-52.

el arcipreste concibe su obra como un coloquio entre él, el autor, y un oyente, el lector. La técnica es la misma que se emplea en su fuente principal, el *De Amore*, donde se trata de establecer una relación personal entre el narrador y el lector. Cuando este procedimiento se utiliza desaparece el distanciamiento implícito entre el público y el moralista. Veamos un ejemplo:

> Piensa, pues, hermano, e con sotil ingenio busca quánta de honra le deve ser fecha a aquel que, menospreciado su Señor e rey celestial, e aun menospreciado su mandamiento, por una mugercilla miserable, e deseo della, quiere darse todo al diablo, enemigo de Dios e de la su ley.

El habla directa dirigida al «hermano» lector crea la sensación de una conversación cordial, un diálogo didáctico entre el maestro y el discípulo ávido de instrucción.

Por consiguiente, *Arcipreste de Talavera* es una obra de orientación primordialmente didáctica. Su propósito, como nos dice Martínez en el prólogo, es demostrar «cómo sólo el amor a Dios verdadero es devido, e a ninguno otro non». El libro va dividido en cuatro partes. La primera es un largo *ars amatoria* (arte de amores) a lo divino que reprueba el «loco amor», o sea la concupiscencia. En los treinta y ocho capítulos de esta sección, a través de un estilo y exposición sistemáticos que recuerdan fuertemente la retórica de los sermones medievales[14], se aducen las consecuencias adversas físicas y espirituales del apetito sexual desenfrenado. El propósito del arcipreste es descubrir cómo la lujuria yace en el fondo del amor humano, y cómo en ella se origina todo pecado. Nuestro autor asevera que el amor mundano contra-

---

[14] Véase nuestro «*Ars Praedicandi* and the Structure of *Arcipreste de Talavera*, Part I*», *Hispania* (USA), 58 (1975), páginas 430-441.

dice la voluntad de Dios a la vez que lleva a la transgresión de toda ley religiosa y moral: se quebrantan los diez mandamientos; es imposible cumplir con las siete virtudes; y nos hace caer en tentación y cometer los siete pecados mortales. En fin, la pasión arrebatada lleva al caos, la tragedia, y la perdición del cuerpo y el alma. El único camino a la salvación, concluye nuestro autor, es por medio de la devoción absoluta y el amor a Dios.

Los catorce capítulos de la segunda parte desarrollan las ideas expuestas en la primera, aunque los comentarios abstractos de aquélla se concretizan ya que van dirigidas contra «los vicios e tachas e malas condiciones de las perversas mugeres, las buenas en sus virtudes aprovando». A pesar de esta declaración de aprobar la conducta de las mujeres buenas, los ejemplos de la virtud femenina son sumamente escasos, si no inexistentes. Los vicios y los pecados del bello sexo, sin embargo, son introducidos con gustoso entusiasmo y ejemplificados a través de gráficas anécdotas dramáticas que prestan una inclinación indudablemente antifeminista a la obra entera. Nuestro autor, en fin, insinúa que la mujer es el instrumento capital en la perdición del hombre, aunque no la juzga de una manera directa. Más bien el arcipreste deja que ella se condene a sí misma por medio del habla directa y los diálogos dramáticos en que demuestra su avaricia, vanidad, desobediencia, lujuria, y locuacidad, entre muchas otras cosas.

Martínez sin duda fue consciente de su tono misógino puesto que de vez en vez encontramos intentos desalentados de atenuar el antifeminismo de la obra y disculparse. Cuando termina su discurso sobre los vicios y tachas de las malas mujeres y quiere prepararnos para la tercera parte del tratado, por ejemplo, hace una apología formulaica, diríamos insincera, de su prejuicio contra el sexo femenino:

> E por quanto el intento de la obra es principalmente de reprobación de amor terrenal, el amor de Dios

> loando, e porque fasta aquí el amor de las mugeres
> fue reprovado, conviene quel amor de los ombres non
> sea loado...
>
> E por quanto comúnmente los ombres no son com-
> prehendidos como las mugeres so reglas generales
> —esto por el seso mayor e más juizio que alcan-
> çan—, conviene, pues, particularmente fablar de
> cada uno segund su qualidad...

No obstante, el declarado intento de ser equitativo
en la tercera parte del libro, nunca se lleva a cabo.
Todos los ejemplos de la mala conducta masculina
que el arcipreste aduce a fin de cuentas se pueden
atribuir a la intervención de una mala mujer.

Los diez capítulos de la tercera parte de *Arcipreste
de Talavera* se dedican a estudiar «las complisiones
de los ombres e de las planetas e signos», y forman
un pequeño tratado en que se examina la síntesis
pseudocientífica de la astrología y la medicina. Ba-
sándose en las interpretaciones medievales de las
teorías astrobiológicas de Galeno, sobre todo las que
aparecen en el *Secretum Secretorum Aristotelis,* Martínez divide a los hombres en cuatro temperamentos
irreductibles para estudiar la predisposicón de cada
tipo para amar y ser amado. Las cuatro categorías
que distingue nuestro autor son *flemático, sanguíneo,
colérico* y *malencólico.* Cada una es desarrollada a
través de más ejemplos dramáticos.

Aunque el designio de la tercera parte es denunciar
el loco amor en los hombres, ellos terminan siendo,
como dijimos, blancos mucho menos atractivos para
el arcipreste que las mujeres. Los hombres, en fin, a
pesar de ser justamente censurados por rendirse a los
instintos, se pintan como las víctimas del sexo femenino. La alegría innata del hombre sanguíneo puede
inclinarlo hacia la lujuria, por ejemplo, pero es la
hembra la que inicialmente le hace caer en tentación.
Por otra parte, si el flemático es cobarde y perezoso,
lo es más por las amenazas e intimidación de su
señora quien «abre la puerta e déxale sallir, e las
bendiciones que ella le da, estas vengan a los que lo

fazen: maldiciones abondo, injurias a osadas, pugeses non por burla, ronquidos a pares, silvos como a buey diziendo: "¡Mal gozo vea tu madre e ti! ¡Nunca otro para quien a ti parió, amén! ¿Veés qué esfuerço para amar? ¡Roncalde!"»

En las primeras tres partes de la obra, aunque Martínez a veces se declara el abogado de las mujeres, nunca se pinta un cuadro verdaderamente positivo del sexo femenino. De consiguiente, la mujer termina siendo una espada de doble filo: o el objeto que incita la tentación en el hombre, o el instrumento de la justicia providencial que le hace sufrir por sus pecados.

La cuarta y última parte de la obra se dirige contra «la común manera de fablar de los fados, ventura, fortuna, signos, e planetas, reprobada por la santa madre Iglesia e por aquellos en que Dios dio sentido, seso e juizio natural, e entendimiento racional». Esta sección forma un largo y elegante ensayo escolástico donde se elaboran las ideas astrobiológicas expuestas en la tercera parte para llegar a una afirmación enfática del libre albedrío. Las estrellas pueden tener cierta influencia sobre los aspectos físicos de los individuos, nos dice el arcipreste, pero bajo ninguna condición pueden afectar sus juicios morales. Los astros, aunque nos predisponen a ser de tal o cual manera, nunca determinan absolutamente nuestra conducta. Por tanto, todos somos responsables por nuestras acciones y nuestros pecados, y debemos emplear nuestro juicio y buena voluntad en seguir el camino del amor a Dios. Los locos amadores lo son porque lo quieren ser, no porque los astros lo hayan predestinado [15]. Está claro que la tesis de la responsa-

---

[15] En la teoría amatoria del siglo XV algunos autores defienden la idea de un amor predestinado. Así en las anónimas «Leyes de amor», donde se declara que "proçede aquesta fuerça [el amor] de los çielos, aquesto por la conformidat que las casas de las planetas e grados de los signos las creaturas reçiben e aquellos e con semblante costelación naçidos e percreados quando se veen, por aque-

bilidad moral que defiende aquí Martínez es clave en el pensamiento cristiano puesto que sin ella no puede existir la noción del pecado.

A partir de la edición de 1498, todas las tempranas impresiones de *Arcipreste de Talavera* llevan una *Demanda,* o sea un epílogo, en que se renuncia todo lo dicho anteriormente sobre las mujeres. En ella se relata el sueño del autor en que éste es atacado por un grupo de mujeres iracundas que lo fuerzan a implorar perdón por su misoginia. Puymaigre, Wolf y Menéndez Pelayo, entre otros, por no comentar sobre la *Demanda,* parecen aceptar su autenticidad tácitamente[16]. Varios críticos contemporáneos, sin embargo (por ejemplo, Martín de Riquer, Mario Penna y, más recientemente, Christine J. Whitbourn)[17], dudan que proceda de la pluma del arcipreste, sobre todo por razones estilísticas.

A nuestro parecer, la cuestión de la *Demanda* hasta ahora no ha sido examinada con suficiente profundidad. En realidad existen en ella implicaciones mucho más sutiles de lo que se ha pensado. Al tratar de su

---

lla natural impression son atraidos amarse, e mas o menos segunt mayor o menor es fallada», en *Le chansonnier espagnol d'Herberay d'Essarts,* ed. de C. V. Aubrun (Burdeos: Institut d'Études Ibériques et Ibero-Americaines, 1951), pág. 24. La idea es muy común en la poesía cancioneril.

[16] Véase Théodore Joseph Boudet. Comte de Puymaigre. *La cour littéraire de don Juan II,* París, Franck, 1873, I, 156-65; Ferdinand Wolf, *Studien zur Geschichte des spanischen und portuglesischen Nationalliteratur,* Berlín, Ascher, 1859; Marcelino Menéndez y Pelayo, *Orígenes de la novela,* Madrid, CSIC, 1943, I, 175-190; José Amador de los Ríos, *Historia crítica de la literatura española,* Madrid, José Fernández Cancela, 1865, VI, 277-285.

[17] Martín de Riquer, ed. cit., pág. 13; Alfonso Martínez de Toledo, *Arcipreste de Talavera,* ed. Mario Penna, Turín, Rosenberg & Sellier, 1955, págs. xlvii-li; Christine J. Witbourn, *The «Arcipreste de Talavera» and the Literature of Love,* Hull, England, University of Hull, 1970, pág. 60; Alfonso Martínez de Toledo, *Arcipreste de Talavera,* ed. Joaquín González Muela, Madrid, Castalia, 1970, pág. 14; Alfonso Martínez de Toledo, *Arcipreste de Talavera,* ed. de Marcella Ciceri, Módena, Stem-Mucchi, 1975, II, 17.

legitimidad no hay que basarse exclusivamente en la moralidad y en el estilo, sino en éstas y otras cosas más. Estilísticamente, el epílogo comparte muchísimas características con el resto del *Corbacho:* el uso frecuente de exclamaciones, el habla coloquial y el empleo de formas familiares dirigidas directamente al lector. Además, la descripción del autor sumiso que se ahoga bajo el peso de una mujer que le aprieta la garganta con el pie recuerdan los insultos de la Fortuna por la Pobreza en el último capítulo de la cuarta parte de la obra. Aún Martínez podría haber incluido un recuerdo autobiográfico en la evocación de los galanteos juveniles del narrador que hace el coro de las damas acusadoras (recuérdese la imputación de Francisco Fernández contra el arcipreste en 1427).

Si esta palinodia se ve también a la luz de la literatura amatoria del siglo XV (a la cual pertenece el tratado de Martínez) tampoco parece haber nada que contradiga la lección misógina de la obra. Al contrario: estrategias semejantes a ésta abundan en la literatura erótica del cuatrocientos, y especialmente en la poesía cortesana. Los poetas antifeministas (Pere Torroellas y Juan de Tapia, por ejemplo) escribieron poemas enfáticamente misóginos de los cuales renegaron después. Sin embargo, las retractaciones de éstos, y quizá la del *Corbacho,* si se observan irónicamente, contienen muchísimo más de lo que a primera vista parece ser evidente. Bajo la apariencia de penitencia y remordimiento Tapia y Torroellas, riéndose entre las barbas, continúan ingeniosamente aludiendo a la maldad e inconstancia de las mujeres en sus llamadas recantaciones. Torroellas, en su palinodia, declara sencillamente que nunca maldijo el bello sexo, sugiriendo así que su primer poema, el «Maldezir de mugeres», representa la verdad. En otras palabras, la ironía parece ser la clave interpretativa a estos cambios de frente.

En la *Demanda* de *Arcipreste de Talavera* las damas del sueño conquistan al narrador y le hacen admitir su error por haberlas castigado en la obra. Sin embargo, esto no ocurre sino hasta después de que las mujeres lo amenazan, aterrorizan y muelen a palos. Al extraer la confesión penitente del narrador, las damas del epílogo recurren a la violencia física, la diatriba verbal, y otros abusos —pecados de los que se les acusa en el tratado. Así pues, no parece haber un verdadero cambio de actitud por parte de nuestro autor. Satisfaciendo a sus críticos menos astutos con una confesión forzada y una fingida victoria femenina, la tesis del carácter amenazador de las mujeres propuesta en el libro sigue en pie. La lección misógina de la obra continúa comunicándose a pesar de la humillación personal del autor. Vista desde esta perspectiva, la *Demanda* no parece ofrecer ninguna contradicción a la ideología antifeminista de la obra.

Las fuentes

Las fuentes principales de *Arcipreste de Talavera* son numerosas y han sido identificadas gracias a la diligencia de Erich Von Richthofen. Son la «De Reprobatio Amoris» (el tercer libro del *De Amore* de Andreas Capellanus, como ya dijimos); el *De Casibus Virorum Illustrium* de Giovanni Boccaccio; el anónimo *Secreta Secretorum Aristotelis;* el *Libro de buen amor* del Arcipreste de Hita; el *Compendium Theologicae Veritatis;* las *Decretales* de Gregorio IX; el *Breviarium Romanum;* la *Biblia* (sobre todo los libros del antiguo testamento, y en particular los *Salmos);* el cuento folklórico, recibido sin duda a través de las colecciones de exempla de los predicadores tanto como de la tradición oral directa; los *florilegia* de refranes y frases proverbiales como el *Dictorum Factorumque Romanorum* de Valerio Máximo y los anónimos *Dicta Catonis;* obras de Petrarca (especialmente *De Remediis Utriusque Fortunae),* San Isidoro de Sevilla, Françesc Eiximenis (su *Vita Christi),* y

Enrique de Seguisa, el llamado Ostiense, y, sobre todo, los escritos de San Agustín sobre la predestinación (particularmente *De Doctrina Christiana* y *De Liberum Arbitrium*) [18].

Entre las múltiples fuentes de *Arcipreste de Talavera* hay una que ha resultado especialmente enigmática: la supuesta obra de Juan de Ausim. En su prólogo, Martínez nos dice que al escribir su tratado se prestó de «algunos notables dichos de un dotor de París, por nombre Juan de Ausim, que ovo algund tanto escripto del amor de Dios e de reprobación del amor mundano de las mugeres». Sin embargo, todos los esfuerzos de identificar a este sabio han sido estériles. En el incunable de Toledo de 1500, en vez de «Juan de Ausim» aparece el nombre «Juan Gerçón», un famoso eclesiástico francés que vivió entre 1363 y 1429. No obstante, una comparación entre los escritos de Gerçon y el *Corbacho* no revela ni la más mínima huella o influencia del clérigo francés.

La cuestión de Juan de Ausim es, por consiguiente, muy debatida entre los comentaristas de la obra del arcipreste. Raúl A. del Piero piensa que el misterioso *dotor de París* es Nicolaus Auximanus Picenus [19]; A. Baradat sugiere a Aeneas Silvius Piccolomini [20]; Edwin B. Place propone a Jean Halgrin d'Abbeville [21], y Mario Penna ofrece a base de una ingeniosa explicación paleográfica a Andreas Capellanus, autor del *De Amore,* la fuente principal de Martínez [22].

---

[18] Sobre las fuentes, véase Erich Von Richthofen, «Alfonso Martínez de Toledo und sein *Arcipreste de Talavera,* ein kastilisches Prosawerk des 15. Jahrhunderts», *ZRPh,* 61 (1941), páginas 465-496; y nuestro *Alfonso Martínez de Toledo,* Boston, Twayne G. K. Hall, 1976, págs. 39-76.

[19] «El arcipreste de Talavera y Juan de Ausim», *BH,* 62 (1960), páginas 125-130.

[20] «Qui a inspiré son livre à l'Archiprêtre de Talavera?» en *Mélanges offerts à M. le Professeur Henri Gavel,* Toulouse, edition privat, 1948, págs. 3-12.

[21] En su reseña de la edición de Mario Penna, Turín, 1955, aparecida en *Speculum,* 31 (1956), págs. 396-399.

[22] En su edición citada, págs. xviii-xix.

Aunque no estamos completamente convencidos por el sutil argumento paleográfico lanzado por Mario Penna (es decir, «Juan de Ausim» es un error del descuidado copista del manuscrito escurialense por «Capellán Andrés»), por razones temáticas e históricas que examinaremos después al hablar del antifeminismo del arcipreste y su vínculo al amor cortés, pensamos que «Juan de Ausim» es, sin duda, una referencia a Andreas Capellanus.

A pesar de estar firmemente basada su obra sobre una larga y bien establecida tradición de textos medievales, Martínez de Toledo somete todas sus fuentes a un proceso de selección y a su propia personalidad creadora para sintetizarlas y adoptarlas a sus propios fines. A través de todo su tratado, el arcipreste nunca copia, sino que explota la rica mina de la antigua literatura didáctica medieval como punto de sugerencia. De un pasaje insignificante en la obra de Andreas Capellanus, por ejemplo, Martínez elabora mágicamente una de las escenas más inolvidables de la temprana literatura española. La famosa escena de la comadre que lamenta la pérdida de un huevo es inspirada en la siguiente observación escueta de Andreas: «Est et omnis femina virlingosa, quia nulla est, quae suam noverit a maledictis compescere linguam, et quae pro unius ovi omissione die tota velut canis latrando non clamaret et totam pro re modica viciniam non turbaret»[23].

En su obra, Martínez de Toledo recrea dramáticamente esta declaración abstracta del clérigo francés. Prestándose del habla directa y creando un personaje, el arcipreste dramatiza el concepto desvitalizado del capellán por medio de un monólogo conflictivo. Por otra parte, el monólogo que surge de la obra latina es complicadísimo desde el punto de vista técnico, ya

---

[23] Andreae Capellani, *De Amore, text llatí amb la traducció catalana del segle XIV*, ed. Amadeu Pagès, Castellón de la Plana, Sociedad Castellonense de Cultura, 1930, pág. 204.

que a pesar de ser un monólogo Martínez hace que dé la impresión de un agitado diálogo. La clave de esta ilusión literaria yace en el estilo que adopta el arcipreste en sus *exempla:* un estilo aprendido en la predicación medieval y que, además, refleja su conocimiento de la sicología y lengua populares. Veamos:

> Yten, por un huevo [una mujer] dará bozes como loca e fenchirá a todos los de su casa de ponçoña: «¿Qué se fizo este huevo? ¿Quién lo tomó? ¿Quién lo levó? ¿Adóle este huevo? Aunque vedes que es blanco, quiça negro será oy este huevo. ¡Puta, fija de puta! Dime, ¿quién tomó este huevo? ¡Qu:én comió este huevo comida sea de mala ravia: cámara de sangre, correncia mala le venga, amén! ¡Ay, huevo mío de dos yemas, que para echar vos guardava yo! ¡Que de uno o de dos hazía yo una tortilla tan dorada que complía mis vergüenzas! ¡Ay, huevo! ¡Ay, qué gallo e qué gallina salieran de vos! Del gallo fiziera capón que me valiera veinte maravedís, e la gallina catorze; o quiça la echara, e me sacara tantos pollos e pollas con que pudiera tanto multiplicar que fuera causa de me sacar el pie del lodo. Agora estarme he como desventurada, pobre como solía. ¡Ay, huevo mío de la majuela redonda, de la cáscara tan gruesa! ¿Quién me vos comió? ¡Ay, puta Marica, rostros de golosa, que tú me as lançado por puertas! ¡Yo te juro que los rostros te queme, doña vil, suzia, golosa!...» En esta manera dan bozes e gritos por una nada.

La extraordinaria abundancia de interrogaciones (casi la mitad de las oraciones del episodio) suponen la presencia de un oyente mudo. En relación con esto hay numerosas exclamaciones que expresan lo imperativo de la personalidad de la comadre frente a alguien no descrito abiertamente. El pronombre sujeto «tú», el uso vocativo del nombre («Ay, puta Marica...»), más la siguiente descripción socarrona de la persona invocada («rostros de golosa») llevan al lector a pensar en la presencia de un dialogante mudo; un personaje que por puro temor de la vieja no se atreve a hablar. Es decir, en *Arcipreste de Talavera* el monólogo no es solamente un conflicto anímico solitario expresado en voz alta, sino un encuentro dramático que muchas veces evoca una realidad profunda que va más allá del mismo texto. Se sugiere un mundo poblado por otros seres que existen, pero quienes no son directamente descritos por el autor.

Todo esto hace pensar inmediatamente en la *Celestina*, una obra que comparte más de una deuda con *Arcipreste de Talavera* [24]. El estilo evocativo desarrollado por Martínez en sus monólogos y diálogos coincide con la técnica de acotación que María Rosa Lida de Malkiel ha estudiado en la obra de Fernando de Rojas [25]. En las dos obras los sujetos y escenarios se generan implícitamente en el habla directa de los personajes sin necesidad de que un narrador los describa para nosotros. Además, en Rojas y en Martínez las acotaciones en los monólogos y diálogos no se limitan a ser puramente informativas, sino también cualitativas puesto que van siempre cargadas de pasiones y sentimientos que individualizan a los seres que las pronuncian.

La mayor parte del arte del arcipreste surge de su habilidad de seleccionar, elaborar y animar sus fuentes. Por esta razón, el *Corbacho* es una obra a la vez tradicional e innovadora. Temática e ideológicamente, Martínez se alía con las principales corrientes didácticas medievales así como se expresan en sus fuentes: condenación de la concupiscencia, alabanza

---

[24] Sobre las relaciones entre nuestra obra y *La Celestina*, véase Erich Von Richthofen, «El *Corbacho*: las interpolaciones y la deuda de la Celestina», en *Homenaje a Rodríguez-Moñino*, Madrid, Castalia, 1966, II, 115-120; también, nuestro «*Celestina*. Act I, Reconsidered: Cota, Mena... or Alfonso Martínez de Tolᵉ do?», *Kentucky Romance Quarterly*, 23 (1976), págs. 29-45.

[25] Véase *La originalidad artística de «La Celestina»*, 2.ª edición, Buenos Aires, Eudeba, 1970, págs. 81-107, pero especialmente las páginas 91-92.

del amor a Dios, y énfasis en la importancia de la responsabilidad individual por el pecado. Artísticamente, sin embargo, la obra es revolucionaria dentro de la prosa española, ya que en los *exempla* encontramos por primera vez la lengua vernácula plenamente desarrollada y puesta conscientemente al servicio de retratar la personalidad humana. Este último aspecto hace que la obra del arcipreste sea un eslabón importante entre la prosa pedagógica medieval y la literatura moderna en que la ficción subordina la moral del relato. Lo que se percibe en las anécdotas del *Corbacho* son los comienzos del dominio del principio estético sobre el ético en la narrativa. Muy a pesar de su repetida intención moralizadora, hay momentos en que Martínez de Toledo parece olvidarla y perderse en el mundo hipnotizante de las criaturas de su imaginación.

El estilo

Una dualidad inherente caracteriza el estilo de *Arcipreste de Talavera*. Por un lado existe una tendencia latinizante que domina las partes en que el narrador se dirige directamente al lector (aquí abundan el hipérbaton, el cultismo, y una estructura periódica de la oración estrechamente ligada a la estudiada estilística del latín medieval); y por otro hay una fuerte tendencia al popularismo verbal que casi siempre se reserva para los *exempla* (aquí aparecen todo género de barbarismos, proverbios, locuciones vulgares, y habla coloquial directa). Aunque a primera vista esta dialéctica lingüística puede parecer grotesca y desconcertante al lector moderno, en realidad tiene una razón de ser que va hasta el meollo del problema de la literatura didáctica en la Edad Media: la necesidad de comunicar con el público más variado posible. La simbiosis de lo erudito y lo popular en el estilo de esta obra refleja el cuidadoso estudio de la sicología de las masas que practicaban los predicadores medievales. Por medio del estilo heterogéneo típico de los sermones, Martínez de Toledo aspiraba a comunicar su condenación del amor mundano tanto a los letrados más eruditos como a los lectores más ingenuos.

El estilo dualístico del *Corbacho* coincide, incluso, en algunos aspectos mínimos con lo recomendado por los *artes praedicandi* medievales (los manuales de preceptiva homilética). Este es el caso, por ejemplo, del frecuente empleo de la prosa rimada; la abundancia de las preguntas retóricas; la proliferación de exclamaciones; el preponderado uso de largas enumeraciones de verbos, sustantivos y adjetivos sinónimos[26], y la repetición insistente de palabras e ideas que aparecen a través de toda la obra del arcipreste. En fin, la estilística del libro depende en alto grado de la retórica y teoría del sermón así como fueron desarrolladas durante la baja Edad Media[27].

En realidad, todo el *Corbacho* rezuma el espíritu y los métodos de la predicación medieval. De todo el caudal de la antigua literatura española es, quizá, la obra que mejor demuestra la importante contribución de la oratoria sagrada a los inicios de la narrativa vernácula. Ni en la obra de don Juan Manuel queda la huella del sermón tan patente como en la de nuestro autor. Además del estilo, muchos de los temas que encontramos en *Arcipreste de Talavera* son también compartidos con la homilética. Este es el caso, por ejemplo, del antifeminismo, tópico favorito de predicadores como San Vicente Ferrer quien en sus

---

[26] Sobre este último aspecto, véase Dámaso Alonso, «*El Arcipreste de Talavera* a medio camino entre moralista y novelista», en su libro *De los siglos oscuros al de oro*, 2.ª ed., Madrid, Gredos, 1964, páginas 125-136.

[27] Para un análisis detallado de los vínculos entre el estilo del arcipreste y la homilética medieval, véase mi estudio *Alfonso Martínez de Toledo*, págs. 87-101.

sermones asesta contra la vanidad, presunción, y soberbia de las mujeres[28].

Hay, por otra parte, un acusado sentimiento apocalíptico que aparece en la obra de Martínez y en las homilías contemporáneas. El arcipreste, como tantos otros predicadores de los siglos XIV y XV, concluye que «bien paresce que la fin del mundo ya se demuestra de ser breve» al contemplar la decadencia moral que le rodea. Y también como los severos oradores, no se resigna a aceptar la situación, sino que se esfuerza en corregirla por medio del retrato satírico. Martínez de Toledo combate el pecado caricaturizándolo y ridiculizándolo. Subvierte la conducta moralmente reprensible del pueblo al magnificarla y someterla al detallado análisis sicológico que sin duda aprendió en el estudio de la oratoria sagrada. El cuadro en que satiriza al amante cortesano es, por ejemplo, una pequeña obra maestra en que resalta el agudo poder observador del predicador medieval. En él se hace patente la frivolidad, presunción y vanidad del loco amor:

> Pues, dime agora, amigo, que Dios te vala, ¿viste jamás ombre enamorado que non fuese elato, sobervio, e argulloso, e aun tal que non es menester que ninguno le fable contra su voluntad, ca sí a los otros tiene en menosprecio, que le paresce que todos son nada, fijos de nada, sinón él? ¿El fablar muy pomposo e con grand fausto, faziendo gestos e continencias de sí quando fabla, alçándose de puntas de pies, estendiendo el cuello, alçando las cejas en aquella ora de aquella eloqüencia e arrogancia, abaxándolas

---

[28] Véase, por ejemplo, Roque Chabás, «Estudio sobre los sermones valencianos de San Vicente Ferrer», *Revista de Archivos, Bibliotecas y Museos*, 8 (1903), pág. 293, y pág. 295 para textos antifeministas de los sermones del santo valenciano. Consúltese también a Albert Lecoy de la Marche, *La chaire française an Moyen Âge*, 2.ª ed., París, Renouard, 1886, pág. 438; y G. R. Owst, *Literature and Pulpit in Medieval England*, Oxford, Basil Blackwell, 1966, pág. 390.

quando le dizen o fazen cosa que non le venga de aire, para amenazar; muy presto para matar e degollar de papo, que non ay cosa que de delante se le tenga? Quando toma su cavallo —si es de tal estado—, quando fuere por la calle non guardará asnos nin burros, pobres nin mal vestidos, que con todos non tope muy descortésmente, sin manzilla nin duelo, con la fantasía e orgullo que en el celebro lieva de su dama; muy estirado sobre su silla, estrechamente ceñido, tiesto, yerto como palo, las piernas muy estendidas, trochando los pies en los estribos, mirándoselos de cada rato si van de alta gala, la bota e el çapato muy engrasado, la mano en el costado, e con grand birrete italiano o sombrero como diadema, albarcando toda la calle con su cavallo trotón, faca, mula; de través brocando e de espuelas firiendo e con sus piernas e pies a quantos falla encontrando, con su gritillo: «¡Yha! ¡Biva la linda enamorada mía!»

Así como los predicadores en sus sermones, Martínez pasa despiadadamente sobre la gama de la sociedad exponiendo las idiosincrasias, tachas, indiscreciones, estupideces y, a veces, las malevolencias crueles de los pecadores de este mundo. Todo esto lo hace poniendo siempre la atención en los detalles mínimos de una situación o una personalidad. Los blancos humanos de su sátira no se mueven en un mundo abstracto y alejado, sino en el cotidiano que está lleno de cosas comunes y dilemas consuetudinarios. El detalle vulgar es el arma más eficaz que tiene el predicador. Veamos la reacción de la mujer que ha incitado a su esposo a defender su honor mancillado:

E quando entra [el marido] ferido por casa, o a ferido, ráscase la bendita de la promovedora dello las nalgas —con reverencia fablando— diziendo: «¡Cuitada, mesquina, turbada, corrida! ¡Yuy, y qué será de mí! Señor, ¿quién vos firió por la cara?», o «¿Quién me vos mató» o «¿Quién vos dio tal golpe? ¡Virgen María!...»

Su sátira es, sobre todo, gráfica y coincide con la de la predicación medieval puesto que «el explotar la experiencia diaria... mediante el empleo de las comparaciones y los ejemplos basados en la vida cotidiana... es típico de la predicación vernácula de los siglos postreros de la Edad Media»[29].

Indudablemente, este aspecto de *Arcipreste de Talavera* es el que ha llevado a la crítica a considerarlo como un importante precursor de la literatura realista española[30]. Empleando artificios narrativos que habían perfeccionado los predicadores populares así como el empleo del habla coloquial directa en la representación de la personalidad, y las descripciones minuciosas de un mundo familiar y cotidiano, Martínez logra dar vida e inmediatez a los principios abstractos de la moralidad cristiana. Tampoco huye el arcipreste de lo escabroso, sino que lo explota para hacer resaltar la degradación del loco amor. En la anécdota de Juan Orenga, por ejemplo, nuestro autor describe gráficamente cómo «una muger cortó sus vergüenças a un ombre enamorado suyo... porque sopo que era con otra echado» (I, xxiv).

El vitalismo de los *exempla* de *Arcipreste de Talavera* revela un contacto directo con la vida. En contraposición a la narrativa elegantemente artificiosa de sus contemporáneos, Martínez de Toledo siempre comunica una sensación de familiaridad telúrica, una realidad vivida. En su obra se despliega la comedia humana del siglo XV español, y por primera vez en la prosa castellana irrumpe el pueblo total en la escena. En el *Corbacho* el radio de la literatura se ensancha puesto que se representa una realidad mucho más variada y amplia que la retratada en las obras que lo

---

[29] Keith Whinnom, «El origen de las comparaciones religiosas del Siglo de Oro: Mendoza, Montesino y Román», *RFE*, 46 (1963), páginas 280-291.

[30] Véase, por ejemplo, Helmut Hatzfeld, *«Don Quijote als Wortkunstwerk*, Leipzig, Berlín, Teubner, 1927, págs. 2, 70, 149 donde se alude al arcipreste como importante predecesor de Cervantes.

preceden; Martínez pretende abarcarlo todo en su severa reprobación del amor mundano.

Ideal y ortodoxia: el contexto cultural del antifeminismo y el loco amor

El antifeminismo es un tema de antiguas raíces bíblicas y clásicas que reaparece con acusado vigor en Francia y en Italia en los siglos XIII y XIV: siglos que también marcan el auge de la literatura cortesana en estos países. La literatura castellana (con la excepción de algunas obras traducidas del árabe) no produjo, sin embargo, una obra de claro corte misógino hasta el siglo XV. *Arcipreste de Talavera,* por cierto, escrito en 1438 es, según Jacob Ornstein, la primera obra genuinamente antifeminista de la literatura de Castilla[31]. A partir de esta fecha hay una intensificación y proliferación de la temática antifeminista en las letras castellanas que no cesa hasta bien entrado el siglo XVI. En los cien años entre 1440 y 1540 aparecen autores tan claramente misóginos como Pere Torroellas, Hernán Mexía, Fernando de Rojas y Luis de Lucena, entre otros.

Ahora bien, el antifeminismo no es sino la contrapartida del fenómeno opuesto, el profeminismo, corriente literaria que exaltaba el mérito y la superioridad de la mujer. Entre los autores profeministas del siglo XV están no solamente los declarados defensores del bello sexo como Juan Rodríguez del Padrón, Álvaro de Luna, Diego de Valera y Alonso de Cartagena, sino, en realidad, todos los escritores que seguían la moda del amor cortés. Por cierto, en muchos de sus argumentos el profeminismo revela un fuerte

---

[31] «La misoginia y el profeminismo en la literatura castellana», *RFH,* 3 (1941), pág. 222.

vínculo con el amor cortés y su proclamación de la superioridad de la mujer. Y es aquí donde, sin duda, tenemos que buscar la razón de ser del antifeminismo de Martínez de Toledo y su definición del loco amor.

Desde el principio de *Arcipreste de Talavera* queda claro que Martínez de Toledo tiene un fin en mente: la reprobación del amor mundano, o la concupiscencia. No obstante, el deseo de condenar la lujuria donde se encuentre en el mundo, muchos de los retratos satíricos que nuestro autor pinta a través de su obra frecuentemente subvierten y ridiculizan ideas y conceptos que prevalecen en la teoría aristocrática del amor. Martínez de Toledo intenta desacreditar una visión noble del amor humano por medio de cuadros que contradicen todo lo mantenido por los cortesanos de su época. Así pues, al referirse al amor mundano en general, el arcipreste sin duda atacaba también el amor cortés; el tipo de conducta amorosa que se practicaba en los círculos palaciegos en que él se movía.

Durante el siglo XV en la literatura cortesana de Castilla hubo una radical redefinición de la mujer y su papel en el amor profano, aunque ya la nueva actitud venía anunciándose en la literatura del trescientos. En esencia, se formuló una contradicción a la manera tradicional en que se percibía el sexo femenino y, sobre todo, las dimensiones éticas del amor. Apareció una nueva sensibilidad erótica que se concentraba en la adoración de la mujer. El género femenino se concibe ahora como moralmente superior al masculino, y la mujer desempeña el papel de un ente reverenciado que a veces llega a equipararse blasfemamente con Dios mismo[32]. La novedad del amor cortés se encuentra, según A. J. Denomy, en tres elementos básicos: primero en el hecho de que al amor se le atribuye un poder ennoblecedor; segundo, en la elevación de

[32] Véase nuestro artículo «La religión del amor y el antifeminismo en las letras castellanas del siglo XV», próximo a salir en la *Hispanic Review*.

la amada a una posición exaltada, y, finalmente, en la concepción del amor como un creciente deseo que siempre queda insatisfecho[33]. Como en un código ético, la observancia de estos principios enaltece y purifica al amante, le proporciona virtud espiritual. Además, como en cualquier sistema moral que promete un galardón por el cumplimiento, es necesario satisfacer ciertas condiciones para que el galán llegue a ser digno de la dama.

Tres poetas castellanos, todos contemporáneos del arcipreste, resumen las cualidades que debe poseer el hombre enamorado ideal. Fernando de la Torre observa que debe ser un «discreto galán polido, / valiente, diestro y osado, / virtuoso, bien medido, / de los ombres muy querido, / de las damas más amado; / por todos mucho loado / en público e escondido»[34]. Hernando de Ludueña concuerda con todo esto, pero pone énfasis especial en la juventud del amante: «El galán ha de tener / lo primero tal hedad / que de treinta y seis no passe; / no tan moço que el saber / destruya con liviandad, / porque no se despompasse. / Si con gentil condición / tuviere disposición, / es cierto que ganará; / mas todo le falta / si le falta discreción»[35]. Y Suero de Ribera presta atención especial a su elegancia, elocuencia, y sus habilidades musicales y poéticas: «Deuen ser mucho discretos, / bien calçados, bien vestidos, / donosos e ardidos, / cuerdos, francos e secretos; / muy onestos e corteses, / de gentiles invenciones, / buenas coplas e canciones, / discretos mucho en arneses»[36].

La amada en el amor cortés, quien es en realidad el

[33] *The Heresy of Courtly Love*, Nueva York, D. X. McMullen, 1947, pág. 20.

[34] Citado en Otis H. Green, «Courtly Love in the Spanish *Cancioneros*», en su libro *The Literary Mind of Medieval and Renaissance Spain*, Lexington, University of Kentucky Press, 1970, pág. 49.

[35] *Ibid.*, págs. 49-50.

[36] *Ibid.*, pág. 50.

centro gravitante de esta nueva filosofía erótica, debe ser aún más perfecta que el galán. A ella se la considera un dechado de virtudes espirituales y sociales. El marqués de Santillana, otro contemporáneo de Martínez de Toledo, evoca a su dama ideal en uno de sus *Sonetos fechos al itálico modo* de la siguiente manera:

> Quando yo so delante aquella donna
> a cuyo mando me sojudgo Amor,
> cuido ser uno de los que en Tabor
> vieron la grand claror que se razona,
>
> o quella sea fija de Latona,
> segund su aspeto e grande resplandor:
> asi que punto yo non he vigor
> de mirar fixo su deal persona.
>
> El su grato fablar dulce, amoroso,
> es una maravilla çiertamente,
> e modo nuevo en humanidad:
>
> el andar suyo es con tal reposo
> honesto e manso, e su continente,
> que, libre, vivo en captividad.

El marqués pinta a su dama como una figura redentora en un molde de evidentes resonancias místicas (compárese la imagen del primer cuarteto con lo que aparece en el Nuevo Testamento, *Mateo*, XVII, 1-6). Ella se convierte en el avatar de una nueva forma de vida que pone al ser humano, en este caso la mujer, en el centro de un universo secularizado.

Más allá de la perfección espiritual y social a que alude Santillana, la dama debe poseer también atributos físicos perfectos. Ella debe tener cabello dorado, o rubio; ojos hermosos; cutis inmaculado, blanco y suave; labios de carmín; cuerpo esbelto; en fin, todas las características de la belleza femenina ideal.

Frente a esta extrema idealización de la mujer y el amor, muchos clérigos y moralistas reaccionaron adversamente, puesto que atisbaban aquí una peligrosa forma de heterodoxia moral. Sentían que, a despecho

41

de Dios y la Santa Madre Iglesia, la mujer había monopolizado la atención del hombre contemporáneo. Como es bien sabido, la tradición bíblica y patrística venía pintando lo alevoso de las mujeres y su posición subordinada respecto al hombre. Confrontados con la nueva actitud ante la mujer del amor cortés, algunos de los pensadores más tradicionalistas intentaron combatir el fenómeno atacándolo y, sobre todo, el género femenino que lo instigaba. A la mujer se la consideraba culpable y pecadora puesto que era el centro de interés de la nueva filosofía sentimental. Alfonso Martínez de Toledo, sin duda, se contaba entre los escritores que buscaban rectificar el error del amor idealizado y su pecaminosa elevación del género femenino a un puesto en que podía competir con la devoción debida a Dios.

Como capellán de don Juan II, Martínez vivió en un ambiente hipererotizado lleno de refinamiento aristocrático. *Arcipreste de Talavera* fue la respuesta a los cortesanos embriagados por el amor y deslumbrados por la imagen femenina que les rodeaba. El concepto del amor que el arcipreste busca subvertir en su tratado es el obsesionante e idealizado mantenido por la nobleza de su tiempo. Martínez desea desengañar a todos sus contemporáneos, pero sobre todo a sus pares, demostrando a través de sus ejemplos negativos de las mujeres y sus retratos ridículos de los hombres enamorados cómo el amor mundano, a pesar de existir bajo una cobertura de refinamiento y respetabilidad, no es sino pecado y perdición.

Dado el papel preeminente de la mujer en el amor cortés y en el ambiente palaciego en que vivió Alfonso Martínez de Toledo, no es sorprendente, pues, que el *Corbacho* lleve fuertes sobretonos antifeministas. Aunque el propósito principal de la obra es abogar por el amor a Dios, no se debe perder de vista que otra meta del autor era demostrar cómo el ídolo de los amantes cortesanos tenía pies de barro. Las acusaciones que el arcipreste lanza contra las mujeres sirven para contradecir el concepto idealizado de la feminidad defendido por la mayoría de sus coetáneos aristocráticos. En vez de ser un dios, para Martínez la mujer es una arpía locuaz que atormenta al hombre. Recordando la boga en la retórica del amor cortés en que se proclama a la dama Dios, Martínez declara que el amor humano lleva a la idolatría (I, ix), y concluye que «aquel que hama otro o a otra más que a Dios, desprecia el criador e prescia mucho la criatura; desecha la virtud e hama el pecado, e demás viene contra su primer mandamiento». Además, la supuesta belleza física de las mujeres no existe; todo es un engaño calculado, un espejismo fabricado a base de «las aguas para afeitar». La gracia y virtud femeninas resultan, por otra parte, estudiadas hipocresías para salir con lo suyo. La feminidad, a final de cuentas, es el mejor pretexto para el libertinaje en la mujer. Constantemente se repite a sí misma, «Muger so, non me fará nada, non me ferirá; non sacará arma para mí, que soy muger, que le correría todo el mundo si tal fiziese o cometiese...», y racionaliza su atrevimiento.

Aunque es la mujer, como dijimos, la que recibe más atención y censura en *Arcipreste de Talavera*, los retratos de los amantes masculinos que nuestro autor pinta también llevan fuertes pinceladas satíricas. Todos los hombres enamorados poseen para el arcipreste un concepto exagerado de su propia honorabilidad. Al actuar vemos que sus motivaciones son siempre egoístas e ignominiosas, y que su elegancia y rectitud no son sino pomposidad (recuérdese el aparatoso galán de las botas engrasadas y el gran birrete italiano). En sus etopeyas del amante ideal Fernando de la Torre, Suero de Ribera y Hernando de Ludueña enfatizan, como vimos, la elocuencia, juventud, elegancia, discreción y honestidad. Al describir las diferentes *complisiones* de los hombres, sin embargo, Martínez nos ofrece un compuesto y grotesco retrato que busca socavar el concepto vigente de los galanes enamorados:

son como ombres crespos e bermejos, o canudos en mocedad; que tienen la cabeça redonda o luenga, muchas rúas en la fruente, o remolinos o grandes entradas en ellas; cejuntos, romos, camusos, o grandes narizes e luengas, o delgadas e agudas; ojos fondos, chicos, las pestañas apartadas, los ojos bermejos e pintados; la boca grande, ceceoso, tartamudo, los dientes afelgados o dentudos; la barva partida, la cara redonda e ancha; las orejas grandes e colgadas... el fablar suave, los fechos arrebatados, el gesto asegurado; el coraçón movido, mentirosos, sobervios, e otras muchas señales...

Los hombres enamorados arquetípicos para nuestro autor llevan todas las características físicas asociadas con el simbolismo de la lujuria en la iconografía gótica. Más que cortesanos de suaves maneras, son hombres salvajes cuya fisonomía representa la pasión arrebatada[37].

El *Corbacho* es, pues, una refutación satírica del culto del amor idealizado así como existió en el siglo XV. Y para comprender su razón de ser es necesario situarlo en el contexto cultural en que se escribió. Lejos de ser una escuela de virtudes, como creían muchos de sus contemporáneos, el amor humano, según Martínez de Toledo, lleva al pecado y la degeneración moral. El que practica el loco amor reniega la fe, rompe los Diez Mandamientos, comete los siete pecados mortales, debilita el cuerpo y el alma, y le es imposible alcanzar las siete virtudes. Las consecuencias del amor humano son todas doctrinales y trascendentes. Por tanto, *Arcipreste de Talavera* es, ante todo, una llamada a un retorno de la definición ortodoxa del amor, la sancionada por la Iglesia. Siendo una obra estrictamente cristiana reafirma el

---

[37] Véase Alan Deyermond «El hombre salvaje en la novela sentimental», *Filología*, 10 (1964), págs. 97-111; y también *The Wild Man Within*, ed. de Edward Dudley y Maximilian E. Novak, Pittsburg, University of Pittsburg Press, 1972.

libre albedrío en los casos de la pasión, y clama por el amor a Dios, «que da vida, salud, riquezas, estado, honra, e final gloria a aquel que le sirve, e de vanidades nin de locuras non se cura». Las únicas alternativas que se ofrecen al amor mundano son las autorizadas por el culto cristiano: o la abstinencia total, o el matrimonio. Además, en su *exempla* Martínez subraya el papel secundario de la mujer frente al hombre —presumida, locuaz, vanidosa y superficial, ella debe mantenerse en su puesto subordinado así como nos enseña la autoridad patrística, la escritura canónica, la *Biblia,* y los siglos de la tradición occidental.

A nuestro parecer, el deseo de refutar a los partidarios del amor idealizado llevó a que Martínez de Toledo se inspirara en la «Reprobatio Amoris» (el tercer libro del *De Amore* de Andreas Capellanus) y la utilizara como fuente principal de su tratado. El *De Amore* codifica los preceptos del amor cortés en los dos primeros libros y fue considerado por muchos de los contemporáneos del arcipreste como la principal autoridad en la preceptiva amorosa. El tercer y último libro de la obra del capellán francés, sin embargo, es una especie de palinodia donde se retracta todo lo dicho anteriormente (existe la posibilidad, dicho sea de paso, de que la *Demanda* de *Arcipreste de Talavera* sea escrita en imitación irónica de la retractación de Andreas). Reconociendo el hecho de que los propagadores del amor cortés siempre se olvidaban de este rechazo, Martínez de Toledo decidió sin duda resucitar la parte del tratado gálico comúnmente omitida por ellos, y la incorporó a su propia *reprobación del amor mundano* [38]. Por esta razón, pensamos que el

---

[38] En su «Cadira del honor», por ejemplo, Juan Rodríguez del Padrón cita el «primer libro» del *De Amore* al defender la superioridad femenina *(Obras de Juan Rodríguez de la Cámara o del Padrón,* ed. de A. Paz y Melia, Sociedad de Bibliófilos Españoles, 22, Madrid, M. Ginesta, 1884, pág. 137). Es de notar, además, que el único manuscrito medieval hispánico del *De Amore* que ha sobrevivido (la traducción catalana de la obra hecha para Domenec

Juan de Ausim mentado en el prólogo del *Corbacho* es indudablemente un error del copista y que en el original leíase *Andrés el Capellán*. La descripción que nuestro autor hace de la obra de Juan de Ausim, además, casa perfectamente con la de la «Reprobatio Amoris». Veamos:

> E por ende, veyendo tanto mal e daño, propuse de algund tanto desta materia escrivir e fablar, poniendo algunas cosas en prática que oy se usan e pratican, segund oirés, tomando de aquel dotor de París que en su vreve compendio ovo de reprobación de amor compilado, para información de un amigo suyo, ombre mancebo que mucho amava, veyéndole atormentado e aquexado de amor de su señora, en verdadero nombre dicha cruel enemiga, o tormento de su vida. E començó amonestándole e dándole primeramente a entender que amar sólo Dios es amor verdadero, e lo ál amar todo es burla e viento e escarnio...

Así pues, en el *Corbacho* Martínez de Toledo ataca la boga del amor idealizado aprovechándose con maliciosa ironía de uno de los documentos fundamentales que se citaba para defenderla. De esta manera, su argumento a favor de lo pecaminoso del amor cortés queda invencible.

Arcipreste de Talavera es, por consiguiente, una obra clave de la literatura medieval española ya que nos lleva a una mejor intelección de la naturaleza del amor cortés y las reacciones adversas de los moralistas a esta definición secularizada del sentimiento hu-

---

Mascó hacia 1387: ms. 2. Ll. 1 de la Biblioteca de Palacio) no contiene el tercer libro de la obra. Véase el *De Amore*, ed. cit., páginas xiii-xvi. Hay noticia de otro manuscrito que se ha perdido. Este es una versión latina de la obra mencionado en el testamento de Pere Beçet (m. Tortosa, 1430). No se sabe si reproducía la «De Reprobatio Amoris». Véase F. Martorell Traball y F. Valls Taberner, «Pere Beçet», *Anuari de l'Institut d'Estudis Catalans*, 4 (1911-1912), pág. 1-25.

mano. La obra de Martínez de Toledo parece indicar que entre los clérigos más conservadores se percibía la idealización del amor y la mujer como un error doctrinal. En lugar del fastuoso *servicio de amor* que practicaban sus coetáneos seglares, el arcipreste permite únicamente las dos formas del amor lícitas para el cristiano: o el celibato, o el casamiento. El *Corbacho* es, pues, una obra de trascendente importancia histórico-social así como literaria. En fin, a nuestra manera de ver, es un documento de protesta social y religiosa que defiende la concepción cristiana del amor frente a un mundo que la iba abandonando. En el otoño de la Edad Media española, la obra representa una contestación a la demanda de las nuevas ideas y sentimientos humanísticos del prerrenacimiento.

El texto y la presente edición

Arcipreste de Talavera ha llegado hasta nosotros en un manuscrito único que terminó de copiar Alfonso de Contreras el 10 de julio de 1466. Se conserva en la Biblioteca del Escorial (signatura h. III. 10). Se conocen, además, las siguientes impresiones tempranas del texto: Sevilla, 1498, por Meynardo Ungut y Stanislao Polono; Toledo, 1499, por Pedro Hagembach (consiste solamente en la segunda parte de la obra); Toledo, 1500, por el mismo Pedro Hagembach; Toledo, 1518, por Arnao Guillén de Brocar; Logroño, 1529, por Miguel de Eguía, y, finalmente, Sevilla, 1547, por Andrés de Burgos.

La presente edición se basa en la de Cristóbal Pérez Pastor, Madrid, Sociedad de Bibliófilos Españoles, 1901, conforme al manuscrito escurialense de la obra del arcipreste. Se han tenido en cuenta y, en ocasiones, corregido a la luz de una copia fotostática del mismo manuscrito y de los recientes estudios textuales de Marcella Ciceri, las enmiendas propuestas por Pérez Pastor[39].

Las palabras que faltan en el códice escurialense y que se encuentran en las ediciones de Sevilla, 1498, y Toledo, 1500, van impresas en letra cursiva (al menos que sea el título de un libro o una obra citada por el arcipreste en el texto). Las voces que creemos ser oportunas, que están en la edición de 1498 pero faltan en la de 1500 y en el manuscrito, se encierran entre corchetes [ ]; las que no aparecen en el códice y en la impresión de 1498, pero se hallan en la de 1500, se ponen entre barras //.

En general, respetamos en todo lo posible la ordenación de los párrafos y la ortografía del códice. Al mismo tiempo, sin embargo, hemos hecho las siguientes modificaciones: en el uso de la *r* y *rr* seguimos la ortografía de la Real Academia Española, haciendo caso omiso de la *rr* en principio de palabra, de la *R* en medio, y de la *rr* con que aparecen escritas en el manuscrito las voces *sarrna, infierrno,* y algunas otras. Además, sustituimos *nn* por *ñ*, y hemos tratado de establecer la puntuación necesaria por ser arbitraria, si no inexistente, en el códice tanto como en las tempranas ediciones. Por otra parte, restituimos a *y* su valor vocálico e igualmente a *v*. De esta forma, en lugar de *dygo* ponemos siempre *digo,* y en lugar de *vna* ponemos *una*.

Ante las labiales se ha transcrito siempre *m*, a pesar de que en el ms. se encuentra frecuentemente *n* o tilde. Así *costunbre* o *costūbre* se regularizan en *costumbre*.

Las notas a pie de página, así como el glosario, representan un esfuerzo colectivo, puesto que se

[39] Véase Marcella Ciceri, «Rilettura del manoscritto escurialense dell' *Arcipreste de Talavera*», *CN*, 31 (1971), págs. 223-35; además de su edición citada de *Arcipreste de Talavera,* II, 7-44. La copia fotostática pertenece a la biblioteca de la Universidad de California en Berkeley, y es la misma que utilizó Lesley Byrd Simpson para preparar su edición de 1939.

derivan de las investigaciones de los principales comentaristas del texto (sobre todo Mario Penna,
Erich Von Richthofen, Martín de Riquer, Arnald
Steiger, Joaquín González Muela y Marcella Ciceri) además de nuestros propios estudios sobre el
arcipreste.

Es un placer hacer constar aquí nuestra gratitud a
Anthony N. Zahareas y Julio Rodríguez-Puértolas,
quienes de una manera u otra ayudaron en la presente edición.

NOTA A LA TERCERA EDICIÓN

Desde la publicación de nuestra primera edición han
aparecido varios estudios que aportan importantes datos
al conocimiento de la vida y obra de Alfonso Martínez
de Toledo. Quizá el más notable de ellos sea el libro de
Carmen Torroja Menéndez y María Rivas Palá, *Teatro
en Toledo en el siglo XV* (Madrid, 1977). En este libro las
investigadoras aducen numerosos documentos que echan
luz sobre la carrera literaria y la vida particular de nuestro
arcipreste. Demuestran, por ejemplo, cómo entre 1454-
1461 Martínez de Toledo fue el encargado de preparar las
representaciones teatrales del día del Corpus Christi y de
Navidad en Toledo. Este dato es de no poca importancia
para la comprensión del estilo dramático de numerosos
pasajes del *Corbacho* tanto como para la apreciación de
la posible influencia levantina en las festividades toleda-
nas de mediados del siglo, puesto que nuestro arcipreste
transmitiría a la escena lo asimilado en las representaciones religiosas durante sus largas estancias en las ciu-
dades de la costa de la Corona de Aragón. Por otra parte,
el estudio de estas investigadoras demuestra a Martínez
de Toledo vinculado a dos ilustres predicadores, los ba-
chilleres Fernando de Zamora y Fernando Alfonso, a
quienes invita a predicar en la catedral toledana en 1456.
Así, pues, se comprueba su interés en la predicación y se

confirman de manera indirecta las huellas temáticas y estilísticas del sermón en su arte literario.

Otros datos significativos descubiertos por Torroja Menéndez y Rivas Palá podrán tener importancia para la interpretación temática del *Corbacho*. Éstos atañen a la posible violación del celibato por Martínez de Toledo, y parecen corroborar las denuncias de Francisco Fernández, el clérigo toledano que en 1427 había acusado al arcipreste de haber contraído matrimonio. En 1459-1460, por ejemplo, Martínez de Toledo paga la casa de Mari Gómez, quien es nombrada como *prima*. Poco después, en otro documento, aparece la misma Mari Gómez pero ahora denominada como *sobrina* del arcipreste. Creemos que las investigadoras no se despistan al insinuar que tanto *prima* como *sobrina* son eufemismos por manceba. Por otra parte, en el mismo estudio las investigadoras llegan por vía independiente a deducir la misma fecha que hemos propuesto para la defunción del arcipreste: los primeros días de 1468.

Por consiguiente, nuestro conocimiento de la vida y obra del prosista castellano más importante de la primera mitad del siglo xv ha aumentado significativamente desde la publicación de nuestra primera edición. La bibliografía más reciente sobre el *Corbacho* al imprimirse esta nueva edición de la obra queda reflejada en el estudio bibliográfico del libro.

Bibliografía selecta

El único manuscrito conservado de *Arcipreste de Talavera* se encuentra en la Biblioteca del Escorial (ms. castellano h. III, 10). Para una descripción bibliográfica, véase Bartolomé José Gallardo, *Ensayo de una biblioteca de libros raros y curiosos,* Madrid, M. Tello, 1889, III, núm. 2.957; Julián Zarco Cuevas, *Catálogo de los manuscritos castellanos de la Real Biblioteca del Escorial,* Madrid, Helénica, 1924, I, páginas 220-221.

EDICIONES ANTIGUAS

Francisco Escudero y Perosso en su *Tipografía hispalense,* Madrid, Rivadeneyra, 1894, pág. 95, habla de un incunable de Sevilla, 1495. Sin embargo, Konrad Haebler observa que en su descripción Escudero sigue a Panzer, y «lo que dice Panzer está tomado de Diosdado Caballero *(Adiciones)* y no merece gran confianza. Creo que la de 1498 es la primera edición», *Bibliografía ibérica del siglo XV,* La Haya y Leipzig, M. Nijhoff, 1903, I, pág. 192, núm. 404.

El arcipreste de Talavera que fabla de los vicios de las malas mugeres E Complexiones de los hombres, Sevilla, Meynardo Ungut y Stanislao Polono, 1498.

*Tratado contra las mugeres que con poco saber mez-
clado con malicia dicen e facen cosas no debidas*,
Toledo, Pedro Hagembach, 1499. Contiene sola-
mente la segunda parte de la obra. Después de
Gallardo (*Ensayo*, III, 668, núm. 2.958), ningún
investigador moderno lo ha visto, aunque Cristóbal
Pérez Pastor en *La imprenta en Toledo*, Madrid,
M. Tello, 1887, pág. 16, núm. 14, dice que un
ejemplar perteneció al señor José Matalinares, de
Valladolid.

*El arcipreste de Talavera que fabla de los vicios de
las malas mugeres E complexiones de los ombres*,
Toledo, Pedro Hagembach, 1500.

*Arcipreste de Talavera que habla de los vicios de las
malas mugeres e complexiones de los ombres en
español*, Sevilla, 1512. No se conoce ningún ejemplar, aunque figura en el registro de Fernando Co-
lón (véase Escudero y Perosso, *Tipografía hispalense*, pág. 136, núm. 167).

*Arcipreste de Talavera que fabla de los vicios de las
malas mugeres E complexiones de los hombres.
Nuevamente añadido. Y con su tabla*, Toledo, Arnao Guillén de Brocar, 1518.

*Siguese un compendio breve y muy provechoso para
informacion de los que no tienen experiencia de los
males y daños que causan las malas mugeres a los
locos amadores: y de otras cosas anexas a este
proposito*, Logroño, Miguel de Eguía, 1529.

*Arcipreste de Talavera que habla de los vicios de las
malas mugeres* [sic]: *y complexiones de los hombres*, Sevilla, Andrés de Burgos, 1547.

EDICIONES MODERNAS

Arcipreste de Talavera, edición de Mario Penna, Tu-
rín, Rosenberg y Sellier, 1955.
Arcipreste de Talavera, Barcelona, Zeus, 1968.
Arcipreste de Talavera, edición de C. Pastor Sanz,
Madrid, EMESA, 1971.

Arcipreste de Talavera, edición crítica de Marcella Ciceri, 2 vols., Istituto di Filologia Romanza dell'Università di Roma, 3, Módena, STEMMUCCHI, 1975.

Arcipreste de Talavera, Corbacho, o Reprobación del amor mundano, edición de Cristóbal Pérez Pastor, Sociedad de Bibliófilos Españoles, 35, Madrid, M. Tello, 1901.

Arcipreste de Talavera o Corbacho, edición de J. González Muela, Madrid, Castalia, 1970.

Arcipreste de Talavera, El Corbacho, edición de Agustín del Saz, Barcelona, Juventud, 1977.

Arcipreste de Talavera, o sea el Corbacho, edición de Lesley Byrd Simpson, Berkeley and Los Ángeles, University of California Press, 1939.

Corbacho o Reprobación del amor mundano, edición de F. C. Sáinz de Robles, Madrid, Círculo de Amigos de la Historia, 1974.

Corbacho, o Reprobación del amor mundano, edición de Martín de Riquer, Barcelona, Selecciones Bibliófilas, 1949.

De los vicios de las malas mujeres y complexiones de los hombres, edición de E. Barriobero y Herrán, 2 volúmenes, Madrid, Mundo Latino, 1931.

The Diplomatic Edition of the «Arcipreste de Talavera», tesis doctoral de George Bonner Marsh, Universidad de California en Berkeley, 1929.

Traducciones

Little Sermons on Sin (Arcipreste de Talavera), traducción al inglés de Lesley Byrd Simpson, Berkeley y Los Angeles, University of California Press, 1959.

Libros y artículos que se refieren a
Arcipreste de Talavera

Alonso, Dámaso, *De los siglos oscuros al de oro*, 2.ª edición, Madrid, Gredos, 1964, págs. 126-36.

Amador de los Ríos, José, *Historia crítica de la literatura española*, Madrid, Fernández Cancela, 1861-1865, VI, págs. 277-285.

Baradat, A., «Qui a inspiré son livre à l'Archiprêtre de Talavera?», en *Mélanges offerts à M. le Professeur Henri Gavel*, Toulouse, Privat, 1948, págs. 3-12.

Bell, Aubrey F. G., «The Archpriest of Talavera», *Bulletin of Spanish Studies*, V (1928), págs. 60-67.

Beltrán de Heredia, Vicente, «Alfonso Martínez de Toledo, Arcipreste de Talavera (1398-1468). Puntualizaciones biográficas», en su estudio *Cartulario de la Universidad de Salamanca*, Acta Salmaticensia, 17, Salamanca, Universidad de Salamanca, 1970.

Bermejo Cabrero, J., «La formación jurídica del Arcipreste de Talavera», *Revista de Filología Española*, LVII (1974-75), págs. 111-125.

Boudet, Théodore Joseph, Comte de Puymaigre, *La Cour littéraire de don Juan II*, París, Franck, 1873, I, págs. 156-66.

Ciceri, Marcella, «Rilettura del manoscrito escurialense dell'*Arcipreste de Talavera*», *Cultura Neolatina*, XXXI (1971), págs. 223-35.

— «Errori separativi del manoscritto escurialense dell'*Arcipreste de Talavera*», *Cultura Neolatina*, 34 (1974 [1976]), 347-349.

De Gorog, Ralph, y Lisa S. de De Gorog, *Concordancias del Arcipreste de Talavera*, Madrid, Gredos, 1978.

Entrambasaguas, J., «Otra versión más de la *Fábula* de la lechera», en su estudio *Miscelánea erudita*, Madrid, CSIC, 1949, págs. 83-84.

Farinelli, Arturo, «Note sul Boccaccio in Ispagna nell' Età Media», *Archiv für das Studium der neuren Sprachen und Literaturen*, CXIV (1905), páginas 397-429; CXV (1905), págs. 368-88; CXVI (1906), págs. 67-96; CXVII (1906); páginas 114-41.

—«Note sulla fortuna del *Corbaccio* nella Spagna medievale», en *Bausteine zur romanischen Philolo-*

gies *Festgabe für Adolfo Mussafia*, Halle, Niemeyer, 1905, págs. 440-460.

García Rey, Verardo, «El Arcipreste de Talavera, Alonso Martínez de Toledo», *Revista de la Biblioteca. Archivo y Museo del Ayuntamiento de Madrid*, V (1928), págs. 298-306.

Gascón Vera, Elena, «La ambigüedad en el concepto del amor y de la mujer en la prosa castellana del siglo xv», *Boletín de la Real Academia Española*, LIX (1979), 119-155.

Gerli, E. Michael, *Alfonso Martínez de Toledo*, Boston, Twayne G. K. Hall, 1976.

— «*Ars Praedicandi* and the Structure of *Arcipreste de Talavera*, Part l»», *Hispania* (U. S. A.), LVIII (1975), págs. 430-441.

— «Boccaccio and Capellanus: Tradition and Innovation in *Arcipreste de Talavera*», *Revista de Estudios Hispánicos*, XII (1978), págs. 255-274.

—«The Burial Place and Probable Date of Death of Alfonso Martínez de Toledo», *Journal of Hispanic Philology*, I, págs. 231-38.

— «Celestina, Act I, Reconsidered: Cota, Mena... or Alfonso Martínez de Toledo?», *Kentucky Romance Quarterly*, 23 (1976), págs. 29-45.

— «Monólogo y diálogo en *Arcipreste de Talavera*», *Revista de Literatura*, XXXV (1969), págs. 107-111.

— «Mira a Bernardo: alusión sin sospecha», *Celestinesca*, 1, núm. 2 (1977), págs. 7-10.

— «La religión del amor y el antifeminismo en las letras castellanas del siglo xv», *Hispanic Review*, 49 (1981), páginas 65-86.

Goldberg, Harriet, «Fifteenth-century Castilian Versions of Boccaccio's Fortune-Poverty Contest», *Hispania* (USA), LXI (1978), págs. 472-479.

— «The Several Faces of Ugliness in Medieval Castilian Literature», *La Corónica*, 7 (1978-1979), págs. 80-92.

González Muela, Joaquín, *El infinitivo en el «Corbacho» del Arcipreste de Talavera*, Colección Filológica, 8, Granada, Universidad de Granada, 1954.

Krause, Anna, «Further Remarks on the Archpriest of Talavera», *Bulletin of Spanish Studies*, VI (1929), páginas 57-60.

Lida de Malkiel, María Rosa, *El cuento popular y otros ensayos*, Buenos Aires, Losada, 1976, págs. 43 y 128.

Martínez López, Enrique, *Alfonso Martínez de Toledo, insuficiente arcipreste*, Paraíba, Brasil, João Pessoa, 1955.

Melczer, William, «Ancora sul Boccaccio e l'*Arcipreste de Talavera*», en *Boccaccio nelle cultura e letterature nazionale*, ed. de Francesco Mazzoni, Florencia, Olschki, 1978, págs. 179-187.

Menéndez y Pelayo, Marcelino, *Orígenes de la novela*, Madrid, CSIC, 1943, I, págs. 176-91.

Nepaulsingh, Colbert, «Talavera's Prologue», *Romance Notes*, XVI (1975), págs. 516-19.

— «Talavera's Imagery and the Structure of the *Corbacho*», *Revista Canadiense de Estudios Hispánicos*, 4 (1980), págs. 329-349.

Ornstein, Jacob, «La misoginia y el profeminismo en la literatura castellana», *Revista de Filología Hispánica*, III (1941), págs. 219-232.

Piero, Raúl del, «El Arcipreste de Talavera y Juan de Ausim», *Bulletin Hispanique*, LXII (1960), páginas 125-35.

Richthofen, Erich Von, «Alfonso Martínez de Toledo und sein *Arcipreste de Talavera*, ein kastilisches Prosawerk des 15. Jahrhunderts», *Zeitschrift für romanische Philologie* LXI (1941), págs. 417-537.

— «El *Corbacho*: las interpolaciones y la deuda de la *Celestina*», en *Homenaje a Rodríguez-Moñino*, Madrid, Castalia, 1966, II, págs. 115-20.

— «Neue Veröffentlichungen zum Werk des Erzpriesters von Talavera», *Zeitschrift für romanische Philologie*, LXVI (1950), págs. 383-84.

— «Zum Wortgebrauch des Erzpriesters von Talavera», *Zeitschrift für romanische Philologie*, LXXII (1956), págs. 108-114.

Roig, Jaume, *El espejo*, edición e introducción de R. Miquel y Planas, Barcelona, Orbis, 1936-1942.

Rotunda, D. P., «The *Corvacho* Versión of the Husband Locked Out Story», *Romanic Review,* XXVI (1935), págs. 121-27.

Sims, Edna, «The Antifeminist Element in the works of Alfonso Martínez and Juan Luis Vives», *College Language Association Journal* 18 , Baltimore, 1974, págs. 52-68.

Steiger, Arnald, «Contribución al estudio del vocabulario del *Corbacho*», *Boletín de la Real Academia Española,* IX (1922), págs. 503-525; X (1923), páginas 26-54, 158-88, 275-293.

Torroja Menéndez, Carmen, y Rivas Palá, María, *Teatro en Toledo en el siglo XV. Auto de la pasión de Alonso del Campo (BRAE*, anejo 35), Madrid, Real Academia Española, 1977, págs. 24-34.

Ullman, P.-L., «Ay de muchas nuevas», *Roomance Notes,* IX (1968), págs. 161-162.

Viera, David J., «Francesc Eiximenis (1340?-1409?) y Alfonso Martínez de Toledo (1398?-1470?): las ideas convergentes en sus obras», *Estudios Franciscanos,* 76 (1975), págs. 5-10.

— «Más sobre la influencia del *Corbacho* en la literatura española», *Thesaurus,* XXXII (1976), páginas 384-387.

— «The Presence of Francesc Eiximenis in Fifteenth and Sixteenth-century Castilian Literature», *Hispanófila,* 57 (1976), págs. 1-5.

Whitbourn, Christine J., *The «Arcipreste de Talavera» and the Literature of Love,* Occasional Papers in Modern Languages, 7, Hull, Inglaterra, University of Hull, 1970.

RESEÑAS DE LAS EDICIONES MODERNAS DE
ARCIPRESTE DE TALAVERA

Bonilla y San Martín, Adolfo, Reseña de *Arcipreste de Talavera*, edición de Cristóbal Pérez Pastor, Sociedad de Bibliófilos Españoles, en *Anales de la Literatura Española,* I (1900-1904), págs. 242-244.

Gerli, E. Michael, Reseña de *Arcipreste de Talavera*, edición de Marcella Ciceri, en *Nueva Revista de Filología Hispánica*, XXV (1976), págs. 303-306.

Gillet, Joseph E., Reseña de *Arcipreste de Talavera*, edición de Mario Penna, en *Hispanic Review*, XXVI (1958), págs. 144-49.

Morreale, M., Reseña de *Arcipreste de Talavera*, edición de Mario Penna, en *Nueva Revista de Filología Hispánica*, X (1956), págs. 222-225.

Place, Edwin B., Reseña de *Arcipreste de Talavera*, edición de Mario Penna, en *Speculum*, XXXI (1956), páginas 396-399.

Richthofen, Erich Von, e Ignacio Chicoy-Dabán, Reseña de *Arcipreste de Talavera*, edición de Joaquín González Muela, en *Hispanic Review*, XLI (1973), páginas 695-98.

Steiger, Arnald, Reseña de *Arcipreste de Talavera*, edición de Mario Penna, en *Vox Romanica*, XIV (1954-1955), págs. 445-47.

Wise, David O., «Reflections of Andreas Capellanus' *De Reprobatio Amoris* in Juan Ruiz, Alfonso Martínez, and Fernando de Rojas», *Hispania* (U. S. A.), 63 (1980), páginas 506-513.

Arcipreste de Talavera o *Corbacho*

¶Arcipꝛeste ꝺe

Talauera que habla ꝺelos
vicios ꝺelas malas mu
gereꝛes:y comple
ꝛiones ꝺelos hō
bꝛes.:.

IESUS

LIBRO

COMPUESTO POR ALFONSO MARTINEZ DE TOLEDO
ARCIPRESTE DE TALAVERA EN HEDAT SUYA DE
QUARENTA ANNOS, ACABADO A QUINZE DE
MARÇO ANNO DEL NASCIMIENTO DEL
NUESTRO SALVADOR IHESU X.º DE MIL
E QUATROÇIENTOS E TREINTA E
OCHO ANNOS. SIN BAUTISMO SEA
POR NOMBRE LLAMADO
ARCIPRESTE DE TALAVERA
DONDE QUIER QUE
FUERE LEVADO.

En el nombre de la sancta trenidat, padre, fijo, spíritu sancto, tres personas e un solo Dios verdadero, fazedor, hordenador e componedor de todas las cosas, sin el qual cosa nin puede ser bien fecha, nin bien dicha, començada, mediada nin finida, aviendo por medianera, intercesora e abogada *a* la humill sin manzilla virgen Sancta María. Por ende yo Martín Alfons de Toledo, bachiller en decretos, arcipreste de Talavera, capellán de nuestro senior el Rey de Castilla don Juan —que Dios mantenga por luengos tiempos e buenos— aunque indigno propuse de fazer un compendio breve en romance para información algund tanto de aquellos que les pluguiere leerlo, e

61

leído retenerlo, e retenido, por obra ponerlo; especialmente para algunos que non han follado el mundo nin han bevido de sus amargos bevrages nin han gustado de sus viandas amargas, que para los que saben e han visto sentido e hoído non lo escrivo nin digo, que su saber les abasta para se defender de las cosas contrarias. E va en quatro principales partes diviso: en la primera fablaré de reprobación de loco amor. E en la segunda diré de las condiçiones algund tanto de las viçiosas mugeres. E en la tercera proseguiré las complisiones de los ombres (quáles son *o* qué virtud tienen para amar o ser amados). En la quarta concluiré reprobando la común *manera* de fablar de los fados, venturas, fortunas, signos e planetas, reprobada por la sancta madre iglesia e por aquellos en que Dios dio sentido, seso e juizio natural, e entendimiento racional. Esto por quanto algunos quieren dezir que si amando pecan que su fado o ventura ge lo procuraron.

Por ende, yo, movido a lo suso dicho, tomé algunos notables dichos de un dotor de París, por nombre Juan de Ausim[1], que ovo algund tanto scripto del amor de Dios e de reprobación del amor mundano de las mugeres. E por quanto nuestro senior Dios todopoderoso sobre todas las cosas mundanas e transitorias deve ser amado no por miedo de pena, que a los malos perpetua dará, salvo por puro amor e delectación dél, ques tal e tan bueno ques digno e merecedor de ser amado. Él ansí lo mandó en el primero mandamiento suyo de la ley: «Amarás a tu Dios, tu criador e senior, sobre todas las cosas.» Por ende, pues por Él nos es mandado, conviene a Él solo amar

[1] *Juan de Ausim* en el manuscrito; en la edición de 1498 solamente *Johan;* a partir de la edición de Toledo, 1500, *Juan Gerçon.* Los «notables dichos» que el arcipreste desarrolla, sin embargo, coinciden con el *De Amore* de Andreas Capellanus. El nombre *Juan de Ausim* es probablemente corrupción del manuscrito de donde proceden el del Escorial y los incunables. Véase nuestra introducción.

e las mundanas cosas e transitorias del todo dexar e olvidar. E por quanto verdaderamente a Él amando la su infinida gloria no es dubda que la alcanzaremos para siempre jamás; empero, si, su amor olvidado, las vanas cosas *luego* queremos o amamos, dexado el infinido *señor e* criador por la finida criatura e sierva, dubda non es quel tal haya condepnación donde infinidos tormentos para siempre avrá. ¡Ay del triste desaventurado que por querer seguir el apetito de su voluntad, que brevemente pasa, quiere perder aquella gloria perdurable de paraíso, que para siempre durará! Si el triste del ombre o muger sintiese derechamente qué cosa es perdurable, o para siempre jamás o por infinita secula seculorum aver en el otro mundo gloria o pena; si sola una ora en el día en esto pensase, dubdo si pudiese fazer mal. Mas, por quanto en los tiempos presentes más nos va el coraçón en querer fazer mal e aver esperança de penas —que con mal las ha hombre— que non fazer bien e esperar gloria e bien, que sin afán, obrando bien, la alcançará; por tanto sería útile cosa e santa dar causa conveniente de remdio *a* aquellas *cosas* que más son causa de nuestro mal. E como en los tiempos presentes nuestros pecados son multiplicados de cada día más, e el mal bivir se continúa sin henmienda que veamos, so esperança de piadoso perdón, non temiendo el justo juizio. E como uno de los usados pecados es el amor desordenado, especialmente de las mugeres, por do se siguen discordias, omezillos, muertes, escándalos, guerras e perdiçiones de bienes e, aun peor, perdición de las personas, e, mucho más peor, perdición de las tristes de las ánimas por el abominable carnal pecado con amor junto desordenado. *E* en tanto e a tanto decaimiento es ya el mundo venido quel moço sin hedat *e* el viejo fuera de hedat ya aman las mugeres locamente. Eso mesmo la niña infanta, que non es en reputación del mundo por la malicia que suple a su hedat, e la vieja que está ya fuera del mundo, digna de ser quemada biva; oy éstos y éstas entienden en amor e, lo peor, que lo ponen por obra. Entanto que

ya ombre vee que el mundo está de todo mal aparejado: que solía *que el* ombre de XXV años apenas
sabía qué era amor, nin la muger de XX. Mas agora
non es para se dezir lo que ombre vee, que sería
vergonçoso de contar; por ende bien parece que la fin
del mundo ya se demuestra de ser breve. Demás, en
este pecado ya non se guardan fueros nin leyes,
amistades nin parentescos nin compadrazgos: todo va
a fuego e a mal. Pues, matrimonios, ¿quántos por este
pecado se desfazen de fecho oy día, aunque non de
derecho? Por amar el marido a otra dexa su propia
muger. E por ende, veyendo tanto mal e daño, propuse de algund tanto desta materia escrevir e fablar,
poniendo algunas cosas en práticas que oy se usan e
pratican, segund oirés, tomando, como dixe, algunos
dichos de aquel dotor de París que en un su breve
compendio ovo de reprobación de amor compilado
para información de un amigo suyo, ombre mancebo
que mucho amava, veyéndole atormentado e aque-
xado de amor de su señora, en verdadero nombre
dicha cruel enemiga, o tormento de su vida. E començó amonestándole e dándole primeramente a entender que amar sólo Dios es amor verdadero, e lo ál
amar todo es burla e viento e escarnio; demás mos-
trándole por cierta esperiençia e razones naturales,
conosçedoras a quien leer y entenderlas quisiere,
las quales por prática puede cada uno ver oy de cada
día: esto es, de las malas mugeres, sus menguas,
viçios e tachas, qué son, en algund tanto quáles son, e
en parte quántas son. Aquí cesa el auctor, pues non
han número nin cuento, nin escrevir se podrían, como
de cada día el que *con* las mugeres *platicare, verá
cosas en ellas incogitadas,* nuevas e nunca escriptas,
vistas nin sabidas. Eso mismo digo de los malos,
perversos e malditos ombres, dignos de infernal fuego
en el solo inhonesto amar de las mugeres con locura e
poco seso, bestialidad más propiamente dicha que
amor. Con espresa protestación primeramente que
fago, digo que si algo fuere bien dicho en este compendio, e dél alguna buena doctrina alguno tomare,

sea a servicio de Aquel a quien somos obligados *de* amar verdaderamente, e otro ninguno non. Empero, si algo fuere, segund sus vicios e mal vevir que oy se usa, de algunos o algunas *aquí* dicho e escrito, non sea notado a detratación, nin querer afear, maldezir e fablar, nin disfamar, salvo de aquellos e aquellas en quien los tales viçios o males fueron fallados exerçitar e usar e continuar, los buenos e buenas en sus virtudes loando e aprovando; que si el mal no fuese sentido, el bien non sería conoscido. Maldezir del malo, loança es del bueno; por do creo que el que su tiempo e días en amar loco despiende, su sustancia, persona, fama e renombre aborresçe. E quien de tal falso e caviloso amor abstenerse puede, el mérito le sería grande, si poder tiene en sí; que aquel que non puede por vejedad o por impotençia, e de amar se dexa, non diga este tal que él se dexa, que *antes el* amor se dexa dél, porque mucho más plaze a Dios de aquel que tiene oportunidad de pecar con poderío, e lo dexa absteniéndose e non peca, que non de aquel que, aunque pecar en tal guisa quisiese, non podría. Por ende algunos o algunas a las veces sintiendo en sí poca costançia e firmeza de resistir a tal pecado dizen: «Señor, quítame el querer, pues me quitaste el poder.» Esto por pecar. O por el contrario: «Señor, dame el poder, pues me diste el querer por virtud del qual he pecado.» Fuid uso continuo e conversación frequentada de ombre con muger, e muger con ombre, fuyendo de oír palabras oçiosas, desonestas e feas, de tal aucto inçitativas a mal obrar, quitada toda oçiosidad, conversación de compañía desonesta, luxuriosa e mal favlante, *e* humillamiento de los ojos, que non miren cada que quisieren. Son cosas que quitan brevemente mucho mal fazer; e dar poco por vano amor, que el alma mata con el cuerpo, o el cuerpo mata e el ánima perpetuamente condepna. Por ende, comienço a declarar lo primero: cómo solo el amor a Dios verdadero es devido, e a ninguno otro non.

CAPÍTULO PRIMERO

Cómo el que ama locamente desplaze a Dios

Primeramente digo tal razón, a la qual persona ninguna non la puede resistir, que ninguno fazer plazer a Dios non puede si en mundano amor se quiere trabajar; por quanto muy mucho aborresçió nuestro Señor Dios en cada uno de los sus testamentos, viejo e nuevo, e los mandó punir a todos aquellos que forniçio cometían o luxuriavan, fuera de ser por hordenado matrimonio, segund la ley ayuntados; los quales eran preservados de mortal pecado e de forniçio si devidamente, e segund la dicha orden de matrimonio, usasen del tal aucto en acresçentamiento del mundo; e mandó punir a qualquier que por desfrenado apetito voluntario tal cosa cometía. Demándote, pues, ¿si tal cosa será dicha buena la que fuere contra la voluntad de Dios fecha? ¡Oh quanto dolor de coraçón, quánta amargura para las ánimas, de lo que de cada día oímos, sabemos, leemos e veemos por fechos viles, torpes, orribles de luxuria, que de cada día por guisas diversas se cometen, perder la gloria de paraíso por momentáneo complimiento de voluntario apetito, vil, çuzio e orrible! ¡Oh malaventurado e infame, e aun más que bestia salvaje e, peor aun, deve ser dicho e repùtado aquel que por un poquito de delectación carnàl dexa los gozos perdurables e perpetualmente se quiere condepnar a las penas infernales! Piensa, pues, hermano, e con tu sotil ingenio busca quánta de honra le deve ser fecha a aquel que, menospreçiando su Señor e Rey çelestial, e aun menospreçiando su mandamiento, por una *mugerçilla* miserable, o deseo

67

della, quiere darse todo al diablo, enemigo de Dios e de la su ley. Pensar puedes, amigo, que si nuestro Señor Dios quisiera quel pecado de la fornicaçión pudiese ser fecho sin pecado, non oviera razón de mandar matrimonio çelebrar, como çierto sea e manifiesto que mucho más pueblo se podría acresçentar usándose el tal aucto de forniçio que non evitándolo. Pues bien puede e deve ser notada la locura de cada uno que por aver un poco de deletaçión carnal quiera perder la vida perdurable, la qual Ihesu X.º nuestro salvador por la su propia sangre quiso comprar e de pérdida recovrar. Por ende, te digo que en confusión de su ánima será e vergüença de su cara, e más, en grand injuria del omnipotente Dios, del çielo e de la tierra criador, si por querer seguir la mezquina de *su* voluntad *y apetito desordenado quiere alguno contra la voluntad* de Dios obrar, venir e bivir perdiendo, como dixe, lo que te es por Él prometido sin lo tu meresçer, e esto por derramamiento de su propia sangre, la qual demandará a Dios padre justicia de ti. ¡Oh juizio quanto poco pensado, menos cogitado! Piense, pues, el que pensar pudiere o quisiere, que a solo Dios amar es amor verdadero, pues amando quiso por ti morir e ¡tú por gualardón quieres a otro más servir!

CAPÍTULO II

Cómo amando muger agena ofende a Dios, a sí mismo, e a su próximo

Muy más, por ende, te demostraré otra razón, que será por orden la segunda, por qué los amadores de mugeres e del mundo deven del amor tal fuir, por quanto por el tal desordenado amor non puede ser quel tu próximo ofendido non sea, queriendo por falso amor su muger, hija, hermana, sobrina o prima aver desonestamente. E esto fasiendo tú, como a ti çierto es que lo non amas —que lo que non querrías para ti non devrías para el tu próximo querer— donde tres males fazes: vienes primeramente contra el mandamiento de Dios; lo segundo, contra tu próximo cometes omezillo; lo terçero, pierdes e destruyes tu cuerpo e conpdenas tu ánima; e aun lo quarto fazes perder la cuitada que tu loco amor cree, que pierde el cuerpo, si sentido les, que la mata su marido por justicia, o súbitamente a desora o con ponçoñas; o el padre a la fija, o el hermano a la hermana, o el primo a la prima, segund de cada día enxiemplo muestra. Que si donzella es perdida la virginidad, quando deve casar, via buscar locuras para fazer lo que nunca pudo nin puede ser: de corrupta fazer virgen, donde se fazen muchos males; e aun de aquí se siguen a las vezes fazer fechizos porque non pueda su marido aver cópula carnal con ella. E si por ventura la tal donzella del tal loco amador se empreña, vía buscar con qué lançe la criatura muerta. ¡O quántos males destos se siguen, así en donzellas como en viudas, monjas e aun casadas, quando los maridos son absentes: las casadas por miedo, e las biudas e monjas por la desonor, las donzellas por grand dolor, pues que, sabido, pierden casamiento e honor! Pero esta es la verdad: que la mejor e *la* más peor tanto pierde dándose a loco amor quel morir le será vida, ora se sepa ora non se sepa. Sé empero cierto, que de non saberse sería imposible. Por ende, lo que contesçe desta materia escrevir non se podría. Mira, pues, *el* desordenado amor quántos e quáles dapnos procura e trae, *mayormente* que es *espreso* mandamiento e ley devinal dello. E más te digo, aun que devinal ley non lo mandase, por provecho e utilidad *del* tu próximo —la qual *cada qual debe* guardar— te devías refrenar de non querer lo que non querrías que quisiese él para ti, por quanto sin amor de próximo poco tiempo podría ombre bivir en este miserable mundo.

Capítulo III

Cómo por amor se siguen muertes, omezillos, e guerras

La tercera *manera e* razón manda e vieda que ninguno non deve usar nin querer de mugeres amor, por quanto del tal amor cada día por esperiençia vemos que unos con otros han desamistades: amigo con amigo, hermano con hermano, padre con fijo; por ende veemos levantarse enemistades capitales, e demás muchas muertes e otros infinitos males que del tal amor se siguen. Lee los pasados e considera los que oy biven *e* pues considera bien que non es oy ombre bivo por muy mucho que tu espeçial amigo sea, que te ame de cordial *dilección,* e más aunque tu pariente propinco sea —e desta regla non fallesçerá aunque tu primo, sobrino, hermano, e aun más te digo, aunque tu padre sea— que si siente que tu te enamores e bienquerençia demuestres, o amor tomares con la cosa suya, o que él ama *e* bien quiere, que luego en ese punto en su coraçón non se engendre una mortal malquerençia, odio e rancor contra ti, e de allí te piensa ya malquerer e fazer obras malas, e te dañar en lo que pudiere públicamente o escondidamente, segund el estado de la persona lo requiere, que atal comete ombre en público egual suyo que al mayor que sí non se treve si non espcondidamente. Onde se levantan muchas traiçiones, e tractos, muertes e lisiones, e cosas que esplicar sería muy prolixo. Pues malaventurado sea el ombre que por una breve delectaçión de la carne e por un desordenado amor de muger incostante quiere desonrar su amigo e dél fazer enemigo perpetuamente mientra biviere, e perderlo para siempre. Por ende, deste tal, ansí como de bruto animal o contrario a la humana naturaleza, deven todas personas, donde juizio ay, fuir e se apartar como de bestia venenosa e de perro ravioso, que mordiendo ponçoña todos los que muerde e comunican con él. E ¿qué cosa es al ombre más útil e provechosa e aun nesçesaria como aver fieles amigos en que se fíe? Que segund un dicho de Cícero romano: «agua, fuego nin dinero non es al ombre tan nesçesario como amigo fiel, leal e verdadero»; el qual, si uno entre mil fallado fuere, sobre todo thesoro es de guardar, al qual conveniente comparación non es, nin fallada ser puede[2]. Empero muy muchos son amigos llamados que los fechos e el nombre en ellos es sobrepuesto e caresçiente de verdad, por quanto su amistad en el tiempo de la nesçesidad non paresçe, antes perece e non es fallada. El que es amigo verdadero en el tiempo de la nesçesidad se prueva e fállase más fiel e amigable a su amigo, segund dize el antiguo proverbio: «Mientra que rico fueres, ¡o quántos puedes contar de amigos!; empero si los tiempos se mudan e anublan, ¡ay, que tan solo te fallaras!»[3] Lo que puede e vale el buen amigo, Tulio, en el libro suyo *De la amiçiçia,* te lo demuestra; por ende en la amistad puedes conosçer a tu amigo qual e quien sea. Por cierto bien deve caresçer de nombre de amigo, e en estima muy poca ser tenido, el que por complir un poco de vano apetito pierde a Dios e a su amigo: tal non devría entre los ombres paresçer nin ser nasçido. E como los otros pecados de su naturaleza maten el

---

[2] Referencia a *De Amicitia,* 22, por medio de Andreas Capellanus: «Nam, Cicerone testante, non ignis neque aquae neque usus videtur in tantum hominibus neccesarius quantum amicorum solatia.»

[3] Citado en el *De Amore.* Traducción del dístico de Ovidio:

Donec eris felix, multos numerabis amicos:
tempora si fuerint nubila, solus eris
(*Tristia,* I, 9, vv. 5-6)

alma, éste, empero, mata el cuerpo e condepna el ánima; por do el su cuerpo luxuriando padesçe en todos sus naturales çinco sentidos: primeramente *face* la vista perder, e mengua el olor de las narizes natural, quel ombre apenas huele como solía; el gusto de la boca pierde e aun el comer del todo; casi el oir fallesce que parésçele como que oye abejones en el oreja; las manos e todo el cuerpo pierden todo su exerçiçio que tenían e comiençan de temblar. Pues las potençias del ánima tres todas son turbadas, que apenas tiene entendimiento, memoria nin reminisçençia, antes, lo que faze oy non se acuerda mañana; pierde el seo e juizio natural. De las siete virtudes non puede usar: fee, esperança, caridad, prudençia, temprança, fortaleza, justiçia, asi que es fecho como bestia inracional; e lo peor que el aucto vil luxurioso faze al cuitado del ombre adormir en los pecados, así en aquél como en los otros por conmitancia, e en ellos por grand tiempo envejecer. Por do muchos son fallados dapnados que mueren súbitamente quando non piensan, o más seguros están, diziendo: «Oy, mañana me hemendare, de tal viçio me quitare.» Así que de cras en cras vase el triste a Sathanás, e, lo peor, quel dezir es por demás. Por tanto, non sin razón da bozes la divina auctoridad diziendo: «Non es crimen fallado más grave que la fornicación, digna de traer al ombre a perdiçión.»

CAPÍTULO IV

De cómo el que ama es en su amar del todo temeroso

Ay más otra razón que devría a los entendidos dar causa de non locamente amar, por que aquel que ama, él mesmo se ata e se mata, e se faze de señor siervo, en tanto que todos quantos vee se piensa que le usurpan su amor, e con muy poca suspertiçión todo el su coraçón se perturba e se le revuelve de dentro; toda fabla, todo andar e conbersaçión de otro teme. Porque amor así es en sí tanto delicado que es todo lleno de miedo e de temor, pensando que aquel o aquella que ama non se altere o mude de *su* amor contra otro, en tanto quel cuitado pierde comer e bever e dormir, e todos plazeres e gasajados, e non es su pensamiento otro sinón que bive engañado con aquella quél más ama por amar e non *ser* amado. E si con ella alguno vee favlar, luego, aun que sea su hermano, presume que ge la sonsaca o ge la desvía o engaña o la quiere para sí. E luego es la ira en el coraçón presta, e lidia consigo mesmo, mayormente quando ay algunas así plaçeras que a todos vientos sus ojos buelven e a todos les plaze fazer buen semblante, por ser de muchos quista, amada e presçiada, dando de sí fazaña como la viña de Dios: que quien non quiere non vendimia, a quien non plaze non entra en ella. E el cuitado bive, e biviendo muere, e moriendo bive cada día. E piensa que otra riqueza al mundo non tiene, nin precia nin estima tiene de nada, sinón la que ama; que çiertamente si el que ama padesçiese mal en bienes e persona, sólo en gozo de su amor dize ser bienaventurado, e nunca piensa que cosa alguna le puede empesçer. E si en su amor non se falla firme o costante, todas las cosas le paresçe que le vienen contrarias, e buen fecho, nin buena cara ninguno del alcançar puede como ombre alterado o en otra especie trasmudado. ¿Quién es tan loco e fuera de seso que quiere su poderío dar a otro e su libertad someter a quien non deve, e querer ser siervo de una muger que alcança muy corto juizio, e demás atarse de pies e de manos, en manera que non es de sí mesmo, contra el dicho del sabio, que dize: «Quien pudiere ser suyo, non sea enagenado, que libertad e franqueza non es por oro comprada»? E *un* exemplo antiguo es, el qual puso el arçipreste de Fita en su tractado[4]. Bien deve el tal ser en escarnio retraído del pueblo, como aquel que se bendió a quien sabe çierto que es su enemigo e le ha de matar o finalmente burlar. Como en amor de mugeres fallar firmeza non sea seguro ninguno por más galán que él sea, pues comedir e pensar en ello les por demás, e el porfiar es pasatiempo.

---

[4] Cita del *Libro de buen amor* (206):

> Quien tiene lo quel cumple, con ello sea pagado,
> quien puede ser suyo non sea enajenado,
> el que non toviere premia non quiera ser apremiado,
> lybertat e ssoltura non es por oro complado.

A su vez, la estrofa de Juan Ruiz se remonta a Walter Anglicus (siglo XIII) quien cierra su fábula, *De cane et lupo*, con el dístico siguiente:

> Non bene pro toto libertas venditur auro;
> hoc celeste bonum preterit obis opus.

Capítulo V

Cómo el que ama aborresçe padre e madre, parientes, amigos

Otra razón te digo: yo quiero quel amor tuyo se estienda en amar otra muger que non sea de tu amigo, ante sea non conosçida, e demás te digo, que aun estraña sea. Digo quel amigo non puede conosçer otro que sea su amigo fasta quel vea quel amor de su amigo tanto le tiene enseñoreado, que por cosa del mundo non le faltaría su amigo; e por todo esto alcançar conviene el ombre mucho guardar. Empero también se sigue dapno de qualquier otra amar que non sea de su conosçiente o amigo; que el que la muger ama, sea quien quiera, nunca se estudia sinón en qué la podrá servir e complazer, e, dexado amor de padre e madre, parientes e amigos, que de tal amor le riepten, toma a todos por enemigos solo por complazer la su coamante. Pero la seguridad que della tiene es que, quando otro vea que bien le paresca, dexe a él en el aire. E non pienses en este paso fallarás tu más fermeza que los sabios antiguos fallaron ecspertos en tal sçiençia, o locura mejor dicha. Lee bien cómo fue Adán, Sansón, David, Golías, Salamón, Virgilio, Aristótiles e otros dignos de memoria en saber e natural juizio, e infinidos otros mançebos pasados desta presenta vida e aun *hoy* bivientes. Por ende esperar firmeza en amor de muger es querer agotar río cabdal con cesta o espuerta o con muy ralo farnero. Pues si el que por enxiemplo de otros de sí mayores e más sabios non toma castigo, nin por verdadera esperiençia que vee non castiga, ¡quánto es digno *de* ser de los ombres e amigos suyos aborresçido e del todo baldonado, diziéndole: «Bestia desenfrenada, sueltas son las riendas, corre por do quisieres fasta que cayas donde non te levantes, que los vriosos e fervientes amadores siempre corren a suelta rienda, e por ende, de ligero caen en tierra»!

Capítulo VI

Cómo por amar vienen a menos ser preçiados los amadores

Otra razón te quiero más aun asignar, *la qual* mucho contraria e enemiga es de amor, por quanto veemos que de amor procede mucha mengua, donde muchos por loco amor vinieron e vienen a gran probeza, que, dando francamente *e* mala diligençia poniendo en sus fechos e faziendas, muchos fueron e oy son abatidos e venidos a menos de su estado. E muchas vezes veemos los amadores sus bienes desipar por querer fazer larguezas, por demostrar a las coamantes mucha franqueza; pero en su casa o otro lugar, ¡Dios sabe cómo apretan la mano! *Dan* adonde non deven e non dan adonde conviene: por tanto es dicho pródigo e non largo ni franco. Esto proçede de amor. E aun contesçe que por dar ombre a la muger lo que non tiene, por lo aver e alcançar de Dios e de sus santos, de buena o mala ganançia conviene fazer cosas non devidas e ponerse a peligros tales quel amor loco sería bueno si çesase. ¿Quién puede pensar si un rico ombre su sustancia en tal amor consumase e de que su amiga pobre le sintiese, non dándole como solía, e lo baldonase, como veemos algunos de cada día? ¿Qué te paresçe? ¡Qué dolor, qué tribulación deve sentir quien tal vee, cómo todo el mundo se le deve tornar obscuro, e lo verde blanco, e lo bermejo negro, e lo cárdeno amarillo! E creo que este tal non dubdará de cometer toda maldad como desesperado por veer si recobrar al menos pudiese el aver suyo mal despendido, non faziendo entonçe menção de su coamante, que ya más le dolerá lo perdido de su fazienda que [no]⁵ de la loca loçana. ¡Ay Dios! Sí ay casados que dan mala vida a sus mugeres e casa, e consuman su sustançia con otras amantes, e de que non tienen que les dar, las baldonan e tórnanse a su casa e propia muger, tremiendo e aun renegando, con sus orejas colgadas; e allí es el dolor, perdido amor e bienes, vía llorar e dar ruido en casa, e a las vezes como desesperados irse a tierras estrañas, e dexar fijos e muger con pobreza; e allí conviene ser perdida la muger, e ser mala por se mantener a sí e a sus fijos. E si el marido presente estoviere, que non se va nin la dexa, conviene veer e callar e soportar, o que faga ojo de pez e se aparte e dé logar. E esto causa el amor loco e desordenado, e non ai en el mundo enamorado que eso mesmo non desee tener e mucho alcançar de buen justo o malo, por donde su amor pueda mantener e a la loca *complacer e* contentar; e non solamente a ella, mas a ella e a la encobridera, e a la mensajera, e al alcagueta, e a la que les da casa donde fagan tal locura e pecado, e a la moça de la moça de su cozinera; e en otras muchas e diversas partes le conviene dar sin medida, segund el logar es, e la conversaçión e manera e personas. Estime el que amare que non solamente a su coamante de dar tiene, mas a otras çiento ha de contentar; e aun a los vezinos conviene dar e por ellos trabajar, e eso mesmo a las vezinas, por que si veen que non vean, e *si* oyen que cierren

---

⁵ Adaptamos la lección del incunable de 1498. Sin el *no*, el pasaje no tiene sentido.

sus orejas. ¡Oh quántas tribulaçiones están al triste que ama aparejadas, sin los peligros infinitos a que le conviene de noche e de día ponerse, que escrevirlos sería imposible, como sean muchos e diversos! E a la fin, ¿por qué?, si considerado fuere por tan poca cosa; e aun por que ¿quién da o dará poco por él? —quando non pensare— pues ¿en qué reputaçión deve ser tenido del pueblo el que a los susodichos peligros e dapnos e males ponerse quiere *por tal amor, poco durable e variable, no queriendo* enxiemplo tomar de otros perdidos por semejante, (e) mas entendidos, mayores e para más que él?

CAPÍTULO VII

De cómo muchos enloquecen por amores

Otra razón es muy fuerte contra el amor y amantes, que amor su naturaleza es penar el cuerpo en la vida e procurar tormento al ánima después de la muerte. ¿Quántos, di, amigo, viste o oíste dezir que en este mundo amaron que su vida fue dolor e enojo, pensamientos, sospiros e congojas, non dormir, mucho velar, non comer, mucho pensar? E, lo peor, mueren muchos de tal mal e otros son privados de su buen entendemiento; e si muere va su ánima donde penas crueles le son aparejadas por siempre jamás, non que son las tales penas e tormentos por dos, tres o veinte años. Pues ¿que le aprovechó al triste su amar o a la triste *si* su amor compliere, e aun el universo mundo por suyo ganare, que la su pobre de ánima por ello después en la otra vida perdurable detrimento o tormento padezca? Por ende, amigo, te digo que maldito sea el que [a] otra ama más que a sí, e por breve

delectaçión quiere aver dañaçión, como suso en muchos lugares dicho es; e más, que fue sabidor desto
que dicho es, e avisado, e quiso su propia voluntad
seguir diziendo: «Mata, quel Rey perdona»[6].

CAPÍTULO VIII

De cómo honestad e continençia
son nobles virtudes
en las criaturas

Otra razón se demuestra por donde amor deve ser
evitado, por quanto honestidad e contenençia non es
dubda ser muy grandes e escogidas virtudes, e por
contrario, luxuria e deleitaçión de carne son dos
contrarios viçios *muy* feos e abominables. Uno de los
bienes que en este mundo el ombre deve aver sí es
buena fama e renombre, e ser entre los virtuosos
notado e non puesto con los viçiosos en fama deni-
grados. E fama buena nin corona de virtudes non
puede *el* ombre o la muger aver si destas virtudes non
es acompañado: continençia e honestidad, las quales
son mucho planzenteras a Dios. E sepas que en uno
non pueden virtudes estar e viçios, por su contrarie-
dad; quel bueno non es malo, nin el malo non es
bueno, bien *que* lo malo puede tornar bueno e
lo bueno tornar malo, e en aquel instante succe-
diendo sí.
Porque te digo más: que aun así en el viejo como en
el moço, así en el clérigo como en el lego, *así en el*

---

[6] G. Correas recoge el dicho y señala su ironía, *Vocabulario de
refranes y frases proverbiales* (Madrid, 1906), pág. 458.

cavallero como *en* el escudero, en el ombre de pie
como en el rapaz, así en el ombre como en la muger,
honestidad es hermana de vergüença, castidad madre
de continencia. E, si en ellos son, mucho son de
alabar e sus contrarios de denostar. E non creo que
ombre o fembra, por de tan alto linaje que sea, que
non le sea feo desonesto amar e vivir, e vituperioso
de contar entre honestos e discretos varones, contán-
dolo a grand defecto al ombre o fembra; salva honestidad de matrimonio, do todo honesto amor cabe.
Pues di, amigo: ¿qué es la razón porque quieres tan
locamente amar, pues así es que, así çerca Dios como
açierca de los ombres es avido por réprobo e blas-
femo el tal amor? Non es otra cosa sinón que, me-
nospreciando a Dios, e la vergüença al mundo perdida, pierdes del todo tu fama e te tengan en posesión
de *hombre* bestial. E aun la muger, por de gran estado
que sea, sintiendo que en loco amor entiende, es de
las otras en poca reputaçión avida. E más te digo: que
la más sotil muger de estado, que del rey amada sea,
nunca su ser nin fama será en el estado como de
primero fazer solía. Guarda quánto las mugeres deven
ser denegadoras de su amor a qualquier; pues que *de*
un rey amada e avida, así es dicha mala como si de un
vill çurrador conosçida fuere. Esto sea contra las que
se tienen por bienaventuradas quando amigo generoso
o de estado alcançan. ¡Oh locas desvariadas! que de
aquéllos son más aína menospreçiadas e burladas,
aunque del todo —así en grande ombre como sobtil—
.amar sea burla, locura, e desvarío e perdiçión de
tiempo. E si los ombres, por ser varones, el vil abto
luxurioso en ellos algund tanto es tolerado, *e* aunque
lo cometan, empero non es así en las mugeres, que en
la ora e punto que tal crimen *cometan,* por todos e
todas en estima de fembra mala es tenida e por tal
havida e en toda su vida reputada; que remedio de
bien usar nunca jamás le ayuda como al ombre, que
por mal que deste pecado use, castigado dél e corregido, le es tenido a loor el emienda e non le es notado
en el grado de la muger, que es perpetuo, e el del

ombre a tiempos. Piensa, pues, en el tal amor, ombre e muger, e toma lo que a ti conviene deste enxiemplo.

De cómo por amar muchos
se perjuran e son criminosos

Otra razón ay por donde el amor es razonablemente reprovado *a aquellos que* en el amor derechamente paran mientes: non ay al mundo mal e crimen que dél non se sigua o puede ser, por quanto, como suso dixe, dél provienen muertes, adulterios e perjuros, los quales el amante faze muchas veses mintiendo por complazer e engañar a su coamante, los quales non son dichos juramentos, mas verdaderamente perjurios. Pues fartos, para mientes si se cometen en muchas guisas, furtando el uno por dar al otro: e así el servidor a su señor, como el fijo al padre e el marido furta ascondido de su muger para dar a la que ama; *e más*, malas noches, malos días, malos yantares e *peores* çenas. E si la muger lo siente e ge lo retrae, aquí son los duelos que *ella* padesçe entonçe en bienes e persona. E da el marido a la amante lo de la muger, e a la muger palos e coçes e puñadas e continua mala vida, fasta apartar cama e aun a la fin departirse el uno del otro, como algunt tanto desto suso dixe. Vee bien que faze amar. Pues fazer falso testimonio non dubdes que de amor muchas veses proçede; non ay al mundo manera de mentir que si viene a caso de nesçesidad que los amantes non fallen e della non usen sin verguença. *La* ira, pues, si del amor proviene, farto es notorio a los ombres e aun manifiesto, quando el uno non faze la voluntad del otro en todo o en parte o su apetito non aplaude. Suma: que todos males de amor desonesto provienen. Dígote más: que no ay ombre, si bien parares mientes a los de su linaje, por más que sean dedicados al servicio de Dios, que las riendas de amor [pueda] en sí retener e refrenar. E esto por experençia lo podemos de cada día veer:[7] pues fazer dioses estraños e idolatrar, bien es cabsa el amor; que Salamón non se pudo dello abstener, que por su coamante non idolatrase. Mira en ombre tan sabio, e pues ¿qué será, mezquino de ti, si este, que Dios lo fizo el más sabio de los sabios, pecó en tal pecado por amar? Pues ¿quién nos defenderá a nosotros, dignos de non ser en su esguarde nin respecto ombres llamados? E como te dixe de Salamón, así de otros muy sabios e valientes varones: pues, amigo, quando vieres quel florido e verde árbol del todo *se* seca, señal es que para el fuego se apareja, e para otra cosa non deve ser ya bueno nin para otro fructo de sí dar nin levar. Por ende, fuye amor de quien tales males proceden, e ama a Dios, de quien todos bienes vienen.

---

[7] El ms. sigue: «E desto pero muchas non lo ponen por obra aunque por voluntad enamoradas sean que son refrenadas a las vezes de miedo de parientes a las vezes de honestidad e vergüença.» Dado el contexto, y el hecho de que el pasaje no aparece en los incunables de 1498 y 1500, parece ser una interpolación errónea.

CAPÍTULO X

De cómo cuanto mayor ardor es en la luxuria tanto mayor es el arrepentimiento ella complida

Otra razón induze al ombre a non amar, si en ella mientes parare, conviene a saber que con amor loco qualquiera, si el pecado tal de forniçio continúa, mientra más irá más se arrepentirá. E ¿non es farto enxiemplo notorio e palpable al que quisiere considerar en este vill e suzio pecado, que quanto es el ardor e el fuego al su comienço de lo cometer e poner por obra, tanto e mucho es más el arrepentimiento súvito, él acabado, que viene al que le ha cometido? En tanto que non es ombre en el mundo que, fecho, luego non le pese e se arrepienta, e cometido no le duela. E más te diré: que ha enojo de su fealdad, suziedad, e *quasi* como en asco aborreçe su torpedad por ser desonesto, vil e suzio. *E* non dubda de caer luego e otra vez e más vezes en él *por su* poca firmeza de entendimiento, mengua de juizio e *de* natural seso o mal comportamiento de voluntad; querer al *apetito* consentir faciendo de sí siervo pudiendo señor ser, como ya suso dixe. Por lo qual te digo que tal es este pecado de la carnalidad, que aun los que por matrimonio son ayuntados por mandamiento de Dios, tanto ya en él exçeden que apena, venialmente pecando, dél pueden escapar; que muchos e muy muchos casados en él pecan mortalmente non guardando días, tiempo, sazón, nin horas devidas, nin aun guardando las çircustançias e horden del matrimonio; antes el marido a la muger suya, e la muger a su marido, así desordenadamente ama que quebranta la ley e hordenamiento del matrimonio, donde deve aver pura entinción e guardamiento de fijos, fe e sacramento. Pero, dexando esto, todos locamente se aman en deleite e uso de la carne. Por tanto, se acusava David: «Señor, en iniquitades soy conçebido e en pecados me conçibió mi madre»[8]. Pues, amigo, si en el matrimonio por Dios hordenado non te puedes apartar del pecado, *¡quanto más debe ser pecado fuera* de matrimonio, non ay sinón contra comisión de Dios e su mandamiento! Pues tú, que amas, ama en manera que seas de Dios amado.

CAPÍTULO XI

De cómo el eclesiástico e aun el lego se pierden por amar

Otra razón te digo por do el amor *in*honesto por ti deve ser repellido, por quanto nunca vi, nin viste, nin veer esperas eclesiástico, que de amor desonesto fuese vençido, que alcançase beneficios nin honras en la Iglesia de Dios; antes de los avidos, sobreviniente el amor desordenado, perdieron, *pierden* e perderán con grand difamación queriendo amar a quien nunca

---

[8] «Ecce enim in iniquitatibus conceptus sum et in pecatis concepit me mater mea», *Psalmi,* 50, 7. Para las prescripciones canónicas del amor conyugal, véase el *Compendium Theologicae Veritatis,* III, 21; también San Pablo, *I Corinthios,* 7, 2-7.

los amó nin ama; que non es mujer, de qualquier condición que sea, que ame al eclesiástico, salvo por aver dél e por la desordenada cobdicia que la muger tiene por alcançar, aver e andar locamente arreada con mucha vanagloria. E por esta razón muestran amarlos, que non los aman. Enxiemplo de esto: non es muger al mundo que non quiera a los eclesiásticos peor que a enemigos, que nunca facen sinón denostarlos, maltractarlos e dezir *mal* dellos, así las que han dellos como las que non han. E desta regla non saco a los seglares aun que fijo sea del propio clérigo; pero nunca los dexan de inquietar, demandando dado, o emprestado pidiendo. E más te digo: ¿qué sacrifiçio entiende fazer a Dios el que por cautela o engaño, o por otra vía alguna, saca alguna cosa, mucha o poca, de eclesiástico? Pues de cavalleros, burgueses, cibdadanos, regidores, justiçias e de otros mayores e menores estados, segund más o menos, si ay enamorados que pierden honras e ofiçios, e deniegan por ello la justiçia por ser locos en amar, que en el pueblo non son reputados por ombres, por esperiençia lo verás. E ¿*a quál* darán regimiento que riga a otros si a sí regir non sabe? E ¿quál será por el pueblo preçiado quél mesmo non se precie? E ¿quién honrará al que *a sí* mesmo desonra? ¿Quién dará favor al que a sí mesmo desfavoresçe? ¿Quién ayudará al que se quiere perder? Eso mesmo de las mugeres digo, de cualquier condición que sean. Por *ende,* el que amare vea quién ama o qué provecho viene de locamente amar, e non caerá, si bien lo considerare primero.

CAPÍTULO XII

Cómo el que ama non es sulícito sinón en amar

Otra razón que lança al amor e lo desfavorece es, a saber, que non ha ombre enamorado que sea diligente en cosa que sea, salvo en todas las cosas que a su amor pertenesçen; que de otros negoçios suyos *nin* agenos tanto le da que se pierdan como que se cobren. Más te digo: que cosa non le plase oír nin su oreja inclina, salvo quando de su amante le fablan; allí pone toda su *fazienda e su* femençia, su coraçón e voluntad, e oír otras cosas le es muerte e· enojo insoportable; e si de su amor le fablan días nin noches, non se enojaría aunque la noche toda non durmiese. E si un su amigo le ha menester o fabla con él una ora, nunca palabra entenderá, que non para mientes a lo que favla por el pensamiento alterado que tiene pensando en la que ama. *E* eso mismo en la muger se falla. Pues verás amor cómo altera los coraçones, muda las voluntades, nunca fuelga nin reposa por su fuego continuo que de sí da a aquél que ama e quiere amar.

Capítulo XIII

De los malos pensamientos que vienen al que ama

Aún otra razón ay con la qual amor deve ser aborresçido. La razón sí es: piensa, o saber deves, que de la bienandante castidad e pudiçiçia Dios todopoderoso es principio *e* cabeça —conviene *a* saber— medio e aun fin. Empero, de luxuria e impúdico desonesto amor, cabeça es e consejador el diforme Sathanás, enemigo mortal de la salvación de la humana criatura. Por ende, vistos los auctores de virtudes e viçios, allegarnos devemos al más seguro, que es Ihesus Xpo, fijo de la humill Virgen Santa María, al qual allegándonos non es dubda salvación. Farto sería çiego e de perversa cogitaçión quien de obedesçer dexase a Dios por al diablo servir. Bien es verdad quel enemigo de Dios, diablo Sathanás, muy dulçes cosas promete a los que de gustos caresçen por seguir su apetito e propia voluntad, consejando: «Faz; que Dios es piadoso, que perdona; asaz te cumple, por mucho mal que fagas, arrepentimiento a la fin i serás salvo.» Muchos pensamientos trae el maldito al coraçón humano; pero el coraçón espiritual non lo puede tentar, que non es ya deste mundo. E quando *ya,* con sus lisonjas e prometimientos falsos, ha fecho su deseado querer, después da a bever al triste por galardón fieles amargas, tormentos perpetuos inestimables. Esto, por quanto, desde el comienço del mundo fue falso e mentiroso. E pues él pena, e es con tormentos dapnado, querría que todos su vía siguiesen e padesçiesen como él, que mal de muchos gozo es. E tal gualardón acostumbra dar a los que lo sirven e ovedesçen, en tanto que quien más le sirve, cree e ovedesçe, por gualardón después desta vida triste más penas e tormentos dél sostiene. Más te digo, quel diablo es semejante al ladrón que sale al camino al viandante, que después quel viandante le da de la moneda quél lieva porque lo non mate e en seguro ponga de otros ladrones e mal fechores; resçebida la moneda del caminero tal, liévale después por siniestros senderos a poner en poder de los *otros* que *él* se temía, e así del todo robado, el que le guiava parte toma del despojo con los otros porque a las manos se lo truxo. ¡Oh quánta moralidad e enxiemplos podrán ser de aquí sacados, que oy se usan malamente! Pero bástele al que esto leyere su sobtil entendimiento, si Dios ge lo administrare, sin el qual todo saber es nada. Así el diablo sale al que en este mundo anda, que es viandante, e dize: «¿Qué me daras? Yo te alargaré la vida e te daré riquezas, e mal faziendo e tus injurias vengando, de los que mal te quieren te faré prosperar», etc. El desaventurado dale su alma, lo mejor quél tiene; reniega a Dios que lo ha criado, e toma al diablo por señor. El diablo liévalo por sendas non conosçidas e fázele aver por maneras esquisitas, non conosçidas nin pensadas, lo que quiere, e a la fin liévalo al infierno, a poder de los enemigos de quien se temía, e él es el primero por gualardón que lo tormenta. Nuestro Señor non faze así, que si buenas cosas e dulçes [nos] promete, en grand quantidad, dobladas enfinito paga e da gualardón; por quanto él es carrera, vía e verdad, salud e vida; ende da el gualardón más abondoso quel falso suplantador del diablo. E por quanto el traidor en este pecado más tiene manera de enlazar los bivientes, pone amor desordenado en los coraçones con fuego *infernal que todo el cuerpo inflama, en tanto* quel cuitado del ombre, si vesiblemente viese el *infierno y sus crueles penas de una parte, e de otra* parte la su coamante, çiego de los ojos espirituales querría primero complir su voluntad con ella, después, siquiera, morir e penar. E como se falla alguno, en la vida de los santos Padres, que fizo al diablo carta de su ánima escripta

89

de su mano, e *renegó* a Dios poderoso, tomando al diablo por señor por aver una quél mucho amava, e óvola en esta manera; pero por ruegos de un santo Padre, a pesar del diablo, con muchas oraçiones le fue su carta vesiblemente tornada, llorando los diablos muy agramente por aquella ánima que perdían[9]. E bien creo que de tales malaventurados oy se fallaríen que por aver a la su coamante *e ella al su coamante* se daríen al diablo; e bien veemos que farto se dan, pues por castidad reniegan su Dios e por luxuria toman al diablo por señor e quieren perder la gloria eternal. Vee, amigo, pues si es razón de querer tal amor que dones promete e después tú ser la pieça, e él cuchillo.

CAPÍTULO XIV

De cómo por amar acaesçen muertes e daños

Más razones te diré por qué amor deves evitar, por quanto, por desordenado amor de amantes, muertes infinitas, como de ante dixe, se siguen, guerras inumerables, e muchas paces se quebrantan por esa razón. E vimos çibdades, castillos, logares por este caso destruidos. Vimos muchos ricos en oro copiosos desfechos por tal ocasión. Muchos por este pecado padesçieron, e aun perdieron lo que sus predeçesores

---

[9] Alude el arcipreste a la conocida leyenda fáustica de Teófilo. Pablo el Diácono (m. 799), un monje de Monte Cassino, tradujo del griego al latín el *Milagro de Teófilo*. De allí se incorporó a la literatura taumatúrgica medieval. Berceo tiene una versión en sus *Milagros de Nuestra Señora*, y Alfonso El Sabio incluye una variante en sus *Cantigas de Santa María*.

con virtudes ganaron, en tanto que es opinión, e verdadera, de muchos, e esperiençia que así lo demuestra, que más mueren con el *corto* juizio de amar que con la espada de tajar. Muchos más por causa de mugeres mueren, que non por justiçia nin defensión de la cosa pública. ¡O quánto deve ser aborresçido el desordenado amor que tantos daños procura!

CAPÍTULO XV

Cómo el amor quebranta los matrimonios

Muchos más de males aun en amor pueden ser notados: el amor desonesto quebranta los matrimonios, e, como de alto dixe, a las vezes el desordenado amor es causa del marido separarse de la muger e la muger del marido. E los que Dios por su ley e mandado ayuntó, los quales ninguno non puede apartar, sobreviviente disuluto amor, por *su* causa a veses son apartados, aunque Señor San Paulo dixo: «lo que Dios ayuntare non lo separe ombre» [10]. Más aún te diré: el falso amor desordenado faze que muchas e diversas *vezes* el marido o la muger piensa como el uno al otro desta presente vida privará, e lo veemos de cada día por esperiençia de fechos matar el uno al otro con ponçoñas o por justiçia quando el tal caso lo demanda. Porque en este mundo non deve ombre amar más otra cosa que su buena muger, e la muger que su buen marido; por quanto por la primera ley de

---

[10] «Quod ergo Deus coniuxit, homo non separet», *San Mateo*, 19, 6 y *San Marcos*, 10, 9. No San Pablo como dice el arcipreste.

matrimonio son en uno ayuntados e judgados son ser
dos personas, mas una carne sola. E todas otras
mugeres dexadas. Dios mandó quel ombre se llegue a
su muger donde adelante dize: «por esta tal dexará el
ombre padre e madre e *se* llegará a su buena muger, e
así serán fechos dos una carne e una voluntad» [11].
Más: bien sabes que con la propia muger, si devidamente usares, non puedes cometer fornicaçión. E los
apetitos inçentivos de luxuria en este caso non son
notados a mortal pecado, sinón venial, la entinçión
del matrimonio salva e guarda. Del qual matrimonio
has legítimos fijos, que fruto de bendición son dichos,
universales herederos de tus bienes; donde después
desta vida tu partido, tu nombre queda e memoria en
la tierra. E tus culpas, si algunas cometiste, pueden,
por obras meritorias por ti faziendo, los tales fijos
relevar; lo que no fazen con tanto amor los fijos
avidos de fornicaçión e dapnado cuitu, avortivos e en
derecho espurios llamados, e en romance bastardos, e
en común bulgar de mal desir e fablar fijos de mala
puta. Donde se siguen tres males: difamación del que
lo engendró, vituperio de la que le conçibió, denuesto
del engendrado. E es capillo que fasta e después de la
su muerte nunca se le cae. E demás quel tal fijo es
repulso de la paterna heredat en vituperio del dapnado cuitu; demás es privado de todas honras temporales, e aun la Iglesia nunca le permite ser dados
beneficios si primeramente non es por el Papa legiti-
mado, o por el prelado que en tal caso le pueda dar
liçençia para que aya uno o dos benefiçios, non los
quél quisiere o pudiere aver. E aun la Santa Escritura
dice que los fijos de los adulteradores muy abominables son a Dios [12]. Pues que todas aquestas cosas se

---

[11] «Quamobrem relinquet homo patrem suum, et matrem, et
adhaerebit uxori suae; et erunt duo in carne una», *Genesis*, 2, 24.
Compárese también con *Ad Ephesios*, 5, 31.
[12] Véase *Sapientia*, 3, 16; y *Ecclesiasticus*, 41, 8-16. Algunos
críticos han intentado encontrar en esta denuncia de la ilegitimidad
la clave al silencio que se guarda sobre la familia del arcipreste.

siguen del inordinado amor, e ningún bien dél non veemos venir, ¿quál es [el] loco que non se aparta dél como de infernal enemigo? Por ende, amigo, aprende de guardar tu pudiçia e sobrar e vençer los apetitos defrenados de la dicha carne mezquina, e tu cuerpo guardar desta manzilla de pecado por nuestro Señor Dios. E si por aventura los inçentivos o estímulos de la carne dizes que los non puedes sofrir *nin* refrenar *nin* resistir, yo te daré buen consejo con que los sobrarás, e sin grand costriñimiento de ti podrás foir los deleites deste pecado[13].

Primeramente, si te viniere en la imaginaçión temptaçión deste *pecado,* non te aduermas en el pensar, santíguate e fiere tus pechos, e anda luego e busca persona tercera con quien fables de algun negocio por que te salga de la imaginaçión, e llama algund vezino o amigo, o algund moço o ombre de tu casa, e fabla con él, aunque lo non ayas gana, e sal de tu casa en un punto, como aquel que dize: «señores, ayudadme, que me matan o roban». E así salido, fabla con alguna persona de tu vezindad por mudar propósito e entinçión. Item, fuye los desonestos logares, los tiempos e las personas que tú sabes o puedes entender que son causa de *te* enduzir a pecar. E si en logar estovieres donde aya mugeres o fueres dellas temptado, múdate del logar e busca otra compañía. *Have memoria en tu corazón e dí con el profeta David:* «*Averte oculos meos ne videant vanitatem.*» E si por aventura arrebatadamente te viniere aquel fuego maldito de luxuria, guarda a lo menos, si con la voluntad lo non pudieres resistir o consientes en él en tu voluntad, a lo menos guarda que la obra non se sigua con efecto, que esto sería ya mucho mal, que grave pecado es, e grande, consentir por voluntad al tal pecado; mas después que por obra puesto, es gravísimo,

Véase Alfonso Martínez de Toledo, *Little Sermons on Sin,* traducción e introducción de Lesley Byrd Simpson, Berkeley, Los Ángeles, University of California Press, 1959, pág. 4.

[13] Aquí acaba el capítulo XV en las ediciones de 1498 y 1500.

en tanto que mata el ánima e agrava el cuerpo e lo torna más que plomo pesado. Por lo qual te digo que si algunas vezes quisieres tener esta regla e querer al conflicto de la luxuria, cuando viene, resistir, en muy poco e breve tiempo serás della señor a toda tu voluntad e non preçiarás nada sus estímulos. Pero si estando en la cama tal escalentamiento te viniere, salta *luego* della *e* non te aduermas en pensar, sinón luego sal fuera e, resfriado el cuerpo, luego dará logar la carne, o luego como viniere, comiença a rezar e a dezir a lo menos: *Ego, peccator, confiteor Deo;* e fiere tus pechos, e así la voluntad dapnada vençerás. Dote otro consejo, e tómalo por Dios, e avrás mucho remedio e consolaçión. Fuye e evita siete prinçipales cosas, a lo menos: primero, fuye comer e bever sumptuoso de grandes e preçiosas viandas. Segundo, fuye vino puro o inmoderadamente bevido; que esto es inçitativo de ardor de luxuria, segund los canónicos derechos dizen; quel vino priva al ombre de su buen entendimiento e da cabsa de delinquir e pecar. E en otra parte el Apóstol dize: «Non queráis embriagarvos de vino, en el qual reina luxuria»[14], segund de Lot e otros oíste, e vees de cada día esperiènçia, que de los fechos madre avisadora e maestra es. Lo terçero, non duermas en cama mucho mollida e delicada de sávanas e ropa. Quarto, camisones en tu cuerpo delicados non uses mucho. Quinto, non continúes do mugeres están, aunque tus parientes sean nin hermanas, porque a ellas mirando non te traigan a la memoria otras que bien quieras o desees aver mirando en aquéllas, o non ayas causa de pecar con sus moças e servientas, o con otras amigas suyas que las vengan a vesitar; que conteçe esto a las vezes, como cuenta la decretal *Inhibendum* de los clérigos coabitantes con las mugeres en el libro terçero de las

---

[14] «Et nolite inebriari vino, in quo est luxuria», *Ad Ephesios*, 4, 18.

Decretales[15]. Lo sexto, como ya suso dixe, fuye dar tu oreja a palabras feas de luxuria favladas inçitativas de todo mal, fuyendo toda oçiosidad. Sétimo e final, siempre faz alguna cosa por quitar tu pensamiento de vanas imaginaçiones, como dizen los santos Padres en sus vidas e colaçiones: siempre el diablo te falle ocupado por que su tentaçión en ti non aya lugar. Este es uno de los útiles remedios al pecado susodicho. E demás sepas, amigo, *que* la luxuria es de tal calidad, que si ombre la quiere proseguir e continuar será siervo e vençido della. Pero si la evitare e della fuyere, luego de sí la desterrará e se dél partirá como *de* cosa perdida e de poco valor. E dígote, amigo, que si lo que te he dicho por obra pusieres, non es posible qu jamás la vill de la luxuria te pueda macular nin ensuziar, que non es más la luxuria quel judío o el moro: tenle cara a sus primeros movimientos e muéstrales rostro, que foir *es* su recorro luego, que non tiene más esfuerço sinón tremer, e donde veen varón fuyen. E por quanto *a* qualquier sabio les manifiesto poco más o menos la muger quién es, *e cómo* por ellas en el mundo vino destruiçión, e oy dura, non es honesto dellas más favlar. Non digan que non fue muger el que lo compuso este compendio, si non çesara mal favlar por honestidad; pero los viçios de las criminosas bueno es redarguir porque oyéndolo se abstengan de mal usar, que non menos es en los perversos ombres, como ya suso dixe —que la entinçión *del componedor* non es otra más, salvo amo-

---

[15] «Estableçe aquí el concilio que ningún preste non tenga consigo mugeres de las quales pueda nascer sospecha mala, nin aquellas las quales los establecimientos de los Sanctos Padres otorgan, conviene a saber: nin madre, nin hermana, nin tía, ca es fallado que muchas vegadas ffaze pecar el diablo con aquestas o con sus mancebas. Mas si por aventura alguna d'aquestas fuere puebre, denle las cosas necessarias en otra casa que sea en otro barrio o que sea a lexos de la suya», *Decretales de Gregorio IX, versión medieval española,* edición de Jaime M. Mans, Barcelona, 1942, II, 2.ª parte, pág. 273. Corresponde al libro tercero, título segundo, capítulo primero.

nestar que amar desonesto non quieran. Lo qual si la potençia divina permitiente— nosotros lo podiéremos, como suso dicho es, fazer, non ha cosa en que más podamos serviçio fazer a Dios más agradable. E si este pecado del ombre o muger non fuere evitado, non ha cosa que en el ombre o muger perfecta nin acabada pueda ser dicha, e si dél se escusare o *lo* dexare, non ha cosa que más sus viçios e menguas encubra y ençele, que si el ombre o muger quito es de locamente amar, e honestamente perseveraren, non es mal nin fama perversa que dél sea dicha que creída sea. Tanta es la virtud de la continençia que es capa para cobrir otros muchos pecados; antes, si alguno mal dixere o detractare al continente, a él non le cabe responder, que todos a una voz responderán por él. Pues muy sabio es e será el que tal virtud quiere alcançar que le defienda, aunque pecador sea, e le ampare contra el diablo e sus sotilleces maldizientes. E demás, si quito es de otros viçios, este le faze ser limpio, puro e como el sol resplandeciente. E piensa que el que fuere continente e púdico a menester que sea franco e largo, e non te maravilles; que sin franqueza o larqueza todas las virtudes de la persona muerta son reputadas. E quando es la persona mezquina, mendiga, escasa e estrecha —non te digo más en lo temporal que en lo espiritual— entiende bien este punto —que todos los loores *e alabanzas que del tal el pueblo puede dezir,* son sin dubda callados e non osados favlar. Como dize el apóstol Santo Pablo, así como «la fee sin obras muerta es»[16], así toda virtud sin franqueza e larqueza non es por virtud tenida. Pues como amor sea viçio e non virtud, fuir dél sabieza es.

---

[16] «Sic et fides, si non habeat opera, mortua est in semetipsa», *Epistolae Iacobi*, 2, 17.

Capítulo XVI

Cómo pierde la fuerça el que se da a luxuria

Aun otra razón viene en argumento contra amor e sus amantes, por quanto del luxurioso e vill aucto los cuerpos humanos en grand parte son divilitados, e, *donde de* los ombres pervienen en armas e otras fuerças *fazer,* son muy poco poderosos. E así los ombres por quatro razones son divilitados: lo primero, por quanto segund los auctores de medeçina ponen que luxuria es causa efiçiente e formal de dibilitar el humano cuerpo; lo segundo, por quanto el que a la tal delectaçión se da, en grand quantidad pierde el comer e aun acresçienta por ardor e sequedad de fuego en el bever, como todo violento movimiento sea causa de calor, e todo calor causa de sequedat, e toda sequedat e adustión causa de destruçión. E do la tal sequedad se causa, conviene remediar de contrario para su curación; pues los contrarios con contrarios son de curar, como dize Aristótiles. Conviene, pues, bever e remojar por apagar el tal fuego con cosas frías muchas vezes beviendo. E aunque cosas ay de sí que, aunque sean al aspecto frías, pero son mucho calientes, como el vino, por mucho frío *que lo bebas, si* puro e muchas veses sea bevido, como el de si sea caliente, quema los fígados e altera la persona, e tanto lo calienta que apenas sentirá frío. Por ende se dize: «El ajo e el vino atriaca *es* de los villanos.» E como la poca vianda en el estomago ruede con el mucho bever, non se puede *de ligero degerir,* e síguese por fuerça que la espulsiva de las potençias del estómago —que a las alterias del cuerpo, venas e miembros ha de ad-

ministrar, derramar [e] embiar sus infloençias en grand
quantidad— fallesçe e enflaquesçe; e non dando el
cuerpo el estómago su nutritivo que conviene e
deve, luego todas sus potençias son enflaqueçidas
e diminuidas, en tanto que pierde el cuerpo de sus
fuerzas, pues lo nesçesario le desfallesçe. Lo terçero,
amor e luxuria privan al ombre del sueño; que non
puede dormir como solía nin deve, e privado del
sueño toda la noche *está congoxado e* nunca reposa,
e non reposando es privado de folgança. Pues como
naturalmente sea que privaçión de sueño es causa de
indigistión, e la indigistión, como suso dixe, causa de
privaçión de las fuerças del cuerpo, por ende *de* aquí
sale e se sigue todo mal, e aun la auctoridad de física
lo demuestra, do dize un auctor que dizen Joanicio[17],
quel sueño e reposo es folgança de los animales, e
virtud natural dada en su conservaçión con aumento.
E pues luego diremos que la privaçión del sueño es
fatigaçión e travajo de los animales, con diminuçión
de natural curso. Pues, si diminuçión dello viene,
çierto es quel cuerpo e fuerça non pueden estar en su
ser buenamente nin permanesçer. Lo quarto, amor e
luxuria traen muchas enfermedades e abrevian la vida
a los ombres *e* fázenlos antes de tiempo envejeçer e
encanesçer, los miembros temblar, e como ya de alto
dixe, los çinco sentidos alterar e algunos dellos en
todo o en parte perder; e con muchos pensamientos a
las vezes enloqueçer, o a las vezes privar de juizio e
razón natural al ombre e muger, en tanto que no se
conosçe él mesmo, a las oras, quién es, dónde está,
qué le contesçió, nin cómo bive. E pues amor desordenado al cuerpo tales cosas procura, dexarlo sabieza
sería, e dar poco por él, que a las vezes el no dar

---

[17] *Johannitius,* o *Honain ben Isaac* (809-873), traductor al árabe
de Galeno e Hipócrates. Además, fue autor de un comentario a
Galeno, *Microtechne (Isagoge in Artem parvum),* que tuvo gran
difusión en la Edad Media. Capellanus alude a Johannitius en el
De Amore.

poco por las cosas trae grand daño e confusión[18], e, quando el que a su enemigo popa, a sus manos muere. Pues por Dios nuestro Señor, en tal guisa de amor usemos verdadero, que para siempre bivamos sólo Dios amando.

Capítulo XVII

Cómo los letrados pierden el saber por amar

Aun otra razón te do con que amar non te consejo, por quanto de toda sabieza su ofiçio pierde si a desonesto amor se diere el letrado o sabidor; por quanto por mucho que sea sabio el ombre e letrado, si en tal aucto de amar e luxuria se pusiere, non sabe de allí adelante tener en sí temprança alguna, nin aun los auctos de la luxuria en sí refrenar; antes te digo que los que más çientíficos son, después que en el tal uso se envolvieren, menos *sabios son e menos* se saben desenbolver dello que los simples inorantes, como suso dixe. ¿Quién oyó dezir un tan singular ombre en el mundo, sin par en sabieza, como fue Salamón, cometer tan gran idolatría como por amores de su coamante cometió? ¿E demás Aristótiles, uno de los letrados del mundo e sabidor, sostener ponerse freno en la boca e silla en el cuerpo, çinchado como bestia *asnal,* e ella, la su coamante, de suso cavalgando, dándole con unas correas en las ancas?[19] ¿Quién non

---

[18] En el ms. se lee: «que a las vezes el dar poco por las cosas trae grand daño e confusyon». En el contexto esto no tiene sentido sin la palabra *no.*

[19] Las «aventuras» de Aristóteles (anécdotas apócrifas de su vida) tuvieron gran difusión en la Edad Media. El *fabliau* francés *Le lai d'Aristote* narra esta aventura. Para el hombre medieval,

deve renegar de amor, sabiendo quel loco amor fizo de un tan grande rey e señor idólatre e servidor, e de un tan grand sabio, *sobre* quantos fueron sabios, fazer dél bestia enfrenada andando a quatro pies, como bestia, una simple muger? Noten esto sólo los que aman *e* abastar deviría a los que entienden en amor. ¿Quién vido Vergilio, un ombre de tanta *acucia e* çiençia, qual nunca de mágica arte nin çiençia otro qualquier o tal se sopo, nin se vido nin falló, segund por sus fechos podrás leer, oír e veer, que estuvo en Roma colgado de una torre a una ventana, a vista de todo el pueblo romano, sólo por dezir e porfiar que su saber era tan grande que muger en el mundo non le podría engañar? E aquella que le engañó presumió, contra su presunción vana, cómo le engañaría, e así como lo presumió lo engañó de fecho; que non ha maldad en el mundo, fecha nin por fazer, que a la muger mala defíçile a ella sea de esecutar e por obra poner[20]. Pero quiero tomar en parte por los ombres, que esto non es engaño por saber: que si guardar se quisiese ombre non le engañaría muger —aunque en esto pone dubda Sant Agostín— mas el ombre fíase de la muger, e fiándose quiérele a las veses complazer, e déxase della engañar e vençer por la contentar. E esto es más errar por voluntad desordenada que por falta de saber ser engañado. Destos enxemplos las mugeres tomarán plazer, e se glorificarán del mal, porque las pasadas mugeres a los más sabios engañaron. Pero non digamos de los engaños que ellas

---

Aristóteles se convirtió en uno de los «sabios» que fueron burlados por las tretas de la mujer.

[20] Virgilio fue otro «sabio» que se convirtió en ejemplo de hombre burlado por la mujer. Juan Ruiz en el *Libro de buen amor* (261) cuenta este mismo episodio:

Al sabidor Virgillio, como diçe en el testo,
engañólo la dueña quando lo colgó en el çesto,
coidando que lo sobía a su torre por esto

Para los orígenes y el desarrollo de la leyenda de Virgilio, véase Domenico Comparetti, *Virgilio nel Medio Evo* (Florencia, 1896).

resçibieron, reçiben e resçibirán de cada día por locamente amar. Pues el suso dicho Virgilio sin penitençia non la dexó, que mucho bien pagó a su coamante que apagar fizo en una ora, por arte mágica, todo el fuego de Roma, e vinieron a ençender en ella todos fuego; que el fuego que el uno ençendía non aprovechava al otro, en tanto que todos vinieron a encender en ella fuego en su vergonçoso logar, e cada qual para sí, por vengança de la desonra que fecho avía a ombre tan sabio. Más deves saber, como creo que bien sabes, *en* cómo el rey David, sabio de los sabios e profeta de Dios sobre todos los profetizantes, tovo muchas mugeres e aun cuncubinas, e —*aún* non farto su *voluntarioso* apetito de quantas a su mandado tenía, e fermosas e tales como un rey por poderío tener podía— con mal propósito e desfrenada voluntad amó a Bersabé desonestamente, muger una sola que Urías, caballero suyo, tenía enamorado della. Por quanto en un huerto la veía de cada día peinarse e arrearse a su ojo, e ella, como sentía quel rey la venía cada día a mirar de allí, aunque lo ella disimulaba —como que ella non conosçía ni sentía quel rey la miraba nin la venía a mirar— pero, por ser del rey cobdiçiada e deseada, venía allí cada día a se arrear e peinar mostrando sus cabellos e pechos, dando a entender que non lo entendía, como otras muchas de cada día acostumbran a fazer. En tanto que el rey, non contento de muchas *que tenía,* quería e quiso una que Urías sola e señora tenía e amava, e con ella acometió carnal deseo e adulterio en derecho canónico llamado; lo qual non cometiera si ella quisiera, quando vido e sintió la voluntad e comienço de amor del rey, que ella se dexara de seguir la venida a peinar e arrearse allí donde venía[21]. Donde fue causa de la su desonra e de la muerte de su marido e de tantas e

---

[21] La historia procede de *Samuel II,* 11, y la cuenta Andreas Capellanus: «Sed et quis maior aut sapientia clarior es David propheta repertus, qui tamen innumerabiles habuit concubinas, uxorem male concupivit Uriae et eam adulterando stupravit virum-

tales personas que después murieron por el pecado que David cometió; lo qual plogo a nuestro Señor que así fuese que su fijo Absalón contra él se alçase e de Jerusalém fuir lo fiziese, e con sus mançebas, a vista del pueblo, forniçio cometiese. Pues verás de quánto mal fue causa la muger de Urías, non quedando inoçente David deste pecado. Si leyeres la estoria adelante verás, pues, quánto mal faze una mala muger, e esta prática non la han perdido oy día. E así cometido el dicho pecado el rey con la muger de Urías —e preñada de un fijo, el qual a poco tiempo murió, por el qual David mucho dolor ovo— empero David, aún non contento desto, a su marido fizo matar fizo embiándolo con cartas al príncipe de las sus guerras e batallas, Joab, mandándole que lo pusiese en la primera escuadra, donde con los primeros sus días fenesçiese. Por quanto *era* Urías ombre entero todo e tan ombre e muy animoso, e sabía bien el rey David que faziendo proeza de armas non era posible en tal logar remaneçer con la vida. E demás, entender deves quel rey non le fiziera matar, pues tanto mal contra él de otra parte cometido avía tomándole su muger, e así mesmo la él enajenando; mas ovo dubda el rey que siendo Urías sabidor de tal maldad que a su muger cruelmente mataría e David quedara frustrado, e, bibdo de su amor; *o* por aventura movido con desesperaçión, a su rey e señor pudiera errar. Que, aquel que la fee quiebra, la fe non le deve ser guardada; mayormente en este caso, que así el señor comete mala fee a su vasallo como el servidor en tal

---

que ipsius tanquam perfidus homicida necavit.» El *Libro de buen amor* (258-259) también alude al cuento:

> Feciste por loxuria al profeta David,
> que mató a Urías, quando l'mandó en la lyd
> poner en los primeros, quando le dixo: «Yd,
> levad esta mi carta a Joab e vinid.»
> Por amor de Berssabe, la muger de Urías,
> fue David omeçida e fizo a Dios fallías;
> non fiz' por ende el tempro en todos los sus días,
> fizo grand penitencia por las tus mestrías.

caso, *si* a su señor matase. Esto todo de loco e desordenado amor proviene.

Más tarde te diré, que yo vi en mis días enfinidos ombres, y aun fembras sé que vieron a un ombre muy notable, de casa real —e quasi la segunda persona del rey en poderío en Aragón, mayormente e Cezilia— por nombre Mosén Bernard de Cabrera, el qual estando en cárceles preso por el rey e reina porque fazía en Çeçilia mucho mal e daño al señor rey, por quanto tenía por sí muchos castillos e logares fuertes e non andava a la voluntad del rey, fue preso; e por lo aviltar e desonrar fizieron con una muger quél amava que le consejase que se fuese e se escalase por una ventana de una torre do preso estava para ir a dormir con ella, e después que se fuese e fuyese desde su casa; esto por enduzimiento del rey, e ella que le plogo de lo fazer. E él creyendo la muger, pensando que le non engañaría, creyóla e tomó una soga que le ella embió. E el que le guardaba diole logar a todo e dexóle limar el çerrojo de la ventana e abrirla; e al primer sueño salió por la ventana e començó a descender por la torre abaxo. E en medio de la torre tenía una red de esparto gruesa, abierta, que allá llaman xávega, con sus artefiçios. E quando fué dentro en la red, cerráronla e cortaron las cuerdas los que estaban dalto en la ventana, e así quedó allí colgado fasta otro día en la tarde que le levaron de allí sin comer nin bever. E todo el pueblo de la çibdad e de fuera della, sus amigos e enemigos, le vinieron a ver allí, adonde estava en jubón, como Virgilio, colgado[22]. Vee, pues, cómo amor falso e caviloso faze a los

---

[22] Bernat de Cabrera, consejero de Pedro el Ceremonioso, fue sentenciado a morir por éste. En 1438 Pere Tomich, en sus *Històries e conquestes*, escribió lo siguiente: «Es por dir ab veritat quel dit rey [Pedro el Ceremonioso] fou lo segon Neró en fer morir tantes persones... Encara aprés féu altra desconaxença, que féu morir lo noble baró en Bernat de Carbrera, sens causa, qui le havia feta la major honor e servey que lo romanent de son regne, en los grans fets que havia fets en Serdenya... e per bona remuneració le féu levar lo cap» (capítulo XLIV).

más sabios caer; piense, pues, cada qual en sí qué deve de sí fazer, que en el enxiemplo es «Quando la barva de tu vezino vieres pelar, pon la tuya en remojo».

Capítulo XVIII

Cómo es muy engañoso el amor de la muger

Los amadores aun por otra manera vençerlos quiero, por quanto amar e ser amado —que ellos mucho demandan— en la fembra fallar nunca lo podrán; por quanto nunca fue ombre que exçesivamente muger o amiga amase que la tal muger le bien quisiese. Regla es particular, donde está mucho secreto a los que provado lo han, pero por non dar avisaçión a mal obrar, çesa la péndola en este paso; por quanto experiençia muestra que muchas mugeres non aman a otros más nin tanto como aquellos que las fieren e trabajan. E demás, la muger, su propio pensamiento es que amando será rica; que el que la amare le ha de dar sin tener rienda. E son dos partes de amor: esta que dixe la una; la segunda es amor carnal con complimiento de voluntad. E en esta tal manera, la muger al ombre, nin el ombre a la muger, non cura de sus dones salvo de su voluntad complir; por ende, verás *lindas* mugeres con viles, feos e desaventurados ombres, e para poco e pobres se envolver, así coxos como mancos e tuertos e gibados, non los olvidan *por negros, suzios* / cautivos / *que en verlos es asco e abominación,* e fago punto aquí. Pero ellas en amar ombres de poca manera fázenlo esto por una de dos maneras: una, que frío e amor non guarda donde entra, e son en esto como loba fechos o fechas, así el

ombre como la muger, que con el primero que delante
le viene toma amorío e se ajoba. Otra manera es por
advininteza, o tener más manera de fablar, contratar e
platicar con ellas: o por vezindad, o porque donde
ellas están acostumbran entrar los tales ombres de
poco juizio e corta manera —e como son tenidos en
poco— non se guardan dellos los parientes e amigos,
que tales mugeres guardan o guardar deven: en la
vezindad dellos caso tal siniestro *no presumen,* e
estos tales fazen muchos daños e mal. Eso mesmo
fazen los locos fuera de todo sentido, e truhanes fuera del estilo de seso, que dellos non se guardan.
E destos muchas veses salen los fijos por eglesias a
maitines lançados. E ay otra manera de algunas mugeres a los tales querer, e amar por non ser enxem-
pladas e desfamadas; que estos tales, quando las han,
callan como negra en vaño, lo uno por amor, lo otro
por temor[23]. Por amor, por non perderlas de sí e
averlas cada que quisieren a su voluntad: e déstos
non toman ellas nada porque ellos non tienen, antes
les dan ellas a ellos, así porque callen como por non
los perder de su mando. La otra razón porque estos
tales callan es por temor que han que si tal sus
parientes e amigos sintiesen, non les va sinón la vida,
e por esto callan ellos e aun ellas los aman, como
dicho es; lo que no farían otros de estado nin de
mayor manera, que tanto se dan por lo dezir como
por lo callar, antes se van alabando por plaças e por
cantones: «Tú feziste esto, yo fize esto; tú amas tres,
yo amo quatro; tú amas reinas, yo emperadoras; tú
donzellas, yo fijas dalgo; tú la fija de Pero, yo la
muger de Rodrigo; tú a María, yo a Leonor; tú vas de
noche, e yo de día; tú entras por la puerta, e yo por la
ventana; tu alcuahueta es fulana, e mi alcayuete Ro-

---

[23] *Callar como negra en baño:* «el que disimula y calla sin
responder a las palabras ocasionadas para enojarle... pues entre los
demás que entran al baño, el que está oscuro... entrando alguna
negra... no dize palabra ni responde, porque siendo conocida no la
echen... o hagan burla della» (Covarrubias).

drigo; tú entras a las doze, yo a la una; a ti dio tal
camisa, a mí dio este jubón; tú dormiste con ella sola,
e yo con ella e otras dos moças; a ti dio agua rosada, e
a mí agua de azahar; la tuya es mucho negra, la mía
es muy blanca; la tuya es chiquilla, la mía es de
fermoso cuerpo; la tuya non es fermosa, la mía es
loçana e linda. Pues, acompáñame a la mía, acompa-
ñarte he a la tuya, que para bien amar se requieren
dos amigos de compañía: si se ensañare el uno con la
otra, quel otro faga la paz, o si se mostrare ser sañudo
o sañuda —que son desgaires a las vezes de amor— el
terçero lo adobe e henmiende» [24]. E con tales dezires
e disfamaciones como estas, e mirándolas sin verguença en vodas, en plaças, justas e torneos, toros e
eglesias, porque non han temor a sus parientes, amigos nin maridos, e son más denodados a cometer e
fazer con ellas auctos desonestos sin miedo de Dios e
de la justiçia e *sin* verguença del mundo que los otros
cuitados. Por esto tal, a las veces, *los* aborresçen e
mal quieren, por galanes que ellos sean, e aman *más*
páxaro *en* mano que bueitre volando, e asno que las
lieve que cavallo que las derrueque. Así que, como *de*
suso dixe, el motivo *del amor* de la muger es por
alcançar e aver por quanto naturalmente les proviene,
que todas las más de las mugeres son avariçiosas, e
quando algo alcançan son muy tenientes. Son amado-
ras de temporales riquezas en grado superlativo, e
para aver dineros e los alcançar, con modos muy
esquisitos trabajan sus espíritus e cuerpos; en esto
son muy atentas con mucho estudio e sulicitud.
E nunca pude yo ver nin fallar muger que refusase lo
que de grado le fuese dado, aunque con grand instançia
non demandase lo que prometido le fuese. *E si no le
fuese sabia, fatigada o meticulosa verguenza, que a
las veces, contra voluntad, las costriñen dexar lo que
querrían de grado tomar o demandar; empero el*

---

[24] Este monólogo es adoptado casi palabra por palabra por el
antiguo auctor de la *Celestina*. Véase nuestro artículo «*Celestina,
Act I, Reconsidered...*», *KRQ*, 23 (1976), págs. 36-37.

*corazón no duerme, ni la voluntad no sosiega, aun-
que la mano forzada reniega.* E si por ventura demanda e lo demandado non le es otorgado e dado,
que non se dexe de amar luego a quien lo deseado
demandó non le diere. Demás, si quanto tovieres e
toda *tu* sustancia le dieres, si a menos de tu estado o
riqueza te viere venir, o a tal fragilidad o enfermedad
continua de tu cuerpo que non seas para la retoçar
como solías, ¡guay de ti! Sabe que te porná luego
silençio perpetuo e amenazas de sus parientes, o que
non tiene logar de te complazer como solía, o que
gelo han sentido los de casa e le tienen guardas e ya
non duerme como solía, sola; ya non te puede fablar a
puerta nin ventana, ya non puede salir fuera; ya non
ay nada de lo que solía, pues non la retoças nin das
como solías. ¡Quántas malas usan desta prática sin
temor ninguno! Todos los plazeres, que aver solías,
entredichos te son; pues retinto non corre de dobla o
florín, nin bulle cantolín, bía al atahona como ruin al
gallarín. E non pienses que en el mundo fembra tan
fiel nin constante fallases, si enamoradiza es, que si
otro con dones e mayores joyas que tú veniese, que
non te diese cantonada, que tanto es el apetito desordenado en ellas de aver e riquezas querer, que la que
mala es toda continençia e castidad romperá por
bienes, joyas, arreos e riquezas alcançar. E más te
digo: que si tienes e con mano abierta a la mala muger
vinieres, muy difíçile es que mano vazía tornes, o tu
propósito complido, o buena esperança al menos.
Pero si a muger pides valía de un alfiler, contigo es la
pesquisa; non le verás la cara buena de diez o veinte
días. E por grande que tú seas, si le vas manos
vazías, nunca podrás ganar gracia de lo que demanda-
res; antes, sin toda verguenza, te dirá a bozes altas:
«Amigo, ¿qué querés? salid de aquí en buena o mala
ora»; e fará que no te conosçe nin jamás te aya visto.
E dígote verdad, que por esta mala e desordenada
cobdiçia e inmoderada avariçia, las mugeres malas
todas son ladronas en poco o en mucho; las manos tienen melosas, que todas cosas se les pegan.

E dígo*te* que los dones, plata o joyas e oro e otras cosas preçiosas fazen a las más altas a lo baxo venir, quel dar quiebra las piedras: ¿cómo lo sofrirá, pues, la flaca carne? Por ende, te digo que de mill una fembra fallarás rica, nin lo ser podría, tanto es el fuego e ardor de aver e allegar riquezas, onras, estados e pompas; non las fartarían al mundo señorías e mandos: este es su deseo. Esto por quanto non ay siervo que si señor fuese, que casi se conosçiese; nin ay vasallo que, señor tornado, non sea cruel. En esto conosçerás tú las personas quáles de raíz buena o mala vienen, que el que de linaje bueno viene, apenas mostrará sinón dónde viene, aun que en algo paresca, todavía retrae dónde viene; pero el vil e de poco estado e linaje, si fortuna le administra bienes, estado, onra e manera, luego se desconoçe e retrae dónde viene, aunque mucho se quiera infingir en mostrarse otro que non es, como algunos han acostumbrado de lo así fazer. Pero es verdad quel fijo de la cabra una ora ha de balar, e el asno fijo de asno *ha* de rebuznar, pues naturalmente le viene. Enxiemplo: toma dos fijos, uno de un labrador, otro de un cavallero; críense en una montaña so mando e disçiplina de un marido e *una* muger. Verás cómo el fijo del labrador todavía se agradará de cosas de aldea, como arar, cavar e traher leña con bestias, e el fijo del cavallero non se cura salvo de andar corriendo a cavallo e traer armas e dar cuchilladas e andar arreado. Esto procura naturaleza. Así lo verás de cada día en los logares do bivieres: que el bueno e de buena raça todavía retrae do viene, e el desaventurado de vil raça e linaje, por grande que sea e mucho que tenga, nunca retraerá sinón a la vileza donde desçiende; e aunque se cubra de paño de oro nin se arree como emperador, non le está lo que trahe sinón como cosa emprestada o como asno en justa o torneo. Por ende, quando los tales o las tales tienen poderío no usan dél como deven, como dize el enxiemplo: «Vídose el perro en bragas de cerro, *e* non conosçió a su compañero.» E como sean las mugeres a los varones sojebtas, al punto que señoría e mando alcançan, ¡guay del que es sojecto e han de mandar!, que non han discreçión en mandar nin vedar, sinón que todo seso posponen e dan logar a la voluntad que cada ora las fallarás de su mando. Dos cosas son de notar: nin nunca fembra farta de bienes se vido, nin beodo farto de vino, que quanto más beve, más ha sed. Por tanto, la muger que mal usa e mala es, non solamente avariçiosa es fallada, mas aún envidiosa, maldiziente, ladrona, golosa, en sus dichos non constante, cuchillo de dos tajos, inobediente, contraria de lo que le mandan e viedan, superviosa, vanagloriosa, mentirosa, amadora de vino la que *lo* una vez gosta, parlera, de secretos descobridera, luxuriosa, raíz de todo mal e a todos males fazer mucho aparejada, contra el varón firme amor non teniente. Esto es de la mala o malas; que es dicho que las buenas non han par nin que dezir mal dellas; antes como espejo son puestas a los que miran. E fasta aquí fablé de cómo desordenado amor deve ser evitado, sólo amor en Dios poniendo. Agora proseguir quiero: el que ama, cómo traspasa los diez mandamientos, quebranta e comete todos los siete pecados mortales, donde todo mal proviene.

Cómo el que ama desordenadamente traspasa los diez mandamientos

Si saber quieres aun cómo amor desonesto de ombre o fembra deve ser menos preçiado e denostado, atiende bien lo que te aquí diré: quántos son los males que faze, quántos dapños procura a las personas e quántos inconvenientes dél se siguen, e de quántas maneras de pecar sólo el amor es prinçipio e causa, e quántos pecados e en quántas maneras son cometidos por amor dél. E loco será bien el que lo sopiere leer o lo entendiere si de algo dotrina non tomare de lo que aquí diré, siquiera en parte, aunque en todo non. Primeramente te digo que el que desonesto amor usa e continúa, compliendo su defrenado apetito, este tal traspasa uno a uno todos los mandamientos de Dios, e demás cae en todos los siete pecados mortales, corrompe las quatro virtudes cardinales, anulla las potençias del ánima, los corporales çinco sentidos destruye, las virtudes siete le deniegan —las quatro cardinales como eso mesmo las tres theologales— mengua en poner por obra las siete obras de misericordia. E estos males faziendo lieva al que tanto le amó al loco amor a las infernales penas. Pues *bien*

---

[25] A pesar de que el capítulo anterior lleva el número XVIII, las ediciones antiguas llevan aquí el número XX. No hay razón para mantener este salto. Sin duda es un error.

deve ser dicho este tal pecado raíz de todos males, pues tanto mal procura e faze, e tantos daños dél se siguen.

Capítulo XX

Del primero mandamiento, cómo lo traspasa el que ama desordenadamente

Primeramente quebranta el mandamiento primero, que es: «Amarás a Dios sobre todas las cosas»[26]. Agora yo demando si el que ama la muger, fija o parienta de su próximo desonestamente, por la desonrar, éste tal si ama a Dios. Bien paresçe que non; antes se aparta dél, e dize:«Señor, aunque Tú mandaste que yo non amase si non a Ti, que eres mi Señor e Criador, pero, Señor, perdóname, que a esta otra amo más que non a ti. Pero bien sé yo, Señor, que Tú eres tan misericordioso e, aunque en esto contra ti yo pequé, que tú me perdonarás. Confesarme he, arrepentirme he, e seré luego de Ti perdonado.» Así que so esperança de perdón pones por obra el mal fazer, e, ya antes que cometas el pecado, has pensado cómo engañarás a Dios una e muchas vezes. E esto procura su mucha paçiençia de te querer esperar a penitençia: offendes a Dios de continuo sin hemienda. Por lo qual te digo que mal consejo tomas, que amar a Dios fúndase sobre virtud, e amar

---

[26] El arcipreste confunde aquí el Gran Mandamiento de San Mateo (*San Mateo*, 22, 37) con el Primer Mandamiento del *Decálogo* (*Éxodo*, 20, 2-3).

el ombre a fembra *o fembra* a ombre fúndase sobre pecado, e, lo que es peor, errar so esperança de perdón, donde todo nuestro mal e daño proçede. Aquí es menester la misericordia de Dios, ¡y quánto! Pues, cata aquí, *que* aquel que ama a otro o a otra más que a Dios, menospreçia al Criador e presçia mucho a la criatura, desecha la virtud e toma el pecado, e demás viene contra su primero mandamiento.

Capítulo XXI

Del segundo mandamiento

Item, contra el segundo mandamiento viene el que ama con amor loco, es a saber: «Non jurarás el su santo nombre en vano.» Pues demándote, por Dios, quál es el que por tal vía de loco amar anda e bive, que, non una, mas infinidas vezes juró e jura el nombre de Dios en vano, faziendo mill maneras de juramentos, diziendo: «Juro a Dios e a Santa María, e para estos santos evangelios e aun para los santos de paraíso, que yo te *daré e yo te* faré e te contesçeré. Non dubdes desto, que bien sabes que cristiano so. ¡Noramala! ¡Si así non fuese non te perjuraria! Faz, señora, lo que te digo sobre mi conçiençia, luego te daré paños e te daré joyas, te daré florines e doblas; te faré reina que a todas tus parientas e vezinas faré que te vengan a mirar», e otras cosas segund más o menos son los estados de los amantes e personas. E el cuitado ya sabe que le ha de faltar e non darle nada, si non burlarla e fenchirle la oreja de viento. Pero la que cree al ombre jurando, quiebra sus ojos llorando. E aun después dizen otro error peor que non el primero, e non lo ençelan: que las juras que a sus coamantes por amores se fazen, que non son obligados de las tener nin complir. ¡Guay de la sucia

112

boca por donde el infinito criador del çielo e tierra e criador del mesmo perjuro, tan osadamente fue nombrado en testimonio de mentira: que al que jura trae para en seguridad o creencia o testigo el que jura! Pues ¡maldito sea el que non se vergüenza de traer en falso perjurio al que es verdadera verdad, jhu X.º verdadero, por mentir e por engañar a su próximo. *E lo peor que ya en su corazón tiene que le mentirá, e de presente miente; que sabe que no ha de tener lo que promete, sin miedo de Dios, a quien tanta ofensa faze, e sin daños de su próximo, a quien con tales perjurios, que no juramentos, engañó.* Pues algunos fueron e son que juraron *a* algunas de las tomar por mugeres, e ellas a ellos por maridos, así delante testigos como escondidamente, por los engañar o las engañar. ¡Ay Dios, si se quebrantan o quebrantaron destos juramentos infinidos por esquisitas maneras, pues piensan que engañan! A la fee digo |vos| que es verdad que los cuitados engañan, mas non a otros más que a sí. Por non detener tiempo non fablo más destos perjurios, que escrivirlos bien non bastarían diez manos de papel; pero así en este mandamiento como en los otros, solamente pasaré, poco diziendo al propósito —que dezir *lo* que se podría dezir sería grand proceso— pues cada uno lo puede bien, poco más o menos, considerar segund experiençia de cada uno lo demuestra. Pues, dando fin a este mandamiento, bien paresçe que el que ama desordenadamente non ama a Dios, que es el primero mandamiento, e jura su santo nombre en vano, e aun peor, que non solamente en vano, mas júrale en mentira, que es el segundo mandamiento. Ya, pues, tenemos dos mandamientos que ha traspasado el que ama locamente.

Capítulo XXII

Del tercero mandamiento

El tercero mandamiento es: «Guardarás los días santos de los domingos e santas fiestas por la universal eglesia mandadas guardar.» Pues dime, tú que amas, ¿quántos domingos e fiestas quebrantaste en este mundo andando caminos e calles e carreras, non yendo a misa nin a la iglesia, como eras tenudo de ir a orar, que te Dios oviese merced? ¿Diste algund domingo o día de fiesta algunos pasos por ir ver la que más amavas? Cavallero o escudero, ¿fezistes justas, torneos e otros fechos de armas en pascuas, domingos e fiestas dedicadas de reposo e para Dios rogar e alabar? ¿Anduviste caminos o carreras de fuera de la çibdad o logar donde moras por ver la que amavas ante que por servir a Dios? ¿Fuiste a bodas, solazes e ananzeas por ver tu coamante primero que non fueses a vesitar a pobre o dolientes? ¿Anduviste algunas leguas en días, como dicho he, vedados por ir ver tu amada, e otras muchas cosas que largamente dezir se podrían? Dime, pues, si este mandamiento por tu amor loco locamente fue quebrantado: si lo feziste, non dubdes que sí. E ¿quál es que se abstenga, que enamorado sea, de lo non así fazer en todo o en parte? Por quanto regla es çierta, e demás esperiençia que lo demuestra, que el enamorado por cosa al mundo non traspasaría el mandamiento de su dolor de *su* enamorada, e con grand estudio e diligençia piensa de lo non traspasar nin quebrar; que bien sabe que luego avrá mala cara, repelón o bofetada; e *treme* e teme mucho de lo contrario fazer, e busca todas buenas vías e maneras, e todas lisonjas e falaguerías, composturas e fermosuras para lo mejor complir que lo ella non mandó, dixo nin hordenó: cómo, en qué logar, qué ora, qué día, qué mes e año, que non se ha de faltar un punto nin momento. Mas al mandamiento de Dios, enánchalle, esténdelle, estíralle como pellejo remojado, falsándole, menguándole, menospreçiándole, faziendo dél lo que non osarías fazer de mandamiento de uno tu igual. Esto procura la gran larguesa e infinita bondad e misericordia de Aquel que siempre fue presto a perdonar, *e vagaroso a esecutar, empero que su piadosa* justicia a la fin nunca se pierde. Concluye, pues, que el que locamente ama, amando quebranta los días de reposo por Dios mandados, a su servicio dedicados, que es el terçero mandamiento.

Capítulo XXIII

Del quarto mandamiento

El quarto mandamiento es: «Honrarás a tu padre e a tu madre, e luengamente en el mundo bivirás.» Dime, pues, ¿este mandamiento traspasástelo jamás que tu padre o madre te dixesen o aconsejasen: «Fijo, por amor de Dios, déxate de tal muger amar; que es mucho peligrosa e puede ser que venga en dapno de tu persona»? Tanto te amonestavan por zelo e por amor de Dios como por miedo de te perder; que alguna *noche* o día los amigos e parientes de la tu coamante non te tomasen, o te matasen; o ella por gelosía de otra non te emponçoñase o fechizase, que son cosas que contesçen oy e de cada día. Di, ¿quánta es la paçiençia con que tú les respondiste? Di, ¿quánta es la honra que tú les cataste, di, mayormente, si en este fecho te afincasen, diziéndoles palabras injuriosas con saña e con ira, non esguardando el uno que te engendró e la otra que te conçibió, parió e crio? E otras muchas maneras que los padres e ma-

115

dres de injurias de sus fijos reciben, por les consejar que non amen locamente e que se non vayan a perder. ¡Ay Dios, sí ay fijos malditos que por esta razón fieren padre o madre, o dan puñada o empuxón con gran sobervia, dignos *de ser* absorvidos e devorados de la tierra! E eso mesmo contesçe en los putativos padres o madres, en aquellos que son en hedad antigua, o cura de ti tienen, o tales otros que por onra padres tuyos pueden ser llamados, los quales si errar te vieren o en loco amor envuelto, te pueden dar consejo e dezirte que te guardes con amor *e* caridad, e tú con orgullosa respuesta dezirles has: «Amigos, ¿sabés cómo vos va? Curad de vuestros fechos, que yo bien sé qué pedaço de pan me abonda; que más sabe el loco en su casa quel cuerdo en el agena. Curad de vos, dexad a mí; que ya so desmamado, etc.» Pues verás cómo este mandamiento loco amor non lo guarda, nin dél cura más que si fuese ordenado por uno de la villa. Ved aquí, pues, cómo el que ama el quarto mandamiento non guarda, a su padre e madre por esta razón desonrando, mal trayendo, e poca onra les catando.

CAPÍTULO XXIV

Del quinto mandamiento

El quinto mandamiento es: «Non matarás a ninguno nin alguna.» Pues dime, ¿oíste, viste, entendiste que ombre que amase alguna muger, o alguna muger ombre amase, que fiziese matar a alguno por esta razón? Dígote que innumerables son los que son muertos por este caso, o los matan o fazen matar: lo uno, porque alguno descobridor era de sus amores, o dél en algund logar mal fablara, o a su coamante desonrara por plaça o por oculto, o andava por le sonsacar la que más amava o por alguna manera de diez maneras que son de gelosías, las quales omito e dexo de dezir por non ser prolixo e avisador de mal fazer. ¿E viste, [o] oíste que alguna matase marido, hermano, primo o otro qualquier pariente, por aver a su voluntad a su coamante? ¿E viste nunca madre consentir en muerte de fijo o fija por non ser descubierta, por quanto el fijo o fija le avía el tal pecado sentido o visto? Dentro en Tortosa yo vi fazer justiçia de una muger que consintió que su amigo matase a su fijo porque los non descubriese. Yo la vi quemar porque dixo el fijo: «Yo lo diré a mi padre, en buena fee, que dormistes con Irazón el pintor.» Díxo*lo* la madre al amigo, e ambos determinaron que muriese el niño de diez años; e así lo mató el amigo, e la madre e él lo soterraron en un establo. Fue descobierto por un puerco después, e así se sopo. ¿Viste quién su padre matase por lo robar e se ir con su coamante? Yo vi una mujer que se llamaba la Argentera, presa en Barçelona, que afogó a su padre e metió al amante en casa, e le robaron e dixeron otro día que se era afogado de esquinançia. Después la vi colgar por este crimen que cometió, e era una de las fermosas mugeres de aquella çibdad —la estoria de cómo fue, de cómo se sopo *e* cómo fue sentençiada, sería luenga de contar— e aun en postremo el verdugo, quando la descolgó, se echó con ella. E mandávanle matar, e por ruegos de algunos fué públicamente açotado por Barçelona, anno de XXVIII.º E aun en esto deven tomar enxiemplo los que quieren a vezes porfiar con Dios e su justiçia, que ésta por este crimen estuvo mucho presa e por ruegos de muchos querían la soltar. E yo fablé con ella en la cárçel, e rogué e puse rogadores, e ella nunca quiso sinón salir por sentençia, hasta que fue después su amigo fallado e preso e tormentado, e confesó la verdad, e fuyó de la cárçel. E ella fue colgada; que fue juizio de Dios donde ella oviera de aver toda la culpa de la muerte de su padre. E Dios quería que aun ella biviese e fiziese penitençia e ella non quiso, e así acabó. E aun después de muerta fue cabsa de la desonra del verdugo: que ay personas que en vida e en muerte siempre fazen mal o son causa de todo mal, que en tal signo nasçieron.

Vi más en la dicha çibdad de Tortosa, por ojo, dos cosas muy fuertes de creer, pero, ¡por Dios, yo las vi! Una muger cortó sus verguenças a un ombre enamorado suyo, al qual llamavan Juan Orenga, guarneçedor de espadas, natural de Tortosa, por que sopo que se era con otra echado. Tomóle un día retoçando su verguença en la mano e cortógelo con una navaja, e dixo: «¡Traidor, nin a ti nin a mí nin *a* otra jamás nunca servirá!» Tiró e *cortólo,* e dio a fueir luego ella, e quedó el cuitado desangrándose. E yo fui favlar con él a su cama e me lo contó todo cómo le engañara, e la manera fue esta: ella se avía quexado a su marido que non se podía defender de aquel mançebo, e el marido suyo era marinero e patrón de una barca de llevar trigo e lanas, e non se atrevía a fazer él lo que la muger suya fizo, por quanto tenía muchos parientes el otro enamorado en la çibdad; pero dixo: «Muger, yo cargaré mi barca para Barçelona, e mientra yo en el viaje, faz tú lo que conviene.» E así se fizo, que partió el marido con su barca. Fue luego la mujer a dezir al enamorado, lunes por la mañana, estando él poniendo su tienda e sus espadas colgando en su botica, e díxole: «Orenga, oy en el alva partió mi marido; vente quando quieras.» El otro amólo oír. E ella fuese a su casa e tomó una navaja e púsola entre los almadraques bien escondida. E adobó el çerrojo de la escalera e de la puerta de la calle para quando fuyese e lo pudiese bien çerrar. E el otro vino con su espada e vroquel e entró. E ella díxole: «Sube acá.» E él subió a la cámara, e díxole: «Pon la espada e el broquel, que bien sé que non has de estar armado.» E él fióse della e fízolo así. E començó con ella a retoçar, e queríala echar en la cama; e ella nunca consintió, sinón que quería estar a la cama arrimada donde tenía la navaja. E él, medio cansado, ovo de fazer lo que ella quería; pero estava tan frío que non podía usar con ella. E ella, desque vido esto, tomógelo en la mano riendo e jugando, e, quando vido que era ora, bolvió la otra mano facia los almadraques e *sacó la navaja e tiró* e cortógelo todo con la navaja, e aun en el muslo un poco, e dio a fuir la escalera abaxo e çerró tras sí; e el otro quedó desangrándose, e así se le llevaron de allí.

Vi más: una muger casada que con los dientes cortó la lengua a su marido, que ge la fizo burlando meter en la boca e apretó los dientes, e así ge la cortó e quedó mudo e lisiado. Fuyó luego la muger a un monasterio de menoretas; e fuéle demandado por la justiçia porqué lo había fecho: dixo que lo vido fablar con una de quien ella se sospechava en secreto muchas vezes. Díxole: «Con ésta jamás a ella nin a otra favlando engañarás.»

Destas muertes e lisiones e otras muchas te contaría; pero si al mundo son tan notorios estos males, que superfluo es alegarlos; que estas e otras muchas e diversas maneras de muertes conteşçen por amar de cada día. Donde se concluye que aquel que ama el quinto mandamiento traspasa, matando o en muerte consintiendo.

CAPÍTULO XXV

Del sexto mandamiento

El sexto mandamiento es: «Non serás ladrón nin cosa agena furtarás.» Di, ¿furtaste nunca para dar a *la* tu coamante? E si por ventura non alcançavas, e sabías que *tu* amada *te amaba* sólo por que le dieses, pues por non tener e non la perder, ¿furtaste o barataste de Dios o de sus santos para le dar e su voluntad complir? Pues yo creo que sí. Si tú dices que non, ¿furtaste jamás joyas, dineros e otras cosas por le levar e que fueses della bien resçebido? ¿Furtaste a tu padre o madre para dar a tu amante? ¿Furtaste a tu señor de su casa para tu coamante pan, vino, carne e otras cosas por dar e mantener la que amavas e bien querías? ¿Furtaste, tú, casado, escondidamente a tu muger joyas, ropas e algunas otras cosas, sortijas, almanacas, cambray, crespina, alvanega, mangas de impla, arracadas, manillas e otras joyas para dar a tu coamante, por do a las vezes quando ge lo conosçen, por bien que lo trasmude, se siguen muchos daños, escándalos e males? ¿Furtaste jamás en viñas e huertas agenas frutas verdes e maduras, rosas e otras cosas, destruyendo lo que otro labró e plantó, para dar a tu enamorada? ¿Furtaste en huertas agenas peras, peros, melones, çidrias, *naranjas,* limones, para presentar a tu dama? De ser ladrón el enamorado non se escuse; que del pie del Cruçifixo lo levaría para dar a la su coamante. Pues guarda cómo *de* desonestamente amar se sigue el furtar para la contentar, que es el mandamiento sexto. ¡O quién oviese de escrevir otras infinidas maneras de furtos, que muy *superfluo* e largo sería *de* esplicar!

Capítulo XXVI

Del séptimo mandamiento

El séptimo mandamiento es que non farás forniçio nin luxuria cometerás. Deste mandamiento fablar sería superfluo, como sea notorio e çierto los amantes aquella fin amar para su apetito e defrenada voluntad complir. Aunque algunas vezes aman algunas de buen coraçón e amor por se casar con ellas e tomarlas por compañeras, sintiendo en ellas buenas costumbres e virtudes honestas; e otros, por las ver fermosas e graçiosas, ámanlas e quiérenlas por casar con ellas. Pero a uno destos ay çiento ventores e burladores de los otros. Así que todas sus galas, bailes e danças solazes e tañeres e coplas e aun cartas, justas e torneos, toros e *aun* gasajados, bien vestir, mejor calçar, e todas otras cosas destas, por tal causa e fin se fazen. Lo demás por alcançar las que más aman e por con ellas desonestamente usar[27]. E demás, que quando en uno son amos ayuntados, ¡quántos auctos desonestos de luxuria cometen que non son de dezir nin escrevir al presente! Por ende *quédese*. Piensan non caer sinón en un solo mortal pecado, e, aquel usando, otros muchos cometen locamente usando. Pues piense el que pensar quisiere, que quanto mayor e más *es* el deleite del pecado, tanta ha de ser más e mayor la pena o la peniténçia por él fecha. Por ende, ¡come bien, fijo, que tú escotarás! Al pagar será el dolor; con alegría e cantando se comete, más con tristeza e llorando se purga e paga. Pues esto procura el desordenado amor: de quebrantar el seteno mandamiento de Dios luxuriando.

---

[27] El arcipreste evoca aquí el elegante ambiente palaciego del amor cortés sólo para criticarlo. Según él, las suaves maneras y el refinamiento del amor idealizado en el fondo esconden el loco amor. Compárese esto con la evocación de la vida cortesana que hace fray Íñigo de Mendoza al condenar el amor cortés en sus *Coplas de Vita Christi*:

> Que hagan las aficiones
> ser tu Dios lo que más amas
> bien lo muestran las passyones
> que en sus coplas y canciones
> llaman dioses a las damas;
> . . . .
> su dançar, su festejar,
> sus gastos, justas y galas,
> su trobar, su cartear,
> su trabajar, su tentar
> de noche con sus escalas,
> su morir noches y días
> para ser dellas bien quistos;
> si lo vieses, jurarías
> que por el dios de Macías
> venderán mill Jhesus Christos.

(Edición de Julio Rodríguez-Puértolas, Madrid, Gredos, 1968, págs. 488-489).

121

Capítulo XXVII

Del octavo mandamiento

El ochavo mandamiento es que non farás falso testimonio nin contra ninguno le levantarás. Dígote, pues, si tú que amas jamás levantaste falso testimonio contra alguna o alguno por amor de aquella que *más* amavas, que digas «non», yo te lo pruevo. Di, ¿quántas vezes preguntado te fue: «Di, amigo, qué muger es Fulana»?, e tú respondiste: «Es una mala e falsa muger, malvada de su cuerpo; quien non la quiere non la ha; parlera, embriaga, mentirosa, suzia, vellaca e mucho vil.» E tú esto dezías por ventura porque te non dava logar que ovieses fabla o entrada con aquella que tú amavas, o era su vezina o dixo algo de ti, que te vido venir o fablar, o moça, o cartas enviar; e tú levantástele por malenconía lo que en ella non era. Más: di, ¿disfamaste algunas fablando con la que amavas, por dar loor della, e que se glorificase como era gentil, diziendo: «Fulana es tal e Çultana tal: la una es amiga de Pedro, la otra tiene un fijo de Juan; aquélla duerme con Rodrigo, la otra vi besar a Domingo?» E muchas destas cosas e otras acostumbran los amantes dezir a sus amadas, quando *delante* les están, por les dar a entender que non es ella sola la que es enamorada e errada; que otras muy muchas ay en la villa e logar, por dar color a la otra nesçia, que non se tenga por menguada por amar e tal crimen cometer que mal de muchos gozo es. Pero esto tal levantó el amante e fizo falso testimonio contra aquellas que nunca tal dellas vido nin oyó. Esto faze desordenado amor en esta e otras maneras: levantar falso testimonio los amantes, que es el ochavo mandamiento traspasar.

CAPÍTULO **XXVIII**

Del noveno mandamiento

El noveno mandamiento es: «Guardarás la muger de tu vezino como la tuya mesma.» En este mandamiento el fablar es ya *por* de más; que ya vedes los amantes cómo guardan las mugeres de *sus vezinos*. Guárdelas Dios que puede, e guárdese el vezino que tenga fermosa muger: si non, el que más amigo se mostrare, aquél le andará por burlar. El cuitado a las vezes, movido de buen amor e amistad fraternal, convida o lieva su amigo a su casa e muéstrale buena cara e buen semblante, e el otro traidor mira de mal ojo a la muger cómo ge la sonsacará. Por tanto dice el ensiemplo: «A las vezes lleva el ombre a su casa con que llore.» Pero en este caso los viles e para poco son de reptar que tales cosas cometen. Como non sean los amigos todos de una masa nin voluntad —que en este caso do ay malos, eso mesmo ay buenos— pero todavía es dubdoso amigo moço do ay muger moça, e non digo más e çíngome esta fonda: «perigroso está el fuego cabe la estopa». E a las vezes ellas son causa, a las veces ellos que lo *sienten e lo* consienten; a las vezes los tales amigos que se lo quieren. Que ya ay ombres que non ternían a prueva de muger por amistad nin parentesco: pues el que a la parienta fallesçe, ¿qué fará a la muger de su amigo? Por ende, todo casado e por casar, si fuere coxo o tuerto o mal paresciente —como estos por la mayor parte posean las más fermosas mugeres— guárdese de levar a su casa ombre loçano, moço e fermoso; que sepa que su muger a aquel se le va el ojo por el deseo que han de contratar con ombres de gala e manera e que entiendan el mundo e su amor. *E* esto por que se veen

123

loçanas e mal empleadas en poder de algunos torpes, suzios e creminosos, e de feas tachas cobiertos, dignos por sus fechos de tañer la cornamusa. Pues si fablamos de fraires *e* abades, en este caso non digo nada, que animales son de rapiña, que quando non tienen de suyo acórrense de su vezino. E ya non fazen mençión oy los ombres de las mugeres en este caso —que es muy grande verguença a ellos e poca firmeza *e* constancia dellas— diciendo: «*Guarda,* non lleves a tu casa tal ombre, si non, fecho es el tejuelo.» O, en otra guisa, quando veen alguno salir de alguna casa do ay muger moça, luego presumen e aun dizen: «¡Guay del mezquino que está travajando, e don Fulano fuelga e sale de folgar de su casa!» E así de otros de mayor estado, diziendo: «Tal escudero está en la frontera, e tal le da en la mollera.» Pero non dizen, *por cierto:* «Yo bien sé que aunque tal ombre entra e sale en tal casa, tal es ella sin falta, que aunque él quisiese, nunca ella consentía», sinón dan a entender que non ay sinón entrar, demandar e recabdar. Por ende dixe que non fazen cuenta que ellas lo han de negar o por su honra resistir; sinón allí entra, fecho es; allí fabla, complido es; non dando por las mugeres en este caso nada, sinón que non es demandado quando *ya* es otorgado. Por ende bien puedes considerar, segund ya de alto dixe, quánto es la muger del próximo e vezino oy por sus amigos e estraños guardada. Pues bien podemos dezir que por loco amor el noveno mandamiento es quebrantado e traspasado en desordenada cobdicia a todos común e general.

CAPÍTULO XXIX

Del déçimo mandamiento

El dezeno mandamiento es: «Non desearás las cosas de tu próximo.» Pues aquí non conviene dezir nada; que esperiencia nos muestra de cada día quántos son los desordenados deseos que por los amantes veemos en desear fijas agenas, mugeres agenas, sobrinas, primas, hermanas e otras qualesquier mugeres que son de otros; non las deseando con zelo bueno nin con amor propio, sinón con desordenada cobdiçia para pecar e su voluntad e apetito desfrenado complir. E desta regla non sacó emperador, *rey*, conde, duque nin otro señor que vista fermosa muger, que *non* la cobdiçie e su poderío non faga por la aver e alcançar. Pero sus mugeres o parientes que sean bien guardadas e que ninguno non se enamore dellas, sinón que muera quien tal cometiere nin en solas las moças de su casa; e ellos pero que sean francos como el camello del Taborlan[28], que sin pena podían paçer por do quisiese. Así que son muy çelosos e guardianes de lo suyo e francos para lo ageno dapnificar e desonrar de deudo debido. Por ende, brevemente vee aquí cómo amor desordenado faze quevrantar e traspasar todos los diez mandamientos por Dios hordenados e mandados guardar. Por ende, ¿quién es el tal ciego, loco, sin seso, que, por un poco de amor loco e vano, tanto daño quiere soportar? Pues bien podemos tener e *dezir* que amor desordenado raíz es de todo

---

[28] Esta referencia a Tamorlán es difícil de explicar. Puede ser que haya cierta actitud humorística. Véase F. López Estrada, *Embajada a Tamorlán*, Madrid, 1943, pág. xiii.

pecado. Aun más te digo: que desordenado amor es causa de cometer los siete pecados mortales, e uno non fallesçe que por los amantes non sea cometido, segund verás aquí por el proceso[29].

Capítulo XXX

Del primero mortal pecado

Pues, el primero mortal pecado *es* sobervia, do dize quel ombre non deve de ser sobervio, sinón paçiente e honesto[30]. Pues dime agora, *amigo,* que Dios te vala, ¿viste jamás ombre enamorado que non fuese elato, soberbio e argulloso, e aun tal que non es menester que ninguno le fable contra su voluntad, e casi a los otros tiene en *poco e* menospreçio, que les paresçe que todos *son* nada, fijos de nada, sinón él? ¿El fablar muy *pomposo* e con gran fausto faziendo gestos e continençias de sí quando favla, alçándose de puntas de pies, estendiendo el cuello, alçando las çejas en aquella ora de aquella eloquençia e arrogançia

---

[29] El *proceso* de que habla aquí el arcipreste es el de la exégesis típica de la predicación medieval. Véase nuestro trabajo *«Ars Praedicandi* and the Structure...», *Hispania* (USA), 58 (1975), págs. 430-441.

[30] El ms. sigue: «Quatro maneras ay de sobervia segund Sant Gregorio en los *Morales de Job* pone la primera quando al simple piensa que el bien que tiene que lo ovo por su buen recabdo e aun por su buena industria la segunda quando cree que ovo por su meresçimiento lo que tiene la tercera quando se alaba que tiene lo que non tiene. La cuarta quando menospreçiando a los otros en sus fechos e cosas quiere ser singular Lee el Maestro de las sentençias en el segundo libro a xlii distinçiones en el capítulo de la sobervia ay fallaras de lo susodicho la qual sobervia mucho y mas aun cae en los enamorados que non en otros por mantener la fantasia de galania.» Esto, sin duda, no es más que una interpolación de unas notas al margen del más ascendiente. Véase la edición citada de Marcella Ciceri, II, 143.

abaxándolas quando le dizen o fazen cosa que non *le* venga de aire, para amenaçar; muy presto para matar e degollar de papo, que non ay cosa que de delante se le tenga? Quando toma su cavallo —si es de tal estado—, quando fuere por la calle non guardará *a* asnos nin burras, pobres nin mal vestidos, que con todos non tope muy descortésmente, sin manzilla nin duelo con la fantasía e orgullo que en el çelebro lieva de su dama; muy estirado sobre su silla, estrechamente ceñido, tiesto, yerto como palo, las piernas muy estendidas, trochando los pies en los estribos, mirándoselos de cada rato si van de alta gala, la bota e el çapato muy engrasado, la mano en el costado, con grand birrete italiano o sombrero como diadema, albarcando toda la calle con su cavallo trotón, faca, mula; de través brocando e de espuelas firiendo e con sus piernas e pies a quantos falla encontrando e derrocando, con su gritillo: «¡Yha! ¡Biva la linda enamorada mia!» Pues ¿ quál le fará demás a este tal? ¿Quién le contradirá a lo que bien o mal fiziere, que luego con sobervia non le coma bivo o le envuelva en el pliegue de la boca al más ardido que le venga?[31] Pues eso mesmo si es de pie e va con espada e broquel. ¡Afuera los garçones, que vienen los locos amadores! Non entiende que Ercoles el fuerte, nin Golías el gigante, nin Sansón, nin Alixandre, nin Nembrod el grande fuesen para le fazer de más. E non ay en la vezindat ombre nin muger donde la su coamante estoviere que le ose fablar, nin mirar, nin dezir nada, sinón luego son las amenazas en tavla, e jurar e renegar e panfear con sobervia e jactançia. Eso mesmo digo de cavalleros burgeses e otras personas de estado o manera qualesquier que aman locamente; que tanta es su sobervia que non caben en el mundo, a las vezes de suyo, a las vezes con favor de aquellos con quien biven. E vienen ya en tal

---

[31] Otra vez, en este retrato el arcipreste hace que su evocación coincida con la conducta típica del galán en el amor cortés.

espeçie que a las vezes por fuerça las mugeres e las
fijas de los buenos fazen ser malas. Que, quando non
quieren las tales consentir a su voluntad, luego son
las disfamaçiones, los libellos difamatores puestos por
puertas, las palabras injuriosas dichas de noche a
altas bozes a sus puertas; e, aun que non osen tornar
nin favlar palabra fasta que, o por fuerça o por mal
grado, se ha de fazer lo que a ellos pluguiere por
sobervia pura e fuerça, sin temor de Dios nin de la
justiçia e sin verguença de las gentes. Pues vees aquí
el primero mortal pecado cometido, e mucho se podría dezir más prolixo, pero por non ser enojoso çeso
de escrevir largo.

CAPÍTULO XXXI

Del segundo pecado mortal

El segundo pecado mortal es avariçia. En éste
¿quién dubda si pecan aquellos que en hora mala
aman? Non son contentos de quanto tienen: non los
fartaría la mar por andar locos e arreados e por fazer
justas e meneos. E jamás verás a ninguno avrir la
mano a fazer franqueza sinón a su coamante, o a los
que lo tractan o saben o son alcahuetes o mensajeros
della. Allí sueltan las riendas en dar, que non ay
detenimiento en dar joyas e paños, comer e bever e
gasajados; pero en todo otro lugar la su avariçia e
tenaçidat es tanta quanta esperiençia demuestra cada
día. E están pensando como el sapo, que le ha de
fallesçer la tierra para comer, todavía demandando
quién toviese, quién oviese, quién alcançase. Pero
prueva de sacar dél un pelo, e verás que es lo que te
digo, salvo si eres del partido, que sepas o ayudes a
sus negros amores. Sacar dellos en otra manera algo
nin nada non lo han de costumbre. Pues veste aquí el segundo pecado mortal cometido por desordenado amor.

Capítulo XXXII

Del terçero pecado mortal

El terçero mortal pecado es pecado de luxuria. Pues por este e con este e sobre este pecado se faze todo e por todo —¡E quántas maneras esquisitas de amar son falladas, e quántas cavilaçiones, prometimientos e juras se fazen, como en los mandamientos suso dixe; a esta fin de fazer luxuria e su vano apetito complir se faze todo!— Pues, bien paresçe que el que ama cae en el pecado de luxuria, e, si la obra non le ayuda, la voluntad non es dubda ser presta e, pues non quedan por él, nin grado nin graçias a él; que el pecado consentido mortal pecado es dicho, si del número dellos es.

Capítulo XXXIII

Del quarto pecado mortal

El quarto pecado mortal es envidia. Pues dime, ¿quál ombre o muger ha mayor envidia, nin aver puede, que el que ama? Envidia de su amiga, *esto* non es dubda; que non querría que otro ninguno a ella le llegase. Envidia de otra si es más loçana *que la suya*, o de mejor cuerpo, o más rica, o de mejor linaje; de todo muere, que ha tanta de otras envidia que fuego le quema los fígados de dentro. Demás, envidia de otros que aman como él a otras más galanas. Envidia, si es feo, de otros que son fermosos. Envidia, si es lisiado, de otros que son sanos. Envidia, si es viejo, de los otros si son moços. Envidia de otros dezidores, cantadores e de otras infinitas cosas a amar necesarias. Envidia si su dama buelve el ojo a otro que le mejor paresca. Envidia si a otro su dama alaba o bien dize dél; luego le dize: «Pues tanto le loas, vete con él» o: «Quieres que te le traiga acá? Folgarás con él, pues tan bien te paresçe.» Envidia si otro ama a su dama —¡aquí es la dolor!— Envidia si son más graçiosos otros en amar, más gentiles en sus fechos e más poderosos en bienes o estado, de más fermosos cuerpos. Envidia por aver e alcanzar cómo avrá jaezes e ropas, joyas para las cañas jugar e por andar galán e arreado. E lo que dellos digo entiendo *dellas* dezir en estos e otros pasos ya dichos e contados. Por ende vee aquí cómo el que ama en pecado de envidia *le* conviene de pecar.

CAPÍTULO XXXIV

Del quinto pecado mortal

El quinto pecado mortal es gula. Deste non se puede escusar el que ama o es amado de muchos exçesivos comeres e beveres en yantares, cenas e plazeres con sus coamantes, comiendo e beviendo ultra mesura; que allí non ay rienda en comprar capones, perdizes, gallinas, pollos, cavritos, ansarones —carnero e vaca para los labradores— vino blanco e tinto, ¡el agua vaya por el río!, frutas de diversas guisas, vengan do quiera, cuesten lo que costaren. En la primavera barrines, guindas, çeruelas, alvérchigas, figos, bevras, duraznos, melones, peras vinosas e de la Vera, mançanas xabíes, romíes, granadas dulçes e agradulçes e azedas, figo doñengal e uva moscatel; non olvidando en el invierno torreznos de toçino asados con vino e açúcar sobreraído, longanizas confeçionadas con espeçias, gengivre e clavos de girofre, mantecadas sobredoradas con açúcar, perdizes e vino pardillo, con el buen vino cocho a las mañanas, y ¡ándame alegre, plégame e plegarte he, que la ropa es corta, pues a las *iglesias* imos! Aquí veréis con este tal los sentidos trocar, las voluntades correr, el seso desvariar, el entendimiento descorrer: alegría, plazer, guasajado, e vía después a llorar. Pues a la noche confites de açúcar, çitronas, estuches, çiliatre, matafalúa confita, e piñonada, alosas e tortas de açúcar, e otras maneras de preciosas viandas que dan apetito a mucho comer e bever más de su derecho. Pues, aguas rosadas e de azahar almizcadas, avundançia sin duelo, safumaduras preçiosas sevillanas, catalanas, e compuestas de benjuí, estorach, linum áloe, lácdauno, con carbón de sauze fechas como candelillas para quemar; solazes, çenas, armuerzos e yantares por do el comer e bever más de derecho non se puede escusar. Por ende conviene después de mucho comer e de mucho bever muchas diversas e preçiosas viandas luxuria cometer. E de todo esto el desordenado amor causa fue. Pues verás cómo el que ama, amando, gula por fuerça ha de cometer.

Capítulo XXXV

Del sesto pecado mortal

El sesto mortal pecado es ira. Pues como suso en *la* sobervia dixe, non ha cosa más irada que amador o amadora, si le tocan en cosa que bien o plazentería non le venga. ¿Qué te paresçe en cómo luego en *un* punto es la ira en él tanta e tan grande que non cabe en sí, más que más si non le responden sus coamantes al son e voluntad que ellos querrían? Quando más non pueden, de malenconía, si algund cuitado o cuitada encuentran con quien delivrar aían, so la tierra los cuidan fundir. E otros con ira dan mal yantar e peor çena a los de su casa. Otros acuchillan perros e otros animales que fallan por la villa de enojo e malenconía; otros pican los cantones con las espadas fasta quebrantarlas con pura malenconía; otros se van mordiendo los rostros e los beços, apretando las muelas e quixadas, echando fuego de los ojos de ira e malenconía; otros dan palos, espoladas e malos días a sus mulas e cavallos, faziéndolos estar sin comer fasta la noche, quando más, dánles con el çelemín en la cabeça. Esto con ira e malenconía porque su coamante non le respondió a su voluntad o le mostró falso visaje, diziendo: «¡Pese a tal con la puta, fija de puta! Fázeme desgaires e de los ojos señales e fázeme esto e aquello, e agora dame del ancha, e fázeme el juego de anda liviano, *guíñame* del ojo e dame pujes con la mano. Pues, ¡para el cuerpo de tal, el diablo quiçá nos metió en este verengenal! En tanto que toma ira tanta que cuida rebentar, diziendo ''¡Reniego, descreo, para el cuerpo *de tal* e para el santo! ¡Noramala me conosçió! ¡Quando le do, ándame alegre, quando nol'do, el rostro *me* tuerçe!''» Así que los amantes de muchas maneras de ira son vesitados, largas de escrevir e dezir aquí. Pues ves aquí cómo el sesto mortal pecado se comete amando o seyendo amado.

CAPÍTULO XXXVI

Del séptimo pecado mortal

El séptimo mortal pecado es pereza. Éste muy bien comete el que es enamorado; que non ay en el mundo cosa en que deligente sea, como ya de suso dixe, sinón en aquellas cosas que a sus amores pertenesçen. En toda otra cosa es perezoso, pesado, dormidor, non le moverían palancas a otro bien fazer. Es muy tardío en sus fechos *o* vagaroso en los agenos, a tanto que nunca le manden trabajar, salvo çerca sus amores. En aquello pone toda diligencia, todo coraçón e *toda* voluntad. Demándote más si es perezoso el que está con su coamante en la cama fasta mediodía, e a las vezes come e beve con ella en la cama dentro. Demándote si es pura pereza el que así estando le dizen: «Levantaduos, que avedes de fazer tal cosa.» E avoseçando e esperezándose, estendiendo los braços responde: «Déxame, que tiempo hay farto para lo fazer después.» E demás diziéndole: «Señor» o «Amigo, catad que vos han llamado que vades a consejo *de la cibdad», o, si es labrador, «que vades a labrar»,* o «vades a fazer tal mercadería», o «vos, clérigo, *que* vades a misa de prima o maitines o nona», esto segund quál estado de tal ombre. E luego responde: «Non puedo agora, que estó enojado», o «Esta noche non he dormido», o «Di que non me fallaste», o «Di que non estó en casa», o «Dile que después iré».

E esto por grand pereza por non dexar la costilla del costado; o dize que está sudando e resfriarse ía si se levantase. Pues vee aquí cómo el séptimo pecado mortal comete el que ama de amor loco.

Pues si dixiésemos quáles ombres son para amar, qué condiçiones han de aver, cómo e en qué manera han de usar, qué se requiere para bien amar, aquí paresçería quién e quáles son *los* que aman; o si desfaman con sus asonadas, tañeres e cantares que fazen por plaças e cantones, dándolo a sentir a todo el mundo: «¡Catad que yo amo a tal, e quiero que lo sepáis!» a manera de pregón real. Ellos son los pregoneros, los estrumentos —laúdes, guitarras, farpas e bomborras, rabé, media viguela, panderos con sonajas— estos son las trompetas. Empero es verdad que cada qual dize que ama, pero muy pocos son dispuestos para amar, nin aun ellas dispuestas para amar nin ser amadas. Suma: que de amor loco el que es ferido, los diez mandamientos traspasa, como oíste, o la mayor parte dellos; los siete pecados mortales en obra pone e comete por la mayor partida. Pues, amigo, considera qué provecho trae locamente amar e quántos inconvenientes dello se siguen. Pues, quien loco non fuere e seso toviere, tome lo que le cumpla, conozca mal e bien, *e* use de lo mejor e más provechoso. E quien orejas tiene, oiga e por obra bien lo ponga; que yo mucho más me alargara a fablar en los estados de los seglares e de los religiosos e religiosas en este caso, mas dixera por una boca e oyera por mill; fuera ganar enemigos e enemigas, maldiçiones e denuestos en mis días e mal siglo después de muerto. Aunque, nin por todo esto non deve hombre dexar de dezir la verdad, pero es menester qu'el que reprehende reprensión en él non aya; *e* como desto non me sienta yo libre, fablar poco e temeroso sabieza es; aunque en general a todos es dado dezir e fablar, corregir e castigar, pero en espeçial a muy pocos es bien contado. Por tanto dize el enxiemplo: «Sigua el tiempo quien bevir quisiere, sinón fallarse ha solo e

sin argén»[32]. E por non ser prolixo nin enojoso concluyo que dezir non oso, por quanto a muchos en mis
días vi e oí, así predicadores como otros dezidores,
delante reyes e otros señores atreverse a dezir la pura
verdad, e fallarse dello mucho mal, e fazerlos callar,
por letrados e devotos que fuesen. Pues quien en
agena cabeça castiga, digno es de loor.

CAPÍTULO XXXVII

Cómo el que ama pierde todas
las virtudes

Los que bien considerar quisieren en lo suso razonado, largamente fallarán *no* tan solamente aquel de
que suso escreví, que de amor individamente usare
traspasar los diez mandamientos e los siete pecados
mortales por obra poner, mas aún sus çinco sentidos
perder, o al menos tanto los dibilitar, que apenas
darán de sí exerçiçio qual deven natural, intervinien-
tes los graves pensamientos; e demás te digo que el
hábito de la luxuria priva con efecto al natural juizio;
e demás caresçe de toda fortaleza, e de día en día se
va decayendo fasta venir a la muerte, pues para al tal
pecado resistir non tiene fortaleza alguna. Pues, costante e fuerte será dicho el que a los movimientos
primeros sabe resistir, non seyendo en el ombre; por
tanto, es dicha fortaleza, e fuerte e costante quien
desta virtud usa. Bien podemos, pues, dezir por una
vía o por otra, así por fortaleza e costançia espiritual
como temporal, qu 'el tal, amando, caresçe de forta-

---

[32] El *Sermó* de Bernat Metge comienza con el mismo proverbio:
«Seguesca'l temps qui viure vol. Si no porie's trobar sol E menys
d'argent.»

leza. Pues temprança en él non la esperes; quel que non es en sí nin suyo de sí, ¿cómo ha de tener temprança en sí, como temprança sea dicha medio e virtud de dos viçiosos estremos? Pues justicia non la demandas en él, que non la tiene nin della puede usar. La razón es esta: ¿cómo usará de justiçia el que quiere tomar o toma amor, o ama fija, muger o hermana d'otro, queriéndola desonrar de fecho? Pues justiçia sea dar a cada uno lo que suyo *es,* pues non tomar a su próximo lo que suyo non es; que farto toma lo ageno el que muger, fija o hermana de otro desonra, sabiendo que, después quel varón o muger con el otro o con la otra usa, que dexa padre e madre por él; que, segund derecho, antes propiamente será dicho furto, pues furto es dicho tomar al ombre, o usurpar, o contrariar la cosa agena contra voluntad de su señor. Si tiene prudençia en sí, o locura, el que lo susodicho comete, piense bien quien lo viere o lo oyere o sopiere, pues prudente sea dicho aquel que a las cosas ante tiempo provee, por non errar al tiempo que vinieren. E ésta es una de las sabiezas sobre todas quantas son, e el que la prudençia tiene, es tenido como por adevino, profeta o profetizante. Empero la pura verdad es que el tal *provisto* es dicho ombre sabio e prudente, donde la providencia nasçió, e de la prudençia dirivó; que del prudente nasçe el providente. Por tanto, en el antiguo tiempo los profetas eran por sabios tenidos, porque lo *venidero* pronosticavan con el grande natural juizio a las vezes; aunque comúnmente el espíritu de Dios era en ellos. Pues tornando al propósito, bien caresçe destas quatro virtudes el que locamente ama, e la muger de otro con amenazas querría sonsacar, usurpar, tomar e desonrar; que yo te fago çierto que de su propia voluntad nunca el padre a la fija, nin el marido a la muger, nin el hermano a la hermana, a ti nin a otro ninguno dará; nin si ge la tomares o burlares, sabe que le non plazerá por espeçial señor e amigo caronal que suyo seas. Pero si me dizes que a las vezes los susodichos livran las tales mugeres a otros por dine-

ros, dádivas o joyas, o algund servidor por façer
serviçio señalado a su señor le livra su hermana,
prima o parienta; la madre a la fija por dineros o
riqueza; o el vasallo a su señor por ser despechado o
más valer; o alguno otro por alcançar favor de algund
grande, e non se duele de la desonor de su hermana o
parienta; pues yo te digo que, si endiablado non es,
que nunca su voluntad estará sana nin le plazerá de
veer en poder de otro desonestamente lo que ama o
bien quiere; e aunque paresçe a prima faz que ge la
livra o trae a su poder, fázelo este tal por su interese,
mas non por su voluntad; o *aun* a las vezes con
mengua lo tal contesçe, o bien con povreza: que non
tiene con qué se mantenga, o andar arreado o arreada
conviene su locura complir librando la fija, hermana o
parienta a quien les dé. Acontesçe el casado non dar
lo que ha menester a su muger, antes él falla en casa
comer e bever, e dineros para lo que ha menester.
Este tal bien ve non sale tal ganançia de rueca, torno,
coser *ni* broslar: pues conviene que calle, sufra e faga
ojo de pez, e consienta a la muger ser gallo e él que
sea gallina con pepita. Pero ¡guay de aquel que tal
comete, nin tal dinero da por tal mercadería! E ¡guay
de aquel que tal tracto faze, nin tal libramiento nin
mercadería trahe, nin tal consiente para su cuerpo e
ánima: que más le valdría todo mal çofrir que a mal
consentir! ¡O quántos cavalleros e otros grandes, así
seglares como de otra perfiçión, así ricos como poderosos, usan desta mercaduría quando saben fermosa
muger o moça que es pobre, e de parientes pobres,
con dádivas e dineros fazerlas ser malas con muchas
maneras que en ello saben tener, las quales aquí
explicando sería mucho más avisar que corregir nin
castigar! E quando por aquí non pueden, fazen mover
questiones e pleitos contra el padre o madre o hermano, porque vengan los tales, rogándoles a ponerse
por medianeros e rogadores, a fin de aver lo que
demandan de las tales; o fazerles mover ruido a los
suyos con los parientes de la tal muger, a fin que,
viniéndole a rogar, faziendo el señor el bravo, aya de

tener cargo el padre o madre o parientes de la moça, para que después ayan de fazer lo que él quisiere. Esto e otras infinitas maneras esquisitas tienen algunos *para* fazer lo que quieren con aquellos e aquellas que poco pueden. ¡Guay del ánima que todo esto lazrará, e aun el cuerpo su parte, quando después, al cruel juizio, en uno se ayuntarán cuerpo e ánima! Quien esto pensase, de alguna tal cosa cometer se dexaría: que el que pensase en cómo el pecador ha de dar estrecha cuenta fasta de toda oçiosa palabra e sin fruto dicha, ¿qué será de los males con deliberaçión dichos, a fin de mal fazer, detractar, difamar e desonrar? ¡O quién apuntase aquí algund tanto! E non digo más. E si de los dichos esto es, ¿qué será de los fechos malos, perversos, fechos a todo mal fazer con propósito vindicativo e malo? E otros que así son malos de sí, que nunca pueden sinón mal fazer e mal usar e peor acabar, e así se van con todos los diablos a las infernales penas, *privados* de su juizio e entendimiento natural a la fin; que nin faze órden de xpiano, nin testamento, nin manda, nin puede dar poder a otro que por él lo faga. E ¡guay del desaventurado que poder da a otro que ordene e disponga de lo que non sabe nin entiende! E el defunto por mezquindad e poqueza de coraçón, o por juizio de Dios, non quiso, nin pudo, nin supo su ánima ordenar, nin su azienda disponer, nin sus debdas e cargos mandar pagar, e da su poder a quien nada dello non sabe, o muy poco, e de lo suyo faze tal testamento quel defunto nunca fiziera. Basta que ponen en la procuraçión una general cláusula: «que *ya* de parte favló con él e le dixo su coraçón e voluntad». E es grand mentira e causa por do muchas cosas van como non deven e contra voluntad de los defuntos. ¡O, maldito sea —e entiéndame quien quisiere si pudiere— quien en poderío de otro su postrimera voluntad jamás dexare, nin tal poderío loco diere! Que tal «sí» qualquier loco dezir puede en el tiempo de la muerte —mayormente que en tal punto ninguno non está en sí, nin puede dezir sinón lo que le consejan e mandan, o quieren que diga e otorgue— a las vezes con miedo, a las otras con non saber o con estar fuera de seso o tormentado de dolor e turbado de entendimiento. *Dízenle: «Dezid sí», el marido a la muger o el hermano a su hermano,* o primo a primo, e estále mirando con los ojos raviosos el sano al enfermo, amenazándole que si non otorga e dize «sí», que, ellos idos, le ha de matar; e con esto e otras cosas fazen dezir «sí» al que de voluntad diría «non», e esto porque para tal tiempo se lo esperó, a la fin quando non era en sí nin de sí, e quiso fazer de sí siervo do pudiera ser señor. ¡O, quién pusiese aquí quántas maneras se tienen en las muertes e fines de las personas! Sería enojar e avisar; por ende çesa la pluma. Sepa, pues, que será bien prudente el que en su vida lo suyo hordenare en sanidad, con su entero *juizio e* seso, e de lo suyo dispusiere por su mano, e su ánima e fazienda non la fíe más de otro que de sí, si de prudençia usar quiere. E todavía su ánima *encomiende a quien su ánima* más que riquezas nin cuerpo ama e bien quiere, e non digo más. Pero si el contrario fiziere qualquier, sé que se arrepentirá; que si muere *haverá* a nuestro Señor Dios por juez para sentençiar, e al maligno espíritu por auctor demandante, e el ánima será el reo defendiente; abogados della la Virgen sin manzilla, santos e santas e los ángeles de paraíso; abogados de Sathanás será la corte infernal; procurador del ánima el ángel a quien de su corazón fue encomendada; contrario procurador el enemigo que pone la demanda; los testigos del ánima serán Dios e el ángel e su conçençia; los testigos del ángel malo serán las obras malas e malos fechos que mientra bivió obró e cometió; el proceso del ánima será la vida e el tiempo como lo gastó; notario será el mundo do lo cometió; la sentencia o será ingente adañación, o eterna salvaçión, do toda apellaçión çesará. Amigo, pues, guarda qué acomiendas e a quién lo encomiendas: e si alguno, pospuesto todo temor de Dios e su justiçia, desto como ciego el contrario fazer quisiere, e *sentimiento* de sí e de su

ánima non oviere, esto le proverná del su antiguo mal
usar e perseverar sin enmienda e por los pecados
suyos feos e pasados, envegecido en ellos, que ya le
pareçe que matar ombres non es nada. E de allí
proviene que a la fin plaze a nuestro Señor de le
privar del entendimiento; que, pues non le conosçió
en la vida, que en la muerte non sepa quién es, nin dél
aya memoria, nin le confiese por la boca. Pues demándote si es prudente o si es loco el que por
locamente amar quiere sofrir quantos males susodichos son. Pues, el que de tal amor se pica fortaleza
non la tiene; temprança mucho menos; justiçia non es
en él; prudencia nin aun vella: que el que toviese
fortaleza, *a lo menos en el entendimiento, e fuese*
constante, no buscaría por malas maneras aver lo
ageno. Item, el que temprança en sí oviese, non sería
tan desmesurado contra otro. *Item, si justicia en él*
hobiese, no tomaría lo ageno. Item, si fuese prudente, non faría tanta locura. Pues, caridad, fee nin
esperança menos en él las esperes; que estas tres
virtudes juntas con las susodichas son siete virtudes.
Concluyendo: que tenemos ya que el que locamente
ama traspasa los diez mandamientos, e aun comete
los siete pecados mortales; demás non usa de quatro
virtudes cardinales que tiene de aver, antes las corrompe; los çinco sesos corporales anulla e faze a
menos venir, que nin corporalmente vee las mundanas cosas buenas para fazer bien, nin las espirituales
para bien obrar; nin puede oler los olores de honestad
e pudiçiçia; nin los de paraíso puede sentir; nin el
gusto del comer, del ánima nin el corporal, para cómo
deve el cuerpo sustentar; nin siente en qué anda, [nin
en] qué mundo bive; nin espiritualmente siente los
santos e santas de paraíso cómo poseen gloria por
Dios amar; nin tiene en las manos sentido corporal
nin espiritual, por quanto las tiene adormidas del
grand frío que es el pecado en que envuelto anda; eso
mesmo los pies corporales e espirituales tiene atados,
que nin anda pasos de romerías nin de cosas meritorias, nin por contemplación non anda por los marti-

rios de Ihu xpo, e de aquellos que por Él muerte sufrieron. Las obras de misericordia ¿cómo las cumplió: las corporales vesitando enfermos e tribulados? nin dio a comer nin a bever al menesteroso, nin redimir captivos, nin vestir pobres, nin acogerlos, nin defenderlos. Nin eso mesmo las espirituales obras de misericordia; que nin es para bien alguno enseñar, nin consejar, nin para castigar a los errados, nin para los consolar; nin es para sofrir injurias, nin las a él fechas remitir, nin aun poderlas soportar; nin para saber orar e a Dios alabar; nin para saber los simples instruir cómo se deven regir para bien bivir. Pues el que esto faze, estas obras siete de misericordia çierto es que las non cumple, corporales nin espirituales. Pues, amigo, abre los ojos espirituales e corporales; mira e vee quántos daños de locamente amar provienen, por donde non solamente el tal pierde la vida perdurable, mas cobra las penas infernales. ¡Ay del triste que espera pasar por sus deméritos tantas e tan crueles e perpetuas penas! Que si considerase en cómo un dolorçillo de cabeça, o axaqueca, o de ijada, de lomos, de vientre, de riñones o de costado, o una calentura, o terçiana, o quartana o otra qualquier dolençia o pasión, e quando le dura algund tiempo, cómo le saca de entendimiento e le faze desesperar, maldiziendo su ventura e aun el día en que nasçió; o una espina chiquilla que en el pie, o mano o dedo le entre, cómo le faze raviar; o un dolor de muelas, o dientes, o de ojos, o de orejas, o dolor de gota, o de çeática, o torçedura de pierna o braço, o de otras muchas enfermedades que a las personas vienen. Pues ¿qué deve fazer aquel que sufre o ha de sofrir aquellas terribles penas e tormentos crueles, más sensibles sin comparaçión en millares de vezes que las que acá padeçen? Y en los de acá ay remedios de físicos, iervas e melezinas; en los de acullá non ay remedio nin esperança, salvo en los de purgatorio. Y esto es quanto al ánima, que después en el final juizio, en la resurreçión, cobrado su cuerpo, el ánima doble pena que de ante soportará, *ca* juntos cuerpo e ánima penarán maldiziendo el su criador; maldiziendo el ánima, el año, el mes, el día, la hora, el punto, el momento y el instante en que fue criada[33]; eso mesmo el cuerpo, quándo fue conçebido, engendrado, animado, nasçido e criado; maldiziendo su padre, e madre, e la leche que mamó; maldiziendo los años e tiempos que en este mundo bivió; maldiziendo su voluntad desordenada, su apetito voluntario, su querer demasiado; maldiziendo su corto juizio, su seso loco e desvariado; maldiziendo sus feos pecados que *a* tal estado le troxieron; maldiziéndose cómo a su Dios e criador non quiso creer e conoscer; maldiziendo su conçiençia por la non creer. E así penado e atormentado, como desesperado, se acomienda a todos los diablos, pensando que sus penas avrían fin; e biviendo morrá, e muriendo, en nuevas penas, tormentos e dolores bivirá de cada día por siempre jamás. ¡Quien en Ti pensase, quien Te entendiese, quien bien Te considerase, quien Te bien llorase, quien Te conosçiese, quien non Te olvidase, quien escripto en el coraçón Te toviese, quien Tu vegilia bien ayunase, el tal mal fazer sería imposible!

Pues quien en esto pensase e fiziese cuenta en este mundo como que vee aquellas penas e las padesçe, e ya en esta vida ge las dan, ¿faría tanto mal como de cada día faze? dubda Sant Agostín en ello. Por ende, non alegue ninguno: «Non lo sope, nin lo sentí, nin fui avisado, nin me lo dixeron»; que sería gruesa ignorança non saber lo que es notorio a todos. Non es esto corónica nin istoria de cavallería, en las quales a las vezes ponen c por b; que esto que dicho he, sabe que es verdad, e es debda de faltar dello o de grand parte[34]. E non pienses que el que lo escrivió te lo dize

---

[33] Parece que aquí se convierten en maldiciones las bendiciones del famoso soneto de Petrarca:

Benedetto sia'l giorno e'l mese e l'anno
e la stagione, e'l tempo e l'ora e'l punto...

[34] Aquí el arcipreste impreca contra la literatura caballeresca, sobre todo por su noble y «falsa» concepción del amor humano. Se

porque lo oyó solamente, salvo porque por prática dello mucho vido, estudió e leyó; e cree, segund antiguos, grandes e santos doctores, ello ser así. E de cada día tú lo puedes ver si quisieres, que, aunque mucho leer aprovecha e mucho entender ayuda, pero mucha prática e experiençia de todo es maestra *e enseñadora porque* fable el que lo fabla sin miedo; que paresçe que lo vee quando lo escrive. Non dubde, por ende, ninguno, que si lo susodicho leyere e diligentemente lo examinare, sentirá que fuello por el camino verdadero. Pues farto deve ser enxiemplo a los bivientes los enxiemplos de los antiguos pasados, e farto es conveniente al que en agena cabeça se castiga; e lo que otro con muchos dapnos e perigros pasó e corporalmente provó, e vido, que en un poco de escriptura e papel, sin que se aya de poner a la muerte, ge lo demuestre e dé castigo a mal fazer e remedio a mal obrar e consejo para de los lazos del mundo, del diablo e de la muger se amparar e defender. E si de lo susodicho o infraescrito alguno leyendo algo por obra pusiere, a Dios ruego que sea su emienda relevaçión de algunas de mis culpas que tiempo ha cometí, e de las que cometo de cada día en satisfaçión, e después de la presente vida de penas e tormento relevaçión. Amén.

---

ve que siempre Martínez de Toledo tiene el amor idealizado en mente.

Capítulo XXXVIII

En conclusión cómo por amar vienen todos males

Por ende, visto el efecto que loco amor procura, *e* quántos dapnos trahe, veamos, pues, por quién nos condenamos, nin qué cosa son mugeres, qué provecho trahen, qué condiçiones tienen para amar e ser amadas, nin, finalmente, por quál razón el ombre las deve bien querer. E por quanto, al presente algunos viçios de mal bevir declararé en parte de mugeres; esto se entienda de aquellas que viçios e mal usar de sí partir sería imposible, las virtuosas, honestas e buenas como oro de escoria apartando: que si lo malo non fuese reprovado, lo bueno non sería loado. E, por Dios nuestro Señor, firmemente creo que así como el oro es presçiado entre los metales e se esmera e reluze entre ellos, así el buen varón o *la buena* muger honestos e discretos son entre los viçiosos e de mal bivir usados rubí preçioso, tanto que comparaçión non sufren. Por ende, segund los viçios por mi d'alto de las mugeres malas nombrados e escriptos, entiendo declarar e proseguir segund que más e menos son. Vea, pues, cada qual en sí si es culpada e fiera su conçiençia con verdadera coreçión, non alegue: «Cuitada quien esto sopiera, non errara.» Por ende, comienço en el pecado de la avariçia de las mugeres, e si algund hombre dello en sí algo sintiere, tome el enxiemplo de «A ti lo digo, nuera». De los viçiosos non saco a mí de fuera, biviendo fasta que muera.

Fenesçe la primera parte deste tractado.

AQUI

COMIENÇA LA SEGUNDA PARTE DESTE LIBRO
EN QUE DIXE QUE SE TRACTARÍA DE LOS
VIÇIOS, TACHAS E MALAS CONDICIONES
DE LAS MALAS E VIÇIOSAS MUGE-
RES, LAS BUENAS EN SUS VIR-
TUDES APROVANDO

CAPÍTULO PRIMERO

De los viçios e tachas e malas condiçiones de las perversas mugeres, e primero digo de las avariçiosas

Por quanto las mugeres que malas son, viçiosas e desonestas o enfamadas, non puede ser dellas escripto nin dicho la meitad que dezir o escrevir se podría *por el hombre,* e por quanto la verdad dezir non es pecado, mas virtud, por ende, digo primeramente que las mugeres comúnmente por la mayor

145

parte de avariçia son doctadas; e por esta razón de avariçia muchas de las tales infinitos e diversos males cometen: que, si dineros, joyas preçiosas e otros arreos intervengan o dados les sean, es dubda que a la más fuerte non derruequen e toda maldad espera que cometrá la avariçiosa muger con defrenado apetito de aver, así grande como de estado pequeño.

Contarte he un enxiemplo que contesçió en Barcelona: una reina era muy honesta con infingimiento de vanagloria, que pensava aver más firmeza que otra, diziendo que quál era la vil muger que a ombre su cuerpo librara por todo el aver que fuese al mundo. Tanto lo dixo públicamente de cada día, que un cavallero votó al vero palo si sopiese morir en la demanda de la provar por vía de requesta o demanda si por dones libraría su cuerpo. E un día *el caballero* dixo: «Señora, ¡oh qué fermosa sortija tiene vuestra merçed con tan fermoso diamante! Pero, señora, ¿quién uno vos presentase que valiese más que diez, vuestra merçed amar podría a tal ombre?» La reina respondió: «Non le amaría aunque me diese uno que valiese más que çiento.» Replicó el cavallero e dixo: «Señora, si vos diese un rubí un gentil ombre que fiziese luz como un antorcha, ¿amarlo íades, señora?» Respondió: «Nin aunque reluziese como quatro antorchas.» Tornó el cavallero e dixo: «Señora, quien vos diese una çibdad tamaña como Roma quando estava en su éser[35], prinçipado e señorío de todo el mundo, ¿amarle íades, señora?» Respondió: «Nin aunque me diese un reino de Castilla.» Desque vido el cavallero que non podía entrar por dádivas, tentóla de señorío e dixo: «Señora, quien vos fiziese del mundo emperadora e que todos los hombres e mugeres vos besasen las manos por señora, señora ¿amarle ía-

---

[35] *éser,* o *ésser* es un catalanismo que Martínez añade para dar sabor local al cuento.

des?» Entonçe la reina sospiró muy fuertemente e dixo: «¡Ay, amigo! tanto podría el ombre dar que...» E non dixo más. Entonçe el cavallero començóse de sonreír, e dixo entre sí: «Si yo toviese agora que dar, la mala muger en las manos la tenía.» E la reina pensó en sí, e vido que avía mal dicho, e conosçió entonçe que a dádivas non ay azero que resista, quanto más persona que es de carne e naturalmente trahe consigo la desordenada cobdiçia[36].

---

[36] En los dos incunables se encuentra el siguiente episodio interpolado, adoptado del «Exemplum de puteo» (núm. 14) de la *Disciplina Clericalis* de Petrus Alfonsus:

Otro ensemplo quiero contar: cómo un cavallero viejo tomó por muger una moça, la qual mucho amó; tanto que cada noche cerraba él mismo las puertas de su casa e ponía las llaves debaxo de su almohada de dormir. Acaesçió que este cavallero, por ser viejo, no contentava a su muger, así en el acto carnal como en las cosas que le menguavan, e por tanto, la mujer amava otro; e cada noche tomava las llaves dormiendo su marido, e se iva a su enamorado. E faziéndolo muchas vezes, acaesçió una noche que se despertó el marido e fallóla menos; e fuese a la puerta e fallóla abierta e cerróla por dentro, e subió a los corredores altos de la casa e miró por una ventana fasta la plaça; luego vino su muger, y hallando la puerta cerrada estava triste; empero tocó a la puerta, y respondió el cavallero: «Mala muger, muchas noches te he provado. Certifícote que de fuera quedarás.» E dixo ella: «Señor, yo soy estada llamada por una esclava de mi madre, que yaze tan doliente que creo que no se levantará desta enfermedad. Por ende, vos ruego que por amor de Dios me abráis.» E él le respondió: «Por cierto no entrarás.» Ella oyendo esto, dixole: «Señor, tú sabes que aquí, cabe la puerta, está un pozo, e si non me abres yo me echaré en él.» E él dixo: «Pluguiese a Dios que te echases.» E dixo ella: «Señor, pues assí lo quieres, yo me lançaré en él; mas primero quiero encomendar mi alma a Dios e a la Virgen Maria.» Dicho esto, llegóse al pozo e lançó dentro una grand piedra e ascondióse cabe la puerta. El cavallero, como oyó el golpe de la piedra, dixo: «Guay de mí, que mi muger se ha afogado», e descendió luego e corrió al pozo. E ella, estando escondida, como vio la puerta abierta, luego entró en casa e cerróla, e subió a la ventana; entretanto estuvo el cavallero cabe el pozo llorando e diziendo: «O desaventurado, que he perdido mi tan cara e amada muger; maldita sea la hora en que cerré la puerta.» E oyendo ella esto e burlando, le dixo: «O viejo maldito, ¿cómo estás ay a tal hora? ¿non te vasta mi cuerpo? ¿por qué vas cada noche de puta en puta e dexas mi cama?» Entonces venieron los guardas e

Por ende ave por dicho que si el dar quiebra las piedras, doblegará una muger que non es fuerte como piedra. Por dádivas farás venir a tu voluntad al papa, a te otorgar todo lo que quisieres; item, el emperador, rey o otro menor farás fazer lo que quisieres con dádivas; item, del derecho farás fazer tuerto dando a los que lo administran joyas e dones; item, de la mentira farás fazer con dádivas verdad. Pues non te maravilles si con dádivas fizieren los hombres a las firmes caer e de sus honras a menos venir, que nin guarda el don paraje, linaje nin peaje; todo a su voluntad lo trastorna. Por ende puedes más creer quánta es la avariçia en la mujer, que apenas verás que menesteroso sea dellas acorrido en su nesçesidad; antes non estudian sinón como picaça dónde esconderán lo que tienen, porque ge lo non fallen nin vean. E así la muger se esconde de su marido, como la amigada de su amigo, la hermana del hermano, la prima del primo. E demás, por mucho que tengan siempre están llorando e quexándose de pobreza: «Non tengo; non alcanço; non me preçian las gentes nada; ¿qué sera de mí, *cuitada?*» E si alguna cosa de lo suyo despiende, qualquier poco que sea, esto primeramente mill vezes lo llora, mill çaheríos da por ello antes e después. Así les contesçe, como fizo a los dos sabios Epicurio e Primas, que nunca su dios de Epicurio era sinón comer, e de Primas sinón bever, pensando non aver otro dios de natura sinón comer e bever; en esto fenesçieron sus días todos[37]. Así la muger piensa que non ay otro bien en el mundo sinón aver, tener e guardar e poseer, con sulíçita guarda condensar, lo ageno francamente despendiendo e lo suyo con mu-

---

prendiéronle e castigáronle toda la noche en la presión. E en la mañana pusiéronle en la picota. Estos e otros muchos engaños usan las mugeres, los quales serían muy luengos de contar.

[37] El ms. dice *Imprimas,* una corrupción de *Primas* (Hugo d'Orleans). Véase la reseña de Margarita Morreale *NRFH,* 10 (1956), pág. 223. En este punto, Martínez vuelve a adoptar el texto de la «Reprobatio Amoris» de Andreas Capellanus, el cual había abandonado en el capítulo XVIII de la primera parte de su obra.

cha industria guardando. Donde por esperiençia verás que una muger en comprar por una blanca más se fará oír que un ombre en mill maravedís. Item, por un huevo dará bozes como loca e fenchirá a todos los de su casa de ponçoña: «¿Qué se fizo este huevo? ¿quién lo tomó? ¿quién lo levó? ¿A do le este huevo? Aunque vedes que es blanco, quiçá negro será oy este huevo. Puta, fija de puta, dime: ¿quién tomó este huevo? ¡Quién comió este huevo comida sea de mala ravia: *cámaras de sangre, correncia mala le venga, amén!* ¡Ay huevo mío de dos yemas, que para echar vos guardava yo! *¡Que de uno o de dos haría yo una tortilla tan dorada que complía mis verguenzas. E no vos endurava yo comer, e comióvos agora el diablo.* ¡Ay huevo *mío*, qué gallo e qué gallina salieran de vos! Del gallo fiziera capón que me valiera veinte maravedises, e la gallina catorze; o quiça la echara e me sacara tantos pollos e pollas con que pudiera tanto multiplicar, que fuera causa de me sacar el pie del lodo. Agora estarme *he* como desaventurada, pobre como solía. ¡Ay huevo mío, de la meajuela redonda, de la cáscara tan gruesa! ¿Quién me vos comió? ¡Ay, puta Marica, rostros de golosa, que tú me as lançado por puertas! Yo te juro que los rostros te queme, doña vil, suzia, golosa! ¡Ay huevo mío! Y ¿qué será de mí? ¡Ay, triste, desconsolada! ¡Ihus, amiga! y ¿cómo non me fino agora? ¡Ay, Virgen María! ¿cómo non rebienta quien vee tal sobrevienta? ¡Non ser en mi casa mesquina señora de un huevo! ¡Maldita sea mi *ventura e mi* vida *sinón* estó en punto de rascarme o de me mesar toda! ¡Ya, por Dios! ¡Guay de la que trae por la mañana el salvado, la lumbre, e sus rostros quema soplando por la encender, e fuego fecho pone su caldera y calienta su agua, *e* faze sus salvados por fazer gallinas ponedoras, y que, puesto el huevo, luego sea arrebatado! ¡Ravia, Señor, y dolor de coraçón! Endúrolos yo, cuitada, e *paso* como a Dios plaze e liévamelos al huerco. ¡Ya, Señor, e liévame deste mundo; que mi cuerpo non goste más pesares nin mi ánima sienta tantas amarguras! ¡Ya, Señor, por

el que *tú* eres, da espaçio a mi coraçón con tantas
angosturas como de cada día gusto! ¡Una muerte me
valdríe más que tantas, ya por Dios!» Y en esta
manera dan bozes e gritos por una nada.

Item si una gallina pierden, van de casa en casa
conturbando toda la vezindat. «¿Do mi gallina, la
ruvia de la calça bermeja», o «la de la cresta partida,
çenizienta escura, cuello de pavón, con la calça mo-
rada, ponedora de huevos? ¡Quien me la furtó, fur-
tada sea su vida! ¡Quien menos me fizo della, menos
se le tornen los días de la vida! ¡Mala landre, dolor de
costado, ravia mortal comiese con ella! ¡Nunca otra
coma! ¡Comida mala comiese, amén! ¡Ay, gallina mía,
tan ruvia, un huevo me davas tú cada día; *aojada te
tenía el que te comió, asechándote estava el traidor!*
¡Desfecho le vea de su casa a quien te me comió!
¡Comido le vea yo de perros aína, *cedo sea; véanlo
mis ojos,* e non se tarde! ¡Ay gallina mía, gruesa como
un ansarón, morisca, de los pies amarillos, *crestiber-
meja!* ¡Más avía en ella que en dos otras que me
quedaron! ¡Ay triste! Aun agora estava aquí, agora
salió por la puerta, agora salió tras el gallo por aquel
tejado. El otro día —¡triste de mí, desaventurada, que
en ora mala nasçí, cuitada!— el gallo mío bueno,
cantador, que así salían dél pollos como del çielo
estrellas, atapador de mis menguas, socorro de mis
trabajos; que la casa nin bolsa, cuitada, él bivo, nunca
vazía estava. ¡La de Guadalupe, Señora, a ti la acomiendo! ¡Señora, non me desampares ya! ¡Triste de
mí, que tres días ha entre las manos me lo llevaron!
¡Ihus, quánto robo, quánta sinrazón, quánta injustiçia!
¡Callad, amiga, por Dios! ¡Dexadme llorar; que yo
sé qué perdí e qué pierdo oy! ¡A cada uno le duele lo
suyo y tal joya como mi gallo, cuitada, e agora la
gallina! ¡Rayo del çielo mortal e pestilençia venga
sobre tales personas! ¡Espina o hueso comiendo se le
atravesase en el garguero, que Sant Blas non le pusiese cobro! ¡Non diré, amigas, aína diría que Dios
non está en el çielo, nin es tal como solía que tal sufre
e consiente! ¡O, Señor, tanta paçiençia e tantos males

sufres, ya, por aquel que Tú eres, consuela mis enojos, da lugar a mis angustias: si non, raviaré o me mataré o me tornaré mora! ¡Agora, noramala, si Dios non me vale, non sé qué me diga! Dexadme, amiga, que muere la persona con la sinrazón, que mal de cada rato non lo sufre perro nin gato; dapno de cada día, sofrir non es cortesía; oy una gallina e antier un gallo: yo veo bien mi duelo, aunque me lo callo. ¿Cómo te feziste calvo? Pelo a pelillo el pelo levando. ¿Quién te fizo pobre, María? perdiendo poco a poco lo poco que tenía. ¡Moças, fijas de putas, venid acá! ¿Dónde estades, moças? ¡Mal dolor vos fiera! ¿Non podéis responder "señora"? ¡Ha, agora, landre que te fiera! Y ¿dónde estavas? ¡Di! Non te duele a ti así como a mí. Pues corre en un punto, Juanilla; ve a casa de mi comadre, dile si vieron una gallina ruvia de una calça bermeja. Marica, anda, ve a casa de mi vezina, verás si pasó allá *la* mi gallina ruvia. Perico, ve en un salto al vicario del arçobispo que te dé una carta de descomunión, que muera maldito e descomulgado el traidor malo que me la comió. *Bien sé que me oye quien me la comió. Alonsillo, ven acá, para mientes e mira que las plumas no se pueden esconder, que conocidas son. Comadre, ¡Vedes qué vida ésta tan amarga! ¡Yuy, que agora la tenía ante mis ojos!* Llámame, Juanillo, al pregonero, que me la pregone por toda esta vezindad. Llámame a Trotaconventos, la vieja de mi prima, que venga e vaya de casa en casa buscando la mi gallina ruvia. ¡Maldita sea tal vida! ¡Maldita sea tal vezindad! Que non es el ombre señor de tener una gallina; que aún non ha salido el umbral que luego non es arrebatada. ¡Andémonos, pues, a furtar gallinas; que para esta que Dios aquí me puso, quantas por esta puerta entraren! ¡Ese amor les faga que me fazen! ¡Ay gallina mía rubia! y ¿adónde estades vos agora? *Quien vos comió bien sabía que vos quería yo bien, e por me enojar lo fizo. Enojos e pesares e amarguras le vengan por manera que mi ánima sea vengada. Amén. Señor, así lo cumple Tú por aquel que Tú eres: e de quantos*

milagros has fecho en este mundo, faz agora este
porque sea sonado.»

Esto e otras cosas faze la muger por una nada. Son
allegadoras de la çeniza; más bien derramadoras de la
farina[38]. En las faldas rastrando, e en las mangas
colgando, e otros arreos desonestos que ellas trahen,
non ponen cobro —por do sus maridos, parientes e
amigos desfazen— y ponen cobro en el huevo e la
gallina. E aun ellas mesmas dizen quando las faldas
las enojan: «¡El diablo aya parte en estas faldas, *e
aun* en la primera que las usó!» Mas non maldize a sí
mesma que las trae. E si alguno ge lo retrae, responde: «Pues fago como las otras.» E bien dize
verdad; que ya la muger del menestral, si vee la
muger del cavallero de nuevas guisas arreada, aunque
non tenga qué comer, cayendo o levantando, ella así
ha de fazer o morir. Non son sinón como monicas:
quanto veen tanto quieren fazer. «¿Viste, Fulana, *la
muger de Fulano, la vezina,* cómo iva el domingo
pasado? Pues ¡quemada sea si este otro domingo otro
tanto non llevo yo, e aun mejor!» Quántas ropas
visten las otras, de qué paño, qué color, qué arreos,
qué cosas traen consigo: yo te digo, que tanto paran
mientes en estas cosas que non se les olvidan después. «Fulana llevava esto; Çutana vestía esto.» Por
quanto en aquello ponen su coraçón e voluntad, mas
non en el provecho de su casa, estado e honra, sinón
en vanidades e locuras e en cosas de poca pro. E si el
marido con menester empeña alguna aljuba o manto
della, o çinta o otra alfaja, aquí son los llantos, aquí
son los gemidos, los reçongos, los çaheríos, lágrimas
e maldiçiones, diziendo: «¡Ay sin ventura de mí! Non
ove yo ventura como mi vezina; que en guar de
medrar desmedro; en guar de fazerme paños nuevos,
empeñásteme estos captivos que en la boda me dis-
tes, e tales quales ellos son. ¿Esto esperava yo me-

---

[38] «Traen lo que no sirve, y derrocan lo que no vale» (Correas,
Vocabulario, pág. 72).

drar convusco? ¿Así medran las otras? ¿Así van adelante? ¡En buena fe desta casa nunca salga —y ¿para qué?— *que* ayan qué dezir! Ya non tengo con qué salir. ¡Ay triste de mí! ¡Pues tomaldo todo! ¡Tomad eso otro que queda; empeñadlo todo; vendedlo todo! E después siquiera esté yo emparedada e nunca salga; que vos por esto lo avedes. Pues, yo vos fartaré; yo vos contentaré; que yo vos prometo que por aquella puerta non me veáis salir más. Yo sé qué digo: séame Dios testigo», etc. Luego amenazan —ya se vos entiende *con* qué— nunca fazen buena cara, nin buen cozinado: mal cocho, peor asado, e maldiçiones abondo. Pero si el cuitado de marido, padre o amigo non lo puede ganar, a su oficio non se corre, e para mantener a ella ha menester algunos dineros, e empeña sus balandranes, su espada, sus armas, el jubón, las botas, fasta las mezquinas; o vende su casa, viña o campo o heredad: allí non dan bozes, non ay maldiçiones, lágrimas nin gemidos. Empero lo suyo e de su axuar e dote sea bien guardado e non se llegue a ello. Lo del cuitado vaya e venga, que filando ella lo reparará con la rueca o el torno.

Eso mesmo digo de las de grand manera e estado segund más e menos; e de los grandes segund sus estados e maneras eso mesmo; por esto, algunos dellos pasan. Esto les proviene a las mugeres de la soberana avariçia, que en ellas reina, en tanto que non es muger que de sí muy avara non sea en dar, franca en pedir e demandar, industriosa en retener e bien guardar, cavilosa en la mano alargar, temerosa en mucho emprestar, abondosa en qualquier cosa tomar, generosa en lo ageno dar, pomposa en se arrear, vanagloriosa en favlar, acuçiosa en vedar, rigurosa en mandar, presuntuosa en escuchar, e muy presta en executar.

Capítulo II

De cómo la muger es murmurante e detractadora

La muger ser murmurante e detractadora, regla general es dello: que si con mill fabla, de mill fabla cómo van, cómo están, qué es su estado, qué es su vida, quál es su manera. El callar le es muerte / muy aspera / : non podría una sola ora estar que non profaçase de buenos e malos. Non le es ninguno bueno nin buena en plaça nin / en / iglesia, diziendo: «¡Yuy, y cómo iva Fulana / muger de Fulano / el domingo de Pasqua arreada! Buenos paños de escarlata con forraduras de martas / finas /, saya de florentín con cortapisa de veros trepada de un palmo, faldas de diez palmos rastrando forradas de camocán; un pordemás forrado de martas zebellinas con el collar lançado fasta medias espaldas, las mangas de brocado, los paternostres de oro de doze en la honça, almanaca de aljófar (de ciento era los granos), arracadas de oro que pueblan todo el cuello; crespina de filetes de flor de açuçena con mucha argentería, ¡la vista me quitavan! Un partidor tan *esmerado e tan* rico que es de flor de canela, de filo de oro fino con mucha perlería; los moños con temblantes de oro e de partido cambrai; todo *trae* trepado de foja de figuera; argentería mucha colgada de lunetas e lenguas de páxaro e retronchetes e con randas muy ricas; demás un todo seda con que cubría su cara, que paresçía a la Reina Sabba; por mostrarse más fermosa, axorcas de alambar engastonadas en oro, sortijas diez o doze, donde ay dos diamantes, un çafir, dos esmeraldas;

154

lúas forradas de martas para dar con el aliento luzor en la su cara e revenir los afeites: reluzía como un espada con aquel agua destilada. Un textillo de seda con tachones de oro, el cabo esmerado con la fevilla de luna, muy lindamente obrado; chapines de un xeme poco menos en alto, pintados de brocado. Seis mugeres con ella, moça para la falda, moscadero de pavón todo algaliado; safumada, almizclada, las cejas algaliadas, reluziendo como espada. Piénsase, Marimenga, que ella se lo meresçe. ¡Aquélla, aquélla es amada e bien amada, que non yo, triste, cuitada! Todo ge lo dió Fulano / su marido /: por cierto que es amada. ¡Ay /mezquina y / triste de mí, que amo e non só amada! ¡O desaventurada! Non nasçen todas con dicha: yo mal vestida, peor calçada, sola, sin compañía; que una moça nunca pude con este falso alcançar. En dos años anda que nunca fize alforza nueva: un año ha pasado que traigo este pedaço. ¿Por qué, mesquina, cuitada, o sobre qué lloraré mi ventura, maldeziré mi fado triste, desconsolada, de todas cosas menguada? E ¿cómo? ¿Non so yo tan fermosa como ella y aun de cuerpo más bastada? ¿Por qué non vo como ella arreada? Nin por eso pierdo yo mi fermosura, nin so de mirar menos en plaça que ella allí do va. Pues, con todo su perexil non se egualará comigo. ¡Mucha nada! ¡Mal año para la vil, suzia, desdonada, perezosa, enana, vientre de itrópica, fea e mal tajada! Pues en buena fe, allí do va arreada, si sopiesen rebentarían. ¡O qué dientes podridos tiene de poner albayalde, suzia como araña! ¡Por Dios, quitadme allá! ¡Como perro muerto le fiede la boca! ¡Triste de mí, que yo limpia soy como el agua, aliñada, ataviada! Trabajar, velar, ganar, endurar, esto sí fallarán en mí: la blanca en mi poder es florín. Si yo como otras toviese, floreçerían e ganarían las cosas en mi poder. Mas, señora, ¿qué me diréis? ¿quién non tiene, que pásase el mes y el año que non vos daría fe qué moneda corre? Que mi vida nunca es sinón de día e de noche trabajar e nunca medrar: e lo peor que non soy conosçida nin presciada, soy desfavoreçida. Pues otro era mi padre que non era su ahuelo. ¡Loado sea Dios que me quiso tanto mal! Mi ventura lo fizo; que si Dios andoviese por la tierra, treinta mill en axuar truxe *e* en dineros contados, *e* aquélla en camisa la tomó su marido. Peor só que amigada, nunca más medré desta saya, que esta otra que tengo, perdone Dios a mi padre, que él me la dexó y él se la ganó. Pues ¿qué medré, amigo, después que estó con vos? Fadas malas, filar de noche e de día. Ésta es mi bienandança: echarme a las doze, levantarme a las tres y duerma quien pudiere; comer a mediodía, y aun Dios si lo toviere. ¡Guay de la que en casa de su padre se crio (y con quánto viçio), y esperó venir a estas fadas malas! Y ¿por qué, *e* aun sobre qué, cuitada, desaventurada, *triste,* mal fadada?» E el amigada dize a su amigo: «¡Ay de mí! Más me valiera ser casada; que fuera más honrada y en mayor estima tenida. ¡Perdíme, cuitada, que en ora mala vos creí! Non es esto lo que vos me prometistes nin lo que me jurastes; que non he ganado el dinero quando me lo avéis arrebatado, diziendo que devés y que jugastes, y como un rufián amenazando vuestro sombrero, dando cozes en él, diziendo: «A ti lo digo, sombrero»; dónde me he yo empeñado y envergonçado muchas vezes por vos, buscando para pagar vuestras debdas e baratos. Ya non lo puedo bastar, y ¿dónde lo tengo de aver, amigo? ¡Ya Dios perdone al que mis menguas complía e mis trabajos cobría! Non queda ya sinón que me ponga a la vergüença con aquéllas del público. ¡Guay de mí, captiva! ¿Así medran las otras? ¡Landre, señor, ravia y dolor de costado!» Estas y otras maneras de fablar tienen las mugeres; de las otras murmurar, detraer e mal fablar, e quexarse de sí mesmas, que fazer otra cosa imposible les sería. Esto proviene de uso malo e luengamente continuado, non conosçiendo su defallimiento; que es un pecado muy terrible la persona non conosçer a sí, nin a su fallimiento. Pues, por Dios, cada qual así fable de su próximo, que de ofenderlo se abstenga.

CAPÍTULO III

De cómo las mugeres aman a diestro e a siniestro por la grand cobdiçia que tienen

Seer la muger tomadora, usurpadora a diestro e a siniestro, poner en ello dubda sería grand pecado: por quanto la muger, non solamente a los estraños e non conosçidos, más aún a sus parientes e amigos, quanto puede tomar e rebatar e apañar, tanto por obra pone sin miedo nin verguença. Dar non es de su condición. E así contesçe al hombre con la muger, como al padre e madre con su fijo: déle el padre o la madre a su fijo quanto quisiere, e nunca le diga de non; tómenle un poquito de pan el padre o madre, o otra cosa que tenga, luego llora e lo demanda con *grandes* gritos, caso quél ge lo aya dado. O diga el padre o madre a su hijo por provar: «Fijo, dame esto, que soy tu padre», luego fuye con ello e buelve la cara. Asimesmo es de la muger: dale, que cantando tomará; pídele, que regañando llorará. E lo que toman e furtan así lo esconden por arcas e por cofres e por trapos atados que paresçen revendederas o merçeras; e quando comiençan las arcas a desbolver, aquí tienen aljófar, allá tienen sortijas, aquí las arracadas, allá tienen porseras, muchas implas trepadas de seda e todo seda, bolantes, tres o quatro lençarejas, cambrais muy mucho devisados, tocas catalanas, trunfas con argentería, polseras brosladas, crespinas, partidores, alfardas, alvanegas, cordones, transcoles; alma-

157

nacas de aljófar e de cuentas negras, otras de las azules de diez mill en almanaca, de diversas labores; las gorgueras de seda de impla e de lienço delgado brosladas, randadas; mangas de alcandora de impla de axuar, camisas brosladas —¡esto ya non ha par!— mangas con puñetes, frunzidas e por frunzir, otras también brosladas e *otras* por broslar; pañezuelos de manos a dozenas; e más bolsas e çintas de oro e plata muy ricamente obradas; alfileles, espejo, alcofolera, peine, esponja con la goma para asentar cabello, partidor de marfil, tenazuelas de plata para algund pelillo quitar si se demostrare, espejo de alfinde, para apurar el rostro, la saliva ayuna con el paño para lepar. Pero después de todo esto comiençan a entrar por los ungüentos; ampolletas, potecillos, salseruelas donde tienen las aguas para afeitar; unas para estirar el cuero, otras destiladas para relumbrar; tuétanos de çiervo o de vaca e de carnero. ¿E non son peores éstas que diablos, que con las reñonadas de ciervo fazen dellas xabón? Destilan el agua por cáñamo crudo e çeniza de sarmientos, e la reñonada retida al fuego échanla en ello quando faze muy rezio sol, meneándolo nueve *vezes* al día una hora, fasta que se congela e se faze xabón que dizen napoletano. Mezclan en ello almisque e algalia *e* clavo de girofre, remojados dos días en agua de azahar, o flor *de* azahar con ella mezclado, para untar las manos que *se* tornen blancas como seda. Aguas tienen destiladas para estirar el cuero de los pechos e manos a las que se les fazen rugas: el agua terçera, que sacan del solimao de la piedra de plata, fecha con el agua de mayo —molida la piedra nueve vezes e diez con saliva ayuna, con azogue muy poco, después cocho que mengue la terzia parte— fazen las malditas una agua muy fuerte —que non es para screvir, tanto es fuerte— la de la segunda cochura *es para los cueros de la cara mudar; la tercera* para estirar las rugas de los pechos e de la cara. Fazen más, agua de blanco de huevos cochos, estilada con mirra, cánfora, angelores, trementina —con tres aguas purificada e bien lavada, que torna como la nieve blanca— raíces de lirios blancos, bórax fino: de todo esto fazen agua destilada con que reluzen como espada. E de las yemas cochas de los huevos, azeite para las manos: en una cazuela traellas al fuego, roçiándolas con agua rosada e con un paño limpio e dos garrotes sacan el *agua, e el* azeite para las manos e la cara ablandar e purificar. Non lo digo porque lo fagan —que de aquí non lo aprenderán si de otra parte non lo saben, por bien que aquí lo lean —mas dígolo por que sepan que se saben sus secretos e poridades. E aun desto fabló Juan Bocaçio— de los arreos de las mugeres *e* de sus tachas e cómo las encubren— aunque non tan largamente; e otros muchos han escripto e escrivieron, yo non digno de ser entre ellos nombrado. Pues non se maravillen de mí si algo en prática escreví, pues Juan Bocaçio puso farto desto, e otros, como dixe, dello escrivieron[39]. Todas estas cosas fallaréis en los cofres de las mugeres: Horas de Santa María, siete salmos, estorias de santos, salterio en romançe, ¡nin verle del ojo! Pero cançiones, dezires, coplas, cartas de enamorados e muchas otras locuras, esto sí; cuentas, corales, alfójar enfilado, collares de oro e de medio partido *e* de finas piedras acompañado, cabelleras, azerufes, rollos de cabellos para la cabeça; e demás aún azeites de pepitas e de alfolvas mezclando, simiente de niesplas para ablandar las manos, almisque, algalia para çejas e sobacos, alámbar confaçionado para los baños, *xabón* que suso dixe, para ablandar las carnes, çinamono, clavos de girofre para en la boca. Destas e otras infinidas cosas fallarás sus arcas e cofres atestados, que seyendo bien desplegado, una gruesa tienda se pararía sin verguença. Pero quando ellas esto rebuelven, adoban e guardan, así están ençendidas que les paresçe estar en gloria, con deseo

---

[39] Efectivamente, la fuente del arcipreste para todo este pasaje sobre la cosmética femenina es el capítulo 18, «In Mulieres», de la primera parte del *De Casibus Virorum Illustrium* de Giovanni Boccaccio.

de mucho más: que aun non están fartas nin contentas aunque toviesen quatro tanto más. Todas estas cosas susodichas de mala o buena ganançia las han, segund las tierras e los trajes dellas: unas segund cibdadanas, otras villanas, otras aldeanas e serranas, cada qual segund su tierra e reino donde nasçió o usa, está o bive. El entendiente tome el dicho particular por enxiemplo universal. E seas çierto que para aver destos arreos non ha furto, dolo nin ruindad que las de perversa qualidad non cometan algunas dellas contra sus maridos *e* amigos o qualesquier otros. Por donde se concluye que la muger a diestro e a siniestro tomar *para que ella tenga* —¡venga donde venga!— general regla es dello, non curando si complazen a Dios o le ofenden en tales maneras tener. Entiéndame la que quisiere, e si mal de mí dixere, perdónela Dios.

Capítulo IV

Cómo la muger es envidiosa
de qualquiera.
más fermosa que ella

Envidiosa ser la muger mala dubdar en ello sería pecar en el Espíritu Santo: por quanto toda mujer, quandoquier que vee otra de sí más fermosa, de envidia se quiere morir. E desta regla non saco madre contra fija, nin hermana, prima nin parienta, que de pura malenconía muérdese los beços, e la una contra la otra collea como mochuelo. Infinge de loçana, mas que non es por remedar a la otra; estúdiase en fu.tarle los comportes, los aires de andar e fablar, pensando todavía que ella es más loçana: esto es por invidia. E si la otra es blanca e ella vaça o negra, dize luego:

«¡Bendita sea a la fe la tierra baça que lieva noble pan! Más val grano de pimienta que libra de arroz.» Pero si la otra es baça e ella blanca, aquí es el donaire. Dize luego: «Fallan las gentes que Fulana es fermosa. ¡Oh, Señor, y qué cosa es favor! Non la han visto desnuda como yo el otro día en el baño: más negra es que un diablo; flaca que non paresçe sinón a la muerte; sus cabellos negros como la pez *e bien crispillos;* la cabeça gruesa, el cuello gordo e corto como de toro; los pechos todos huesos, las tetas luengas como de cabra; toda uniza, egual, non tiene facçión de cuerpo; las piernas, muy delgadas, paresçen de çiguena; los pies tiene galindos. De gargajos nos fartó la suzia, vil, podrida el otro día en el baño; asco nos tomó a las que aí estávamos, que rendir nos cuidó fazer a las más de nosotras. Pues buena fabla non ay en ella; donaire nin solaz buscaldo en otra parte: desfazada, mal airosa e peor aliñosa. Labrar por çierto esto non sabe; coser a punto *grueso, hilar, pues, non delgado; non es sino para* estrado. Mírenme las bellas; servidla, que de buenos viene; acompañadla, non vaya sola. Su abuelo el tuerto ge lo soñó, e su padre Pero Pérez el çapatero, ge la ganó tirando *los* pellejos con los dientes. Pues, yo vi a su madre vender toquillas e capillejos; muchas vezes vino a mi casa diziéndome si quería comprar alvaneguillas la vieja de su madre. E vereis su fija quántos meneos lieva. ¿Quiçá non sabemos quién es? ¡Pues quién se la vee allí arreada donde va, pues si viesen bien su casa, mal barrida, peor regada, de arañas llena, de polvo abondada! E mírenme las bellas: ¡yuy, yuy, pues yuy, vistes y qué vistes, *e* si lo vistes, pues avrés qué contar! Fízonos Dios, maravillámonos nos. Oíd y ved y contad, y si lo viéredes non lo contedes. ¡Paresçe un eclipsi; reluze como mi ventura qual el día que yo nasçí! Pues ¿si lieva blanquete? ¡A la fe fasta el ojo! Pues ¿arrebol? ¡Fartura! Las çejas bien peladas, altas, puestas en arco, los ojos alcoholados; la frente toda pelada y aun toda la cara —grandes e chicos pelos— con pelador de pez, trementina e

161

azeite *de manzanilla; los beços muy bermejos, no de lo* natural, sinón *de* pie de palomina grana, con el brasil con alumbre mezclado. Los dientes anozegados o fregados con mambre, yerva que llaman de India; las uñas alheñadas *e grandes,* e cresçidas, más que más las de los merguellites, así como de blancheta, e aun las trae encañutadas en oro; la cara reluziente como de una espada con el agua que de suso ya dixe. Mudas para la cara diez vezes se las pone, una tras otra, al día una vegada, e quando puestas *non* las tiene paresçe mora de India; çumo de fojas de rávanos, açúcar, xabón de Chipre fecho unguento; otramente azeite *de* almendras; favas que sean cochas con la fiel de la vaca, fecho todo unguento; *esto e razi azúcar, tutano, pie de carnero negro, de la cera blanca hecho todo unguento*[40]. Estas e otras mill mudas fazen: por nueve días fieden como los diablos con las cosas que ponen; pues non se les olvidan los paños e fiel de vaca con favas bien molidas para cobrir el rostro por afinar el cuero. E con esto es ella tanto mirada; pues nin grado nin graçias, sinón a los alatares de quien salió tal fermosura. Pues ¿dezisme que esta tal es fermosa? ¡A la fe, fermosa mejor lo faga Dios! Aquella es fermosa que con agua del río, puesta una lençereja, sin otra compostura, relumbra como una estrella. Así lo fago yo: nunca sinón agua de aquel río puesta en esta cara; pero quiero que sepan que non estó de mirar menos que ella bien afeitada. Aún vos digo más: que si yo hombre fuera, antes me degollara que a tal mi cuerpo diera. ¡O, Señor Dios, por qué non me feziste ombre, que mal gozo vean de mi si por tal como ella penara una noche nin de mi casa saliera! ¡O, O, O, Señor, cómo privas de conosçimiento a aquellos que te plaze! Ojos ay que

---

[40] El arcipreste sigue inspirándose en la obra de Boccaccio. Todo este cuadro sirve para subvertir la idea de una belleza femenina natural, y así apoyar la tesis de lo engañoso de los atractivos femeninos.

de lagaña se agradan[11]; ruin con ruin, así casan en Dueñas[42]. El enxemplo bien lo dize: "Non se puede egualar sinón ruin con su par." Pues en Dios e *en* mi ánima, sí rebentar sopiese, el domigno que viene yo me asiente çerca della dentro en la iglesia: ¡veamos, pues, veamos agora, pues veamos quién llevará la flor! ¡Aún me vea quemada si yo non vo de repica-punto! ¡Yo le quitaré la vez, para ésta que Dios aquí me puso! ¡Verás cómo ravia, cómo me mirará! ¡A la fe, pues, así se fará!» Esto, con envidia la una de la otra, acostumbran dezir. Demás te digo que la muger non faze cuenta de joyas, paños nin arreos que una vez se ponga que non los querría otro día más ver, si pudiese alcançar para otro día diversos, por quanto tiene apetito inestinguible e insaçiable. Antes, todas otras cosas que vee a otras traer desea, aunque tales como las suyas non sean; luego que otra cosa vee, la querría aver e traer. Bien lo dixo el proverbio anti-guo: «Fermosa huerta es la de mi vezino; fermoso gallo tiene mi vezina»[43]. En tanto que a la muger cosa que suya sea e una vez aya traído non le es en su ojo nada; todo lo ageno le paresçe oro puro e lo suyo lodo e peor que çieno: ¡cobdiçia desordenada, perversa de apagar e mala de mitigar! E si por aventura su vezina tan fermosa fuese que desalabar su fermosura non puede, que es notorio a todo el mundo, en aquel punto comiença a menear el cuello, faziendo mill desgaires con los ojos e la boca, diziendo así: «Pues verdad es que es fermosa, pero non tanto allá como la

---

[11] Bernat Metge, en *Lo Somni* (libro tercero), escribe «Ulls hi ha qui.s alten de laganya».

[12] «En Dueñas tuvieron uso de casar en su lugar con su igual y conocido, y no fuera, y los de la comarca por matraca inventaron este refrán, quizá con envidia y desdeñados, que resultan más en honor que en baldón; no comenzó porque allí se casó el rey don Fernando viejo» (Correas, *Vocabulario*, pág. 483).

[13] Refrán castellano que capta el sentido del que usa Andreas Capellanus (a su vez adoptado de Ovidio, *Ars Amatoria*, I, 349-350): «Fertilior seges est alienis semper in agris/vicinumque pecus grandius uber habet.»

alabades. ¿Nunca vimos otra muger fermosa? ¡Más pues! ¡Pues más! ¡Ay, Dios! ¿Pues qué más? ¿Qué contesçió? ¡Yuy, y qué miraglo atán grande! ¿Si vimos nunca tal? ¡Quántas maravillas vistes y qué miraglos por non nada! ¿Aquélla es fermosa? Fermosa es por çierto la que es buena de su cuerpo. Pues yo sé qué me sé, e desto callarme *he*. ¡Quién osase ora fablar! ¡Pues yo reventaría, por Dios, sinón lo dixiese! Yo la vi el otro día, aquella que tenéis por fermosa e que tanto alabáis, fablar con un abad, reír e aun jugar dentro de su palaçio con él, peçilgándole e con un alfilel punchándole con grandes carcajadas de risa. Pues, do esto en ora mala se fazía non quiero dezir más; que la color quel abad tenía non la avía tomado rezando maitines, nin ella filando al torno. ¡Ravia, Señor, aína non serán las buenas entre estos diablos conosçidas, ya por Dios! ¡El diablo aya parte en estas perexiladas! ¡Quántos cuitados con sus afeites traen alderredor! ¿Aquélla me dezís fermosa? ¡Pues, suya sea su fermosura! ¡Buena pro le faga su gentileza! ¡Quién se la vee allí do va fermosa! ¿Fermosa, fermosa es? ¡Santa María! ¡Pues non querría ser ella por toda su fermosura! ¡Ya, por Dios, dexadme, amiga, destas fermosuras! Si fermosa es, fermosa sea; tal me va en ello. ¡Quiçá vistes qué alabanças de non nada! ¡De pulga quiérenme fazer cavallo, e de la que cada día anda los rencones de los abades me fazen agora grand mençión de fermosura! ¡Dexadme ya destas nuevas por la pasión de Dios, que oyéndolas mi coraçón rebienta! ¡Vamos, por Dios, a çenar! Dexémonos destas nuevas; que sin ellas mejor çenaremos que sin pan. ¡Yuy, amiga, Ihus, qué cosa tan escusada que era agora esta! ¡Quántos meneos por non nada!» En tanto que non la puede alabar nin bien della dezir, que si en algo algund bien della dize, que diez vezes después mucho más non le afee. Demás, pocas mugeres fallarás que sus lenguas callar pudiesen en maldezir con pura enbidia. E piensan las cuitadas que maldiziendo de otras fazen a sí fermosas, e desonrando a otras acrescientan en su honra.

Pero si considerase el detractador embidioso e murmurador, el maldezidor —cuchillo de dos tajos, que
alaba en presençia *e* denuesta en absençia— cómo el
sabio lo tiene en la posesión que él meresçe e por
aquel que es, quiá, si lo bien sintiese, rebentaría.
¡O quántos por nuestros pecados juegan oy aqueste fito!
Pero la opinión destos tales muy confusa es a los
sabios e agravada es su ciencia sufística acerca de
los entendidos, e su fama dapnada çerca de los avisa-
dos. Pero el mucho fablador e escarnidor, mofador e
de otros dezidor, murmurador e burlador, aconórteze:
que él solo dize e burla de muchos, e dél solo dizen e
burlan muchos. Aquésta es su pena e conviene que la
sufra, pues que forçado le es que así la ha de levar,
segund dize Françisco Petrarca, *Del remedio de amas
las fortunas:* «Que el que la carga ha de soportar,
pues de fuerça le compete, avisado será quien por
grado la soportare» [44]. Paren mientes a este enxiemplo
muchos, empero más las mugeres, que saben las
cargas que han de soportar quando se dieren a varón
por amigança, amores o casamiento; que su libertad
al que se dieron sometieron, aquella poca o mucha
que tenían. Por ende, dar coçes contra el aguijón es
poca discreçión. Eso mesmo del vasallo contra el
señor e el servidor contra su maestro, el súbdicto
contra su subjugante, el menor contra su mayor, que
como dize el sabio: «A aquellos *que* de nos son más
poderosos, ser eguales non podemos.» E por aquí se
pierden infinidos e muchos que en guar de conosçer
señorío *e* otorgar mejoría a aquellos e aquellas a quien
nuestro Señor fizo grandes, mayores e de más alto
estado e poderío —ora les venga *por* favor, ora por
sus meresçimientos, *ora* por serviçios buenos que
fizieron, diole Dios al tal o la tal suerte de ser que-

---

[44] No se ha podido comprobar esta cita en la obra de Petrarca.

rido, grande e amado, poderoso, de alto estado— e éstos como que paresçe a las vezes que rigen mal, esto por pecados de aquellos que los han de soportar, que a las vezes las personas demandan con que lloren; e desto plaze a Dios que así sea, e a las gentes pesa dello e non lo quieren nin pueden soportar, e quieren dar antes de la cabeça a la pared. Piense, pues, bien el ombre o muger que obedesçer a su superior e mayor es cordura, e fazer el contrario es locura. Si non, mira qué provecho saca o qué ganançia gana el inferior con el su superior, que a la fin faze lo que conviene contra su voluntad e le desonra más. E lo que con grado pudiera complir, mal gradesçido es después su servir. Así que, tornando al propósito, muchos fablan mucho que sería escusado, e alguno en callar sería más avisado. Por ende, mugeres verás que en una sola ora se buelven de mill acuerdos en maldezir e profaçar, que si callasen rebentarían. Pero si dellas loores algunos fueren dichos, entonçe va el río del todo buelto, e allí es la ganançia de los pescadores; e por allí las burlan con muchas lisonjas, e las cativan a las tristes los falsos de los ombres. E con aqueste lazo son tomadas a manos, diziéndole: «¡O qué fermosa! ¡O qué gentil loçana! ¡O qué linda galana! ¡Parescedes la gloria mundana!» E las nesçias e locas (o muy avisadas) todo así lo creen e non piensan que él miente en dos maneras: miente, que sabe bien él çierto que ello non es así, e miente por engaño jurando que es así. ¡O locas sin seso, faltas de entendimiento, menguadas de juizio natural! Creed, pues, sin dubdar que el que más vos loa es por vos engañar, como dice Catón: «Dulçemente canta la caña, quando el caçador, dulçemente cantando, con tal engaño toma el ave.» Piense, pues, la muger que con dulçes palabras la han de tomar, que non con ásperas; y esto es al comienço, que después párese a lo que le viniere; que dulçe es la entrada, mas amarga es la estada; como miel fue la venida, amarga después la vida. Por ende dixo Salamón: «Non por el comienço la loor es catada, mas por la fin siempre fue

comendada»[45]. Así que muchas cosas tienen buenos
comienços que sus fines son diversos. Por eso dize el
enxiemplo bulgar: «Quien adelante non cata atrás
cae.» Por ende cada qual guarde qué faze o qué dize,
que la palabra así es como la piedra, que salida de la
mano non guarda do fiere. E como dize el sabio:
«Buela la palabra, *que,* desque dicha, non puede ser
revocada: desdezirse della sí, mas que ya non sea
dicha imposible sería.» ¡O, quánto daño trae a las
criaturas el demasiado fablar, en espeçial do non
conviene! Pues concluir podemos que por estas cosas
e otras que las mugeres dizen, fablan e detractan, que
sola envidia es la promovedora dello. Pues *odi, vide e
tace si voy vivere in pace.*

CAPÍTULO V

Cómo la muger según da non ay constancia en ella

La muger mala en sus fechos e dichos non ser firme
nin constante maravilla non es dello; que su firmeza
nin constançia non es tanta, que si alguno *con* diligençia la sigua que la non faga venir, por quanto como
çera la muger *es* muy blanda a reçebir nuevas formas,
si en ellas sean *imprimidas.* Que así como de qualquier seello, chico o grande, bien o mal cavado, la
çera saca forma dél, así de la muger mala, venga

---

[45] *Ecclesiasticus,* 7, 9: «Melior est finis orationis quam princi-
pium.» Catón, *Dicta,* I, 28: «Noli homines blando, nimium sermone
probare/Fistula dulce canit, volucrem dum decipit anceps.»

quien viniere, forma ay de su demanda. Si amores quisieres, amores ay; si das, que non te vayas; si non das, que te aluengues. Non guarda vez de molino, de forno nin de honra; que al primero faze postrero e al postrimero primero; todo va en el dinero. E demás oy te dirá uno la muger, a cabo de ora otro; si a uno dize de sí, a otro dize de no; al uno ya / fiel /, al otro alfilel; al uno da del ojo, al otro por antojo; al uno da del pie, al otro fiere de cobdo; al otro aprieta la mano, al otro tuerçe el rostro. Pues, las señales que saben fazer del ojo estas son diversas: que mirando burla del ombre, mirando mofa al ombre, mirando falaga al ombre, mirando enamora al ombre, mirando mata al hombre, mirando muestra saña, mirando muestra ira echando aquellos ojos de través. Más juegos sabe fazer la muger del ojo que non el embaidor de manos. Pues de la boca, ¡Non por burla! E con estos desgaires tanto de sí presumen que su entendimiento anda como señal que muestra los vientos: a las vezes es levante, otras vezes a poniente, otra vez a mediodía / quando / quiere a trasmontana. Por ende non creas que muger al mundo seguridad te pueda dar que en breve momento non la veas mudada, por quanto sola una ora non durará en su propósito, diziendo: «Esto me paresçe, mas si esto contesce, esto será mejor; esto es lo peor pues, ¿qué será de mí? Non lo faría por la vida. Pues en buena fe yo lo faga e faré. Non faré; sí faré. Daca, Isabelica, dos fojas verdes desa oliva; échalas en este fuego, fija de puta, e si rexpendando saltaren ambas paparriba o ambas papayuso, en buena fe yo lo faga. Si la una de suso y la otra de yuso, señal es de contrario: ¡quemada me vean si tal fiziere, amén! Si la una sobre la otra saltaren ayuntadas, aya ya señales de bienquerençia; nunca otro mal me venga; yo lo faré entonçe.» Esto e otras infinidas cosas que non quiero aquí escrevir por non avisar, fazen las buenas mercaderas. E de aquí se levanta creer en estornudos o sueños, e en agueros e señales. E por consiguiente, bía a fazer fechizos e bienquerençias e otras abominables cosas; que el diablo pescador es, que con el gusano chiquillo toma la gruesa anguila. E comiença, el falso malo, por vía de bien façer e en servicio de Dios, e por bien querer, e por bien amar: *pues* el marido que ame a su muger bueno es, e fazer cosa con que aborrezca otra e ame a ella santa cosa es, e estas e otras maneras tales. E desque las tiene en el juego buelve foja, faze fazer a la criatura cosas abominables, fasta renegar su Criador e perder lo que Él desea. Así que su comienço bueno e santo es, pero la fin mala e endiablada es. Así que començarás en una fojuela de oliva, o en un estornudo o sueño a creer, e después, de paso en paso, fazerte ha venir a nigromántico e encantador, fechizero e agorero e adevinador. Por ende cada qual evite los comienços si de los fines seguro ser quisiere. E todo esto las mugeres fazen a fin de «faré, non faré; diré, non diré». Jugando van con su entendimiento a la pelota. E por ende dixo el sabio Marçiano: «¿Mudar costumbres de fembra? Fazer un otro mundo de nuevo más posible sería» [46]. Por tanto de prometimiento de fembra non fíes, sinón de la mano a la bolsa. Si algo te prometiere, ven luego con el saco aparejado; e si primeramente non fueres seguro de lo que te prometiere —conviene a saber que en tu poder lo tengas o a tu comando sea, e aún entonçe non te tengas por muy seguro della— pero al dar todavía sé bien presto. Toma enxemplo del proverbio antiguo: «Perezoso nin tardinero non seas en tomar, que muchas cosas prometidas se pierden por vagar. Quando te dieren la cabrilla acorre con la soguilla. Quien te algo prometiere, luego tomando fiere.» Por quanto, por esperiençia verás que si a lo que la muger te prometiere dieres logar, o tiempo entrepusieres, todo es revocado; que mill vezes a la ora se arrepiente. Si algo da

---

[46] Cita tomada de Andreas Capellanus: «Unde non immerito Marcianus ait: "Age enim, rumpe moram, quia varium et mutabile semper femina".» La cita procede originalmente de Virgilio, no de Marciano, como aseveran Andreas y el arcipreste (*Aeneidos*, IV, 569-570).

o promete, tanta es su avariçia e su poca constançia *que,* si con verguença promete, sin verguença lo revoca por la dolor que tiene de lo que prometió. Mill vezes en ello imagina; allí va, torna e viene, o si lo podría coloradamente revocar, si un cornado diere con esperança de aver florín. Desta regla las monjas son maestras, e dezir dellas en particular non conviene —pues mugeres son e so la regla dellas se comprenden— las buenas como buenas e honestas religiosas loando, e las malas, si las ay, como aquellas que sus fechos las fazen malas reprovando. E por ser religiosas ençerradas e apartadas, puse a la pluma *silencio por fuerza más que de grado, que ella, como* enojada, yo conosçi por verdad que algo quisiera dezir. E como dize la *Decretal:* «Al aflicto non deve ser dada aflición, mas dévese ombre doler de su miseria e mal.» Por ende, las que ençerradas e so obediençia e premia de otro están, e non son libres de sí, farto tienen que roer; aunque *esto no paresce nada a los que su voluntad no tienen franca; que* quiera la criatura dormir e la fagan velar, quiere comer e la fagan ayunar e fazer pública penitençia en refitor *de rodillas* en tierra. Item dalle diçiplinas, e si quiere salir fuera, mándanla estar queda e otras infinidas cosas. Así que non deve dezir ombre de las personas que padesçen de cada día subjugadas a otrie[47]. Así *que,* en conclusión, en dar, prometer e en las otras cosas, como dicho es, la muger no es dubda ser toda variable. Por ende *agora* yo te ruego que te dexes de tomar de quien promete e non ha verguença de revocar, e toma de Aquél que largamente promete, e sin meresçer da gloria perdurable.

---

[47] El arcipreste, como creyente firme en el libre albedrío (véase la cuarta parte de su obra), defiende y se niega a criticar las monjas, quienes, según él, han perdido su libertad. Esta es una de las pocas instancias en toda su obra donde Martínez demuestra piedad por las mujeres.

Capítulo VI

Cómo la muger es cara con dos fazes

La muger ser de dos fazes e cuchillo de dos tajos
non ay dubda en ello, por quanto de cada día veemos
que uno dize por la boca, otro tiene al coraçón[48].
E non es ombre al mundo por mucha amistad, familiaridad, conosçençia, privança que con la muger tenga
que jamás pueda sus secretos saber, nin que fiel nin
lealmente con el que usare la muger fable. Toda vía se
guarda, toda ora se teme; toda vía al rencón de su
coraçón guarda e retiene algund secreto que non
descubre por non ser señoreada, nin que otro toda su
voluntad e coraçón sepa. Jurará, perjurará: «Nunca
tal cosa fize; nunca tal cosa dixe nin presumí, para
esto ni aun para aquello. Nunca fui en tal cosa, ni
jamás tal yo supe. ¿Non me creés agora? Dezid,
pues, si me creés.» Veréis cómo dirá: «¡Yuy, qué
yerto, duro como roble, demón, alperchón, diablo
tamañazo! Dezid, pues, si me creés, ¿Non me queréis creer? Agora tanto me da, creedlo o non lo
creáis; que si tal cosa fize, nin tal cosa dixe, ni por mi
boca salió, ¡quemada me vea, amén! ¡Nunca goze de
mi alma! ¡El diablo me lieve! ¡El diablo me afogue!
¡El diablo sea señor de mi alma! ¡Así sea santa en
paraíso! ¡Así vea gozo désta! ¡Así vea mis fijos cria-
dos! ¡Non aya más pena mi alma! ¡Non vea más
manzilla de lo que parí! ¡Así goze de lo que yo más
amo! ¡Así sea yo casada! ¡Así me alumbre Dios! ¡Así
me vala Dios! ¡Así vea este fijo arçobispo! ¡Así cum-

---

[48] La imagen de la mujer como «cuchillo de dos tajos» es
tradicional puesto que se remonta hasta la *Biblia* (cfr. *Proverbios*, 5, 4).

pla Dios mis deseos! ¡Mejor goze de ti! ¡Así gozes de
mí! ¡Landre *mala,* mala muerte, dolor de costado me
fiera, me mate, me saque del mundo! ¡Por esta señal
de cruz! ¡Para la Virgen Santa María! ¡Por Dios
todopoderoso! ¡Para los santos de Dios! ¡Para la
pasión de Dios! ¡Por Dios bivo verdadero!» Otras
mugeres juran por otras maneras, diziendo: «¡Así
biva esa persona honrada! ¡Así biva yo! ¡Así bivas tú!
¡Mejor biva mi fijo! ¡Así aya buen reposo aquel
honrado padre vuestro que yo bien conosçí! ¡Mejor
goze de aquéstos! ¡Para el siglo de mi padre! ¡Ya juré
por mi vida! ¡Nunca biva en el mundo! ¡Mal gozo vea
mi padre de mí! ¡Levarme veas como aquella que
açotaron! ¡Mis fijos vea sobre mí degollados! ¡Para la
vida del Rey! ¡Por Nuestro Señor! ¡Mal duelo venga
sobre mí! ¡Nunca el año cumpla! ¡Así vos dé Dios
salud e a mí paga! ¡Así biva Juan Gonçalez! Ya juré.»
Estas e otras infinidas maneras de juras juran las
mugeres e han acostumbrado de jurar; pero quando lo
juran, juran en dos maneras: juran por la boca, revó-
canlo por el coraçón, diziendo: «Jura mala en piedra
caiga.» O dizen entre su coraçón quando dizen: «¡Mal
gozo vea de mí!», en el coraçón: «Nunca o mejor.»
E con esto tal piensan que engañan, pero ellas son
engañadas: que quien con arte jura, con arte se per-
jura. E por ende son dichas las mugeres de dos
coraçones e cuchillo de dos tajos: uno juran, otro
fazen; uno muestran, otro tienen; uno predican, otro
ponen por obra. ¿Ay en el mundo mayores engaños
que a la falsa muger con juramentos creer la que es
simple; e aquella que robaría a su padre averla por
inoçente; e a la lisonjera con juras creer su mentira
por verdad; e [a] la mala fembra por juramentos creer
su castidad; e a la malqueriente creer su amistad; e a
la mentirosa creerle que es su mentira verdad? Demás
aprende e fazle como te faze; pues ella non te dize su
coraçón, non le digas tú el tuyo; que oído has cómo
contesçió a muchos pasados e contesçe oy a los
bivientes, que por descobrir sus coraçones e poridades padesçen. Mira a Santsón cómo desque reveló a

su muger Dalida que tenía la fuerça en una vedija de la cabeça, cómo con arte espulgándole e peinándole desque dormido ge la cortó, e a sus enemigos le libró, e quando quiso fazer armas fallóse privado de fuerça, e así le sacaron los ojos e le traían por los mercados, plaças e bodas por escarnio, diziendo: «¿Qué vos paresçe? El toro bravo como oveja es tornado.» Tanto que un día estando ayuntadas muchas gentes en un combite do los más e los mejores estavan, fizo a un muchacho que le llegase a un pilar que estava en medio de la casa. E como después de trasquilado le avía cresçido el cabello, cobró alguna más fuerça e dio con la casa en tierra, donde murió él e los que dentro estavan en número más de çinco mill, diziendo: «¡Aquí morrá Santsón e quantos con él son!»[49] Eligió morir mala muerte como desesperado, viéndose puesto en tan pobre estado. Esto vino por el su secreto querer descobrir a la muger. Por ende cada qual se guarde e aprenda dellas, que aunque mucho son parleras, de sus secretos muy bien son calladas. Pues usa de su arte, e como dize Catón: «Así con arte engañarás al que anda con arte»; o a lo menos con tal arte de sus engaños te podrás de fáçile defender[50], que sepas que su deseo de las mugeres non es otro sinón secretos poder saber, descobrir e entender. E así escarvan en ello como faze la gallina por el gusano, e porfiarán dos oras: «Dezid y dezid; dezídmelo; vos me lo diredes», con abraços, falagos y besos —quando otra cosa non fallan a que se acorrer— diziendo: «¡Yuy, non me dexéis preñada! ¡Non me fagáis mover! ¡Non me dades mala çena! ¡Non me enogéis! ¡Non me dexedes con el trópico en el vien-

---

[49] Andreas Capellanus alude esquemáticamente a la historia de Sansón, pero el arcipreste elabora el cuento evocando los detalles de la historia bíblica (*Iudices*, 16, 30). El Marqués de Santillana en sus refranes incluye la frase: «Muera Samsón, e quantos con él son.»
[50] La cita probablemente procede de *Dicta*, II, 18: «... stultitia simulare loco, prudentia summa est.»

tre! ¡Dezídmelo por Dios! ¡O cuitada! ¡O mesquina! ¡O desaventurada! ¡Yuy, qué yerto! ¿Cómo sois así? ¡Yuy, qué desdonado! ¡Avré que dezir! ¡Dezídmelo, así gozéis de mí, en Dios e mi alma! Pues, pues, en buena fe, si non me lo dezís, nunca más vos fable. ¿Queréis, queréis, queréismelo dezir?» A la terçera «non queréis»: «Agora, pues, dexadme estar.» En esto lança las çejas; asiéntase en tierra; pone la mano en la mexilla; comiença de pensar e aun a llorar de malenconía, bermeja como grana; suda como trabajada; sáltale el coraçón como a leona; muérdese los beços; mírale con ojos bravos; si la llama non responde, si della trava, rebuélvese con grand saña: «Quitáos allá; dexadme. Bien sé quánto me queréis: en este punto lo vi; todavía lo sentí.» Luego faze que sospira, aunque lo non ha gana. E a las vezes conteçe quel triste del bachachas, como es mugereja, dize: «Non te ensañes, que yo te lo diré.» Dízele todo el secreto, ella faze que ge lo non presçia nin le plaze oirlo, pues non ge lo dixo quando ella quería e le venía de gana; mas presta tiene la oreja aunque buelve el rostro. E quando bien ha dicho el cuitado, e contada su razón, responde la doctora: «¿Ése es el secreto? Esto es lo que me avíedes de dezir? Pues quanto eso yo me lo sabía. ¡Allá, allá con ese lazo a tomar otro tordo! ¿Pensáis quiçá que soy nesçia? Vía a trompar donde justan; a las otras, que a mí non, ca, guay de mí, ¡veréis que vos vala Dios! ¡Qué secreto tan grande! ¡Qué poridad tan çierta, para esta que Dios aquí me puso! E miradme bien; que yo non digo más.» E con estas e otras maneras saben fazer sus fechos ellas teniendo una en el corazón e otra en la obra o en la lengua. Do se concluye ser la muger doble de coraçón; pues a la tal entiéndala Dios que puede, e pueda con ella aquel que poder tiene.

CAPÍTULO VII

Cómo la muger es desobediente

La muger ser desobediente dubda non es dello, por quanto si tú a la muger algo le dixeres o mandares, piensa que por el contrario lo ha todo de fazer. Esto es ya regla çierta. E por ende el dicho del sabio Tholomeo es verdadero, que dixo de la muger fablando: «Si a la muger le es mandado cosa vedada, ella fará cosa negada»[51]. Pero por más venir en conosçimiento dello, ponerte he aquí algunos enxiemplos.

Un ombre muy sabio era en las partes de levante, en el regno de Escoçia, en una çibdad por nombre Salustria. Este tenía una fermosa muger e de grand linaje; e ensoberveçida de su fermosura —como, mal pecado, algunas fazen oy día— cometió contra el marido adulterio, seyendo de muchos amada e aun deseada, tanto que, el fuego fecho, uvo de salir fumo. El buen hombre sintió su mal e, sabiamente usando, mejor que algunos que dan luego de la cabeça a la pared, dexó pasar un día, e diez, e veinte, e pensó cómo daría remedio al dicho mal. Pensó: «Si la mato, perdido so; que tiene dos cosas por sí: parientes que proçederán contra mí; la justiçia porque ninguno non deve tomarla por sí sin conosçimiento de derecho e legítimos testigos, dignos de fee e buenas provanças, con estrumentos e otras escripturas aténticas —e esto delante aquél que es por la justiçia del Rey presidente o governador, corregidor o regidor— e ninguno por sí

---

[51] No es Tolomeo, sino Ovidio, por medio del *De Amore:* «Nitimur in vetitum semper, cupimusque negata» *(Amores,* III, 4, 17).

non deve tomar vengança nin punir a otro ninguno. E segund esto, pues yo de mí sin provanças non lo puedo fazer. Item más, los parientes dirán que ge lo levanté por la matar e me querer con otra de nuevo ayuntar; averlos he por enemigos.» Pues visto todo lo susodicho, e los males e dapnos que dello se pudieran recreçer, non la quiso matar de su mano por non ser destroído; non quiso matarla por vía de justiçia, que fuera disfamado. Fue sabio e usó de arte segund el mundo, aunque segund Dios escogió lo peor. Por ende pensó de acabar della por otra vía que él sin culpa fuese al mundo —aunque a Dios non, segund dixe, por quanto el que da causa al daño e por su razón se faze, tenudo es al daño— mas quisiera él que paresçiera ella ser de su propia muerte causa. E por tanto tomó ponçoñas confaçionadas, e mezclólas con del mejor e más odorífero vino que pudo aver, por quanto a ella non le amargava buen vino, e púsolo en una ampolla de vidrio, e dixo: «Si yo esta ampolla pongo donde ella la vea, aunque yo le mande "Cata que non gustes desto", ella, como es muger, lo que le yo vedare aquello más fará e non dexará de bever dello por la vida, e así morrá.» Dicho e fecho: el buen ombre sabio tomó la ampolla e púsola en una ventana donde ella la viese. E luego dixo ella: «¿Qué pones aí, marido?» Respondió él: «Muger, aquesta ampolla, pero mándote e ruego que non gostes de lo que dentro tiene; que si lo gustares luego morrás, así como nuestro Señor dixo á Eva.» E esto le dixo en presençia de todos los de su casa porque fuesen testigos. E luego fizo que se iva. E aún non fue a la puerta, que ella luego tomó la ampolla, e dixo: «¡A osadas! ¡Quemada me vean si non veo qué es esto!» E olió el ampolla e vido que era vino muy fino, e dixo: «¡Tómate allá, qué marido y qué solaz! ¿Desto dixo que non gustase yo? ¡Pasqua mala me dé Dios si con esta manzilla quedo! ¡Non plega a Dios que él solo lo beva; que las buenas cosas non son todas para boca de Rey!» Dio con ella a la boca e bevió un poco, e luego cayó muerta. Desquel marido sintió las bozes,

176

dixo: «¡Dentro yaze la matrona!» Luego entró corriendo el marido mesándose las barvas, diziendo a altas bozes: «¡Ay mesquino de mí!» Pero baxo dezía: «¡Que tan tarde lo començé!» En altas bozes dezía: «Captivo, ¡qué será de mí! En su coraçón dezía: «¡Si non muere esta traidora!» Iva a ella e tirava della pensando que se levantaría; pero allí acabó sus días[52]. Pues catad aquí cómo la muger por non querer ser obediente, lo que le vedaron aquello fizo primero, e murió como otras por esta guisa mueren.

Otra muger eso mesmo cometió otro tanto: ella fazía a su marido maldad; el marido dixo: «Espera, que yo te acabaré.» Fizo fazer un arca con tres çerraduras e puso dentro una ballesta de azero armada, e cada que la abrían dávale el viratón por los pechos a aquel que la abría; e púsola en su palaçio, e dixo: «Muger, yo te ruego que tú non abras esta arca, si non, al punto que la abrieres luego morrás. Cata que así te lo mando e digo delante estos que presentes están, e séame Dios testigo, que si el contrario fizieres, que tú te arepentirás; e non digo más.» E dicho esto en ese punto partió e se fue a su mercadería. E luego, él partido, *la muger* començó de pensar un día, otro día, una noche e diez noches, tanto que ya rebentava de pensamiento e vasqueaba de coraçón que lo non podía soportar. E un día dixo: «¡Mal gozo vean de mí si alguna cosa secrecta que non querríe mi marido que yo viese o sopiese non puso en esta arca; que quantas çerraduras le puso e tanto me vedó que la non abriese! Pues non se me irá con esta: que aunque morir sopiese de mala muerte, yo la abriré e veré qué cosa tiene dentro.» Fue luego a descerrajar el arca, e al alçar del tapadero della, desparó la ballesta e diole por los pechos, e luego cayó muerta.

---

[52] El cuento aparece en Capellanus, pero de forma muy esquemática. Como de costumbre, el arcipreste elabora sus fuentes extensamente. Esta historia también se relaciona con el «Enxiemplo XXVII» del *Conde Lucanor*, «De lo que contesció a un emperador et a don Alvar Háñez Minaya con sus mugeres.»

Pues vedes aquí en cómo la muger morir o rebentar o fazer lo contrario de lo que le es vedado.

Otra muger era muy porfiosa, e con sus porfías non dava vida a su marido. Un día imaginó cómo con toda su porfía le daría mala postrimería el marido, e dixo: «Muger, mañana tengo convidados para çenar. Ponnos la mesa en el huerto a ribera del río, deyuso del peral grande, porque tomemos guasajado.» E la muger así lo fizo: puso la mesa luego e aparejó bien de çenar, e asentáronse a çenar. E traídas las gallinas asadas, dixo el marido: «Muger, dame agora ese cañivete que en la çinta tienes, que este mío non corta más que maço.» Respondió la muger: *«¡Yuy,* amigo! ¿Dónde estáis? ¡Que non es cañivete: que tiseras son, tiseras!» *Dixo el marido: «¿Agora en mal punto del gañivete me fazes tiseras?»* La muger dixo: *«Amigo,¿qué es de vos? ¡Que tiseras son, tiseras!»* Desque el marido vido que su *muger porfiaba e que su* porfía era por demás, dixo: «¡Líbreme Dios desta mala fembra: aun en mi solaz porfía conmigo!» Diole del pie e echóla en el río. E luego començó a çabullirse so el agua e vínosele *en* miente que non dexaría su porfía aunque fuese afogada: ¡muerta sí mas non vencida! Començó a alçar los *dos* dedos fuera del agua, meneándolos a manera de tiseras, dando a entender que aún eran tiseras, e fuese el río abaxo afogando. E luego los convidados ovieron della grand manzilla e pesar, e tomaron *luego* a correr el río abaxo por la ir a acorrer, e *el* marido dióles bozes: «¡Amigos, tornad, tornad! ¿Dónde ides? ¿E cómo non pensáis que como es porfiada aun con el río porfiará e tornará sobre el agua arriba contra voluntad o curso del río?» E mientra que ellos se tornaron río arriba, pensando que lo dezía de verdad, la porfiada con su negra porfía, porfiando mal acabó[53].

---

[53] No hay variante española o latina conocida de este cuento. Sin embargo, Marie de France lo incluye en sus *Fábulas* (XCIV-XCV). Véase *Die Fabeln der Marie de France,* edición de Karl Warnke (Halle, 1898). Hebel también utiliza el episodio en su *Schtzkästlein.*

Otra muger iba con su marido camino a romería a una fiesta. Pusiéronse a una sombra de un álamo, e estando ellos folgando vino un tordo e començó a chirrear. E el marido dixo: «¡Bendito sea quien te crio! ¿Verás, muger, cómo chirrea aquel tordo?» Ella luego respondió: «¿E non vedes en las plumas e en la cabeça chica que non es tordo, sinón tordilla?» Respondió el marido: «¡O loca! ¿E non vees en el cuello pintado e en la luenga cola que non es sinón tordo?» La muger replicó: «¿E non vedes en el chirrear e en el menear de la cabeça que non es sinón tordilla?» Dixo el marido: «¡Vete para el diablo, porfiada, que non es sino tordo!» «¡Pues en Dios e mi ánima, *marido,* non es sinón tordilla.» Dixo el marido: «¡Quiçá el diablo traxo aquí este tordo!» Respondió la muger: «¡Para la Virgen Santa María non es sinón tordilla!» Entonçe el marido, movido de malenconía, tomó un garrote del asno e quebrantóle el braço. E donde ivan a romería a velar a Santa María por un fijo que prometieran, bolvieron a ir a Sant Antón a rogar a una otra hermita que Dios diese salud a la bestia quel braço porfiando tenía quebrado.

Destos enxiemplos mill millares se podrían escrevir; pero de cada día contesçen tantas destas porfías, quel escrevir es por demás. Concluye, pues, que ser la muger porfiada e desobediente, e querer lo contrario siempre fazer e dezir, prática lo demuestra.

Capítulo VIII

De cómo la muger sobervia
non guarda
qué dize nin faze

La muger ser sobervia, común regla es dello; pero para mientes a la muger quando la vieres irada *qué* cosas se dexa dezir por aquella boca infernal que non son de oír nin escuchar. Antes tengo por sabio e ombre de pro al que la tal muger irada viere, que fuya de sus nuevas, buelva sus espaldas e déxela dezir fasta que sea farta. E si le non responde, luego callará; pero si le tienen cuerda, con el poco juizio e corto sentimiento, non parando mientes a lo que dize, nin a lo que dello puede venir nin recreçer, non dexará de echar fuego e dezir lo suyo e lo ageno; que por cosa al mundo non perdonaría a la luenga, pues mucho menos a las manos, si las puede poner: que non ha gato que mejor trave de asadura que la muger de donde engasgare. E si en aquel punto sopiere algund secreto, aunque de muerte sea, luego en ese punto lo dirá sin más tardar, o morir. En esto non ay detenimiento alguno. Por ende vea cada qual qué le cumple, e dé logar, si seso oviere, o tenga de la discreçión la rienda, si loco non fuere. Por ende, las mugeres muchas vezes toman tanta osadía, sin miedo alguno del ombre, que se tienen por dicho: «Muger só, non me fará nada, non me ferirá, non sacará arma para mí que soy muger, que le correría todo el mundo si tal fiziese o cometiese: que para muger, judío nin abad non deve ombre mostrar rostro nin esfuerço, nin cometer a ferir, nin sacar armas; que son cosas vençi-

das e de poco esfuerço.» E por esto e con esto la muger
se atreve muchas vezes a desonrar, maltractar e difamar a algunos, porque son çiertas quel ombre, o por
su vergüença o por su seso natural, non cometerá
contra ellas poner las manos, que bien sabe la muger
que la más hardida non tendrá manos al más cobarde.
Pero ¡ay Dios, sinón son a las vezes en esto engañadas!, que —aun*que* algo con seso alguno comporte de
non ser atrevido— alguno viene que le da otra vez
algund «Bien seas venido, y tente esa que vo por
paja; perdonadme si escrivo corto: aya perdón, que
nos conosçia». ¡Ay Dios, ay Dios! Quántos dapnos
muchas mugeres reçiben por esto solo presumiendo:
«Non osará, non fará, non contesçerá, non será tan
loco, non será tan atrevido; bien sé que non le tomará
el diablo.» E dize la boca por do lieve la coca; que
non siento ángel que non fizieren tornar diablo, nin
ombre que non fizieren desdezir con aquella sobervia
que en ellas reina; que, en aquel punto, antes amansa-
ríes un bravo león que a la muger; que aunque de pies
e de manos atada la tovieses, antes la podríes matar
que fazer rendir nin pasar. E son de tal calidad que
por muy poquita injuria que les digas, luego es la ira
así fuerte en ellas que cuidan rebentar e ravian luego
por se vengar. Demás, si veer quieres cómo es grande
la sobervia de la muger, para mientes que non es otra
muger a quien presçie, antes a qualquier otra tienen
en poco e en estima de non nada. A la una dize vil, a
la otra dize suzia, a la otra para poco, a la otra
perezosa, a la otra mal airosa, a la otra mala muger, a
la otra de mala luenga —e quiçá ella es de peor. E así
en todas otras falla tachas sinón en sí, que vino por
Espíritu Santo al mundo. E ninguno que a otra tenga
en menos non se le levanta salvo de grand sobervia e
arrogançia o jatancia. Demás te diré, que non ay
moça loca nin vieja desonesta que en sus traeres non
se conoscan sus vanaglorias, sobervias e inflaçiones
de arrogançia. E si algund tanto en las moças el
mundo lo comporta, en las viejas endiabladas, y ¿para
qué? que quando la vieja está bien arreada e bien

pelada e llepada paresçe mona desosada: míranse los pechos, y ¿pechos? ¡Ya guaya, arquibanco de huesos, digo yo! Míranse las manos con tantas sortijas e vanse los beços mordiendo por los tornar bermejos, faziendo de los ojos desgaires, mirando de través, colleando como locas, mirándose unas a otras, sonriendo e burlando de quantos e quantas ven e pasan. Una destas viejas paviotas arreada ha menester toda una plaça con grand reçaga de mugeres, muchos ombres delante: «¡Fija de puta, Marica, estiende bien esa falda!» A las vezes fazen como por yerro que alçan la falda por mostrar el chapín o el pie, o algund poco de la pierna. Miran luego como que la vieron e non se lo cuidava, e suelta la falda e abaxa los ojos de muy vergonçosa; bien sabe, pero, qué faze. Si por casa anda en saya, faze que se abaxa a tomar de tierra alguna cosa por mostrar los çancajos e grand forma de nalgas con loçanía e orgullo, por ser deseada de aquel *de quien* es mirada, o a quien tal muestra faze. Por donde dize un sabidor Tholomeo: «Sobervia e orgullo siguen la fermosura» [54]. La que es fermosa e de grand cuerpo es de grand orgullo e sobervia acompañada, así ombre como muger. Lee Françisco Petrarca *De remedio utriusque fortune*, en el II.º libro, *De dolore*, do dize: «Si Elena non fuera tan fermosa, el alcáçar de Troya Ilión fasta oy durarara» [55]. E por ende mucho mejor es con virtudes fazerse fermoso que non nasçer fermoso; que en chica casa grand ombre cabe, e en chico cuerpo grand coraçón e virtud abitan. Sola la virtud de leyes es esenta, viçio a todo mal obligado *conviene que sea:* el ombre avieso, duro de enderesçar, e la muger mala

---

[54] Otra vez, no es Tolomeo, sino Ovidio (*Fasti,* I, 419), que Andreas Capellanus cita sin dar el nombre del autor: «Cunctis inest festus, sequiturque superbia formam.»
[55] No es del libro II de la obra de Petrarca, sino del *dialogus* LXXII, «Gaudium et Ratio»: «Certe, nisi formosa adeo esset Helena, Troia mansisset incolumis; nisi tam formosa Lucretia, Romanum regnum non tam velociter corruisset.»

muy fuerte por fuerça de castigar, e de los vicios
estraña de quitar. Por donde manifiestamente se
muestran las mugeres que non es posible mudar de
sus costumbres; e dize un sabio un dicho tal: «Difor-
mes faze las buenas la sobervia, si con ellas se
junta»[56]. Por *ende* non es ombre nin muger, por
doctado que sea de muchas virtudes, si sobervia fuera
non lança de sí, que todas non las anule, e non le
valan nada sus virtudes juntadas donde tal viçio como
sobervia permanesçe. Por ende se concluye por lo
susodicho de grand sobervia seer la muger doctada.
Quien menos la praticare, farále Dios merced seña-
lada.

Capítulo IX

Cómo la muger es doctada
de vanagloria ventosa

La muger ser vanagloriosa —¡e quánto!— aquí yaze
el mal todo; que non es muger en el mundo por la
mayor parte que escusar pueda de vanagloria e de se
presçiar de arreos e fermosura; e aun todas las palabras *que* de sus loores fueren dichas, aunque verda-
deras non sean, que non las crea, presumiendo en ella
seer como le es dicho, fablado e dado a entender.
E non me maravillo ser en las fembras esta mácula,
pues naturalmente les viene de nuestra madre Eva,
que creyó a la serpiente, el diablo Sathanás, que le

---

[56] El sabio es Capellanus: «Iniquinat egregios adiuncta superbia
mores.»

vino a engañar diziéndole: «Si del fruto deste árbol de sabiduría de bien e mal comieres, en saber egual serás al Alto que te formó.» E luego, por su fragilidad de entendimiento e con grand vanagloria, creyendo e pensando, como Luçifer, ser egual en saber de Aquel cuyo saber non ha par, e que seyendo egual a Él en saber, que sería luego a Él egual en poder, luego cometió lo vedado gustar. E así vino el ombre e muger a decaimiento, do troxieron sus sobçesores, que fueron e aun *oy* día son e serán eso mesmo caso de vanagloria en querer ser grandes, poderosas, temidas (e non de burla) por grand vanagloria que lo procura[57]. Demás te digo que non es oy muger que se fartase de ser mirada e deseada e sospirada, loada e del pueblo fablada: este es su deseo, esta es su femençia, e este es todo su Dios, plazer, gozo e alegría. Por ende es su vida salir e andar arreadas cada qual con la mayor vanagloria e pompa que puede. E quando las gentes las miran e por ellas sospiran o dellas fablan, o por la calle las motejan, fazen desgaire como que se enojan e demuestran las tales mala cara, mostrando poca paçiençia; pero Dios sabe la verdad, que son coçes de mula, que ellas querrían que nunca fiziesen sinón desearlas e fablar dellas e motejarlas. E aunque dizen: «¿Veréis qué nesçio? ¿Veréis qué loco? ¿Vistes qué ombre simple?», esto dize su jesto segurando, pero sol mantillo ríense como locas. E quando la muger paresçiente está donde non es mirada, muere e rebienta. Quando ay logar donde la miren, non se vee nin conosçe; más continençias e jestos faze que nuevo justador. Todo esto proviene de vanagloria e loçanía. Dice la fija a la madre, la muger al marido, la hermana a su hermano, la prima a su primo, la amiga a su amigo: «¡Ay, cómo

---

[57] El aludir a la historia de Adán y Eva y a la Caída del hombre es uno de los recursos más comunes de los autores antifeministas desde San Pablo (véase, por ejemplo, *Corinthios, I,* 7, 7-9; *Timoteo, I,* 2, 11-14; *Ad Ephesios,* 5, 22-24).

estó enojada! Duéleme la cabeça; siéntome de todo el cuerpo; el estómago tengo destemprado estando entre estas paredes. Quiero ir a Los Perdones; quiero ir a Sant Françisco; quiero ir a misa a Santo Domingo; representaçión fazen de la Pasión al Carmen; vamos a ver el monesterio de Sant Agustín, ¡O qué fermoso monesterio! Pues pasemos por la Trenidad a ver *el* casco de Sant Blas[58]; vamos a Santa María, veamos cómo se pasean aquellos gordos, ricos e bien vestidos abades; vamos a Santa María de la Merced, oiremos el sermón.» Todos estos caminos e otros semejantes, segund sus tierras, mueven a fin de ser vistas e miradas. E, lo peor, que algunas non tienen arreos con que salgan, nin mugeres nin moças con que vayan, e dizen: «Marica, veme a casa de mi prima que me preste su saya de grana. Juanilla, veme a casa de mi hermana que me preste su aljuba, la verde, *la* de florentín. Inesica, veme a casa de mi comadre que me preste su crespina e aun el almanaca. Catalnilla, ve a casa de mi vezina que me preste su çinta e sus arracadas de oro. Françisquilla, ve a casa de mi señora la de Fulano, que me preste sus paternostres de oro. Teresuela, ve en un punto a mi sobrina que me preste su pordemás, el de martas forrado. Menciyuela, corre en un salto a los alatares o a los mercaderes; tráeme solimad e dos onçillas *de* çinamomo, o clavo de girofre para levar en la boca.» Estas cosas e otras demandan prestadas, segund más e menos, la que lo non tiene, e segund es su estado, unas de más, otras de menos. A las unas fallesçe una cosa, e a otras más de quatro, e a otras todo junto el arreo que han de sacar. E aun las mugeres e moças demandan emprestadas. E si a cavallo quieren ir, la mula pres-

---

[58] En su estudio sobre «Los *diablos* de Almonacid del Marquesado», Julio Caro Baroja habla de las fiestas de San Blas en Castilla la Nueva. En estas, unos diablos danzantes se ponen un «gorro de San Blas», que parece una mitra. *Estudios sobre la vida tradicional española*, Madrid, 1959, pág. 98.

tada, moço que le lieve la falda, dos o tres o quatro ombres de pie en torno della que la guarden non caiga —e ellos por el lodo fasta la rodilla e muertos de frío, o sudando en verano como puercos de cansançio, trotando tras su mula a par della— teniéndola, e ella faziendo desgaires como que se acuesta, e que se lleguen a tenella, la mano al uno en el ombro e la otra mano en la cabeça del otro; sus braços e alas abiertas como clueca que quiere bolar; levantándose en la silla a do vee que la miran; faziendo de la boca jestos doloriosos, quexándose a vezes, doliéndose a ratos, diziendo: «¡Avad, que me caigo! ¡Yuy, qué mala silla! ¡Yuy, qué mala mula! El paso lieva alto, toda vo quebrantada, trota e non ambla. ¡Duéleme la mano de dar sofrenadas, cuitada! Molida me lieva toda. ¡Qué será de mí!» E va faziendo planto como de Magdalena. E si algund escudero la lieva de la rienda e ay gente que la miren, dize: «¡Ay amigos, adobadme esas faldas, enderesçadme este estribo! ¡Yuy, que la silla se tuerçe!» E esto a fin que estén allí un poquito con ella e que sea mirada. Todo esto se faze con vanagloria, orgullo e loçanía. E muchas destas van por la calle arreadas, que quando tornan a casa e han tornado a cada qual lo suyo, quedan con ropas de así te andas, rotas, raídas e descosidas, llenas de suziedad e mal aparejadas. ¡Quién se las vido e las vee! Dentro en su casa, pasan con pan e çebolla, queso con rávanos, e aun tan buen día e dan a entender fuera que todo es oro lo que luze. E más fuerte te diré, que aun a la vezindad dan a entender que alcançan oro e moro, algo e mucho bien; e tórnase el tal oro en lazeria farta e muchas fadas malas. E después bía a llorar, filar la rueca e el torno, fazer alvaneguillas, echandillos, cruzadillos, sudarios, bolsillas; broslar almohadas, fruteros, pañezuelos; coser camisas, estiradillas; fazer almanacas de cuentas e muchas otras cosas —e tan buen día que fallen que fazer, que non les sale el jornal a diez cornados. ¡Pero quién se las vido señoras de escuderos, mugeres e moças e ombres de pie, faziéndoles reverençia todos quantos pasavan, pensando ser muger de ombre de veinte lanças, o de un tal fija o sobrina! Esto faze la grand vanagloria e chico recabdo que en ellas ay e todavía en ellas reina por ser loadas, deseadas, fabladas; e non ay muger, por de poco estado que sea, que non se faga de noble linaje e de grandes parientes, e de sangre muy limpia por la grand vanagloria e poco juizio que alcançan[59]. E non solamente fuera de su tierra, do non son conosçidas, mas en el logar donde fueron nasçidas e las conosçen mejor que non ellas que lo dizen; pero los que lo oyen *e veen* cállanlo a fin de *lo* comportar, pues nada non les va en ello. Esto proçede de vanagloria e locura grande. Donde se concluye de vanagloria la muger —así con dote como sin dote— ser della bien doctada.

CAPÍTULO X

De cómo la muger miente jurando e perjurando

La muger mala ser mentirosa dubdar *en ello* sería *peccado,* por quanto non es muger que mentiras non tenga *muy* prestas e non disimule la verdad en un punto; e por una muy chiquita cosa e de poco valor, mill vezes jurando non mienta, e por muy poca ganançia e provecho de cosa que vee mentiras infinidas dezir non se dexe. E por tanto, verás que las mugeres, por la mayor parte, todos sus fechos son cautelas

---

[59] Traducción de la frase de Capellanus: «Sed et nulla mulier invenitur ex tam infimo genere nata, quae se non asserat egregios habere parentes et a magnatum stipite derivari, et quae se omni iactantia non extollat», lo cual inspiró todo el ejemplo anterior.

e maneras, e con mentiras las coloran e adornan, e a las vezes con sus empaliadas mentiras levantan sobre otros e otras falso testimonio, e crimen sobre otras componen. E non sé ombre, por muy acuçioso e avisado que sea, que a la muger pueda fazer conosçer su mentira, nin, por presto quél sea, que la muger non le faga de verdad mentira jurando, perjurando, maldiziéndose que nunca fue ni es lo que él al ojo vido e ve. Contarte *he* un enxiemplo, e mill te contaría: una muger tenía un ombre en su casa, e sobrevino su marido e óvole de esconder tras la cortina. E quando el marido entró dixo: «¿Qué fazes, muger?» Respondió: «Marido, siéntome enojada.» E asentóse el marido en el banco delante la cama, e dixo: «Dame a çenar.» E el otro que estava escondido, non podía nin osava salir. E fizo la muger que entrava tras la cortina a sacar los manteles, e dixo al ombre: «Quando yo los pechos pusiere a mi marido delante, sal, amigo, e vete.» E así lo fizo. Dixo: «Marido, non sabes cómo se ha finchado mi teta, e ravio con la mucha leche.» Dixo: «Muestra, veamos.» Sacó la teta e diole un rayo de leche por los ojos que lo cegó del todo, e en tanto el otro salió. E dixo: «¡O fija de puta, cómo me escuece la leche!» Respondió el otro que se iva: «¿Qué deve fazer el cuerno?» E el marido, como que sintió ruido al pasar e como non veía, dixo: «¿Quién pasó agora por aquí? Paresçióme que ombre sentí.» Dixo ella: «El gato, cuitada, es que me lieva la carne.» E dio a correr tras el otro que salía, faziendo ruido que iva tras el gato, e çerró bien su puerta e tornó*se*, corrió e falló su marido, que ya bien veía, mas non el duelo que tenía[60]. Pues así acostumbran las mugeres sus mentiras esforçar con arte.

Otro enxiemplo te diré: otra muger tenía un fraire tras la cama escondido; desque vino su marido, non sabía cómo le sacar fuera. Fuese a su marido e díxole:

---

[60] Este cuento es semejante al número 90 del *Libro de los enxemplos,* y al número 9 de la *Disciplina Clericalis.*

«¿Dónde vos arrimastes, que venís lleno de pelos?»
El marido bolvió para que la muger le alimpiase los
pelos, e, bueltas las espaldas, salió el fraire que
estava escondido. E dixo el marido: «Paresçióme
como que salió ombre por aquí.» Dixo ella: «Amigo,
¿dónde venides, o estades en vuestro seso? ¡Guay de
mí! ¿E quién suele entrar aquí? ¡Guay, turbado venís
de alguna enamorada! los gatos vos paresçen ombres,
señal de buena pasqua!» Luego calló el marido e
dixo: «¡Calla, loca, *calla!* que por provarte lo dezía.»
E así fizo e faze la muger su mentira verdad.

Otra, teniendo otro escondido, de noche vino su
marido e ovo de esconder el otro so la cama; e
quando el marido entró, fizo la candela caediza e
apagóse. E dixo la muger al marido: «*Andad aquí
comigo,* dadme aquí un alguaquida.» E mientra salió
a darle un alguaquida el marido de la cámara, salió el
otro de yuso de la cama e fuese luego abaxo e salió
por el establo.

Otra muger tenía otro escondido tras la cortina —e
non sabía cómo lo sacar en el mundo, e el marido non
salía de la cámara— presumió un arte tal: fuese para
la cozina e tomó una caldera nueva que ese día avía
comprado, e llevóla al marido e dixo: «¡O cuitada,
cómo fui oy engañada! Compré esta caldera por sana
e está foradada. Verás, marido.» E puságela delante
la cara e fizo del ojo al otro que saliese. E mientra
que mirava si era o non era foradada, salió el otro de
la cámara. E dixo el marido: «¡Anda, para loca, que
sana está, sana!» E luego dió la muger una palmada
en la caldera e dixo: «¡Bendito sea Dios, que yo
pensé que estava foradada!» E así se fue el otro de
casa[61].

Millares déstos se escrevirían, si non por non tener
tiempo e non avisar por ventura a las que en mal farto

***

[61] Estos últimos tres ejemplos se relacionan con el número 9,
«De lintheo», de la *Disciplina Clericalis,* y el número 91 del *Libro
de los enxemplos.*

son avisadas. E aunque seré de algunos reprehendido por non saber ellos mi entinçión —la qual solo Dios sabe en este paso non ser a mala parte— porque algunas cosas pongo en prática dirán que más es avisar en mal *que* corregir en bien. Diga cada qual su voluntad, que yo non lo digo por que lo así fagan, mas porque sepan que por mucho que ellos nin ellas encobierto lo fagan e fazen, que se sabe, e algunos sabiéndolo, a sus mugeres, fijas e parientas castigarán. E las que saben que ge lo entienden, *que* de algo dello se dexarán. Pero non piense alguno o alguna que de mí presuma que otro non aya escripto más mill vezes destas cosas que yo he dichas e diré; como so el sol non sea oy cosa nueva. Mas podría venir a caso que alguno que lo non sabe lo aquí leerá e dará castigo dello a quien deva; e si non, si lo soportare, non se maraville de algund siniestro que le venga. Por ende a todo buen fin se dize. A buena parte por Dios lo tome el que lo leyere, toda murmuración çesada, que el mundo es oy tan malo que bien dezir es muerte, maldezir es gloria delectable. Esto sea quanto a mi escusaçión, por quanto sé bien que si dixe, que de mí ha de ser dicho; pero de otros muchos dixeron, a los quales non sería *yo* digno *de* descalçar su çapato. Dios sea el testigo a cuyo serviçio tomé algo dezir e escrevir en esta parte.

Capítulo XI

Cómo se deve el ombre guardar de la muger embriaga

Si la muger se mete en el vino, en bever demasiado, ser grande embriaga dubda non es en ello. Que non es muger si en el vino beviendo tome plazer, que si çinquenta comadres fuere a vesitar que caritativamente todavía con ellas non tome su bendita collación. E demás, por farta que de vino la muger esté, que si otra vez vino le dieren, que a lo menos el sorbillo olvide por provar, si es de la ley que deve. A las tales el agua los estómagos desbarata, e fázeles llorar los ojos, y el agua ruédales por el estómago fasta que la han lançado. E, desque por uso la tal muger toma el bever, síguesele lo que oirás. Primeramente, desde terçia adelante que ya bevido ha, con el quemor quel mucho bever de antenoche le dio, comiença a se escalentar e su entendimiento a se levantar; e alça los ojos al çielo e comiença de sospirar, e abaxa la cabeça luego e pone la barva sobre los pechos, e comiença a sonreír, e fabla más que picaça, e da ruido e bozea con quantos ha de fazer. Anda muy presurosa e fazendosa dacá e dallá, los ojos inflamados, forrados de tafatá, la luenga trastavada; fabla por las narizes, faziendo va la çancadilla, a vezes amenazando a todos brama como leona, que non cataría reverençia a marido nin a señor, *muy* perigrosa en sus fechos; e es sabio el que *en* aquella ora la sabe comportar fasta su vino dormido; nin la deve ombre ferir, corregir nin casti-

191

gar, que non está en dispusiçión de resçebir dotrina, sinón de feo responder e mal e desonestamente obrar. E por la vedar el vino, que lo non beva, nin vaga darle asensios con el vino mesclado que lo beva por fuerça; nin cozer anguillas en el vino e lo beva; nin piedra sufre molida e con el vino destemprado por alambique; nin agua del esparto mezclada con el vino; nin la flor del centeno que se faze quando espiga[62] encima como una paja retuerta, al sol secado e molido e dado a bever en el vino; non vale azafétida —que es como goma— que esté en vino dos días, después colado e purificado e dádogelo a bever, e otras muy muchas cosas para dar remedio al vino bevido non devidamente. Empero, ay unas que de grado toman quanto les dieren por lo perder, e estas tales dizen e ponen virtud en las sobredichas cosas pensando que las ha de sanar de aquel mal, e non ponen virtud en la mejor melezina que es sobre las melezinas que ellas tienen, e non quieren usar della, conviene saber: el seso e juizio natural, el qual, si por obra pusiesen lo que les conseja, nunca lo beverían, que es la mejor melezina de las melezinas. ¡O maldita sea la muger —e desta regla non salvo al ombre— que conosçe e vee que de vino se turba, e quando está turbada que la tienen por juglara, e ríen della todos, e la escarnesçen por de grand linaje que sea— así los suyos como los estraños, sus parientes, maridos e fijos; e aun por esta razón resçebir muchos palos, açotes e puñadas, non fiar dellas nada —casa nin dineros, joyas nin plata, nin cosa de vaía— nin dexarlas vestir nin arrear, nin levarlas a ningund guasajado, bodas nin solaz; e do podríe ser señora, mandar e vedar, ser moça e captiva, ferida e menospreçiada, e de todos los que la verán murmurada e fablada! ¡O desaventurada, de corto juizio e poco saber, indiscreta, de flaco entendimiento! Dime, pues, la más loçana *muger* que sea,

---

[62] El ms. dice: «quando espiga en el espiga encima...» Esto es evidentemente un error del copista.

desque está puesta en esta vil contemplaçión de vino e adelante bien cargada —ora sea casada, monja, moça, bibda, soltera o amigada— caliente del vino o turbada, ¿vedaríe su cuerpo a quien tomarlo quisiese? Non por çierto, que non es en sí, nin de sí, nin en tiempo de catar su honra nin desonra. Son muchas dellas ladronas, furtando para bever; esconden los jarros e cantarillos por la casa, so la cama, so la ropa, e unas aun en las arcas por fenchir el cuerpo de vino. ¡Maldita sea la que tal en sí conosçe e non fuye de vino do quiera que lo vee! Por la qual embriagueza non ay muger que por loçana que sea, nin de linaje, nin fermosa, que por peor que bestia bestial non sea reputada. E ten por çierto que la muger *embriaga* non fallesçe de ladrona e de su cuerpo mala, suzia, loca, parlera. Temor, miedo nin verguença, no lo esperes en ella: como de mortal enemigo fuye su amistad. E si tu suerte por compañera te la diere, con maneras pugna de relevarla, si non te es posible de te della *quitar e* apartar —si es muger, madre o fija o tal que la non conviene dexar— si por otra vía la quisieres levar, apareja la mortaja ante que la pienses castigar, nin por mal jamás enmendar. Que con su tal o qual seso son malas de enfrenar, ¿qué farán quando el entendimiento le han de ir a buscar? Empero, ay otras que non se embriagan en esta susodicha manera, mas escaliéntanse del vino fasta quel vino a fecho digistión: e estas tales fallarlas has muy alegres en el tiempo que reina el vino, e muy plazenteras, e están dispuestas en aquel punto —si ay avinenteza o logar— para todo mal obrar. Más te prometerán e darán en aquella hora que non en veinte horas. Aquel es el tiempo en que ellas porfían, riñen, mormuran con los de casa, pero con los estraños alegres. Pero, aunque estas tales non son tan criminosas, muchos daños se siguen a ellas *e* a la casa, fechos e fazienda, por el traidor del piar por el indiscreto bever. Tales cosas se siguen que callarlas es mejor, por non avisar a las que mal quieren fazer, que non las guarden en aquel punto e ora para executar. Mas, como de alto dixe, la quel

vino beve desordenadamente fiédele la boca, tiém-
blanle las manos, pierden los sentidos, dormir muy
poco e menos comer, mucho bever la vida e reñir sin
tiento. Esto e otras cosas vienen de lo susodicho. E
por ende, la muger quel vino desordenadamente beve,
bien es dicha embriaga, *e* por tal avida e reputada en
el pueblo e la gente, e non es para toda plaça. E la
que del vino faze mucha mención, meresçe estar toda
ora al rençón, e quel marido le dé sofión.

Capítulo XII

De cómo la muger parlera
siempre fabla
de fechos agenos

La muger ser mucho parlera, regla general es dello:
que non es muger que non quisiese siempre fablar e
ser escuchada. E non es de su costumbre dar logar a
que otra fable delante della; e, si el día un año durase,
nunca se fartaría de fablar e non se enojaría día nin
noche. E por ende verás muchas mugeres que, de
tener mucha continuaçión de fablar, quando non han
con quién fablar, están fablando consigo mesmas entre sí. Por ende verás una muger que es usada de
fablar las bocas de diez ombres atapar e vençerlas
fablando e maldiziendo: quando razón non le vale, bía
a porfiar. E con esto nunca los secrectos de otro a otra
podría çelar. Antes te digo que *te* deves guardar de
aver palabras con muger que algund secreto tuyo
sepa, como del fuego; que sabe, como suso dixe, non
guarda *lo* que dize con ira la muger aunque el tal
secreto de muerte fuese, o venial; e lo que más
secreto le encomendares, aquello está rebatando e

escarvando por lo dezir e publicar; en tanto que todavía fallarás las mugeres por rençonçillos, por rençonadas e apartados, diziendo, fablando de sus vezinas e de sus comadres e de sus fechos, e mayormente de los agenos. Siempre están fablando, librando cosas agenas: aquélla cómo bive, qué tiene, cómo anda, cómo casó e cómo la quiere su marido mal, cómo ella se lo meresçe, cómo en la iglesia oyó dezir tal cosa; e la otra responde otra cosa. E así pasan su tiempo despendiéndolo en locuras e cosas vanas que aquí espeçificarlas sería imposible. Por ende, general regla es que donde quier que ay mugeres ay de muchas nuevas. Allégansse las benditas en un tropel —muchas matronas, otras moças de menor e mayor hedad —e comiençan e non acaban, diziendo de fijas agenas, de mugeres estrañas —en el invierno al fuego, en el verano a la frescura— dos o tres oras sin más estar diziendo: «Tal, la muger de tal, la fija de tal, ¡a osadas!, ¿quién se la vee?, ¿quién non la conosçe?, ovejuela de Sant Blas, corderuela de Sant Antón, ¡quién en ella se fiase!», etc.ª Responde luego la otra: «¡O bien si lo sopiésedes cómo es de mala luenga! ¡Ravia, Señor! ¡Allá irá, por *Nuestro Señor Dios!* ¡Embaçada estaríades, comadre! ¡Quién se la vee simplezilla!», etc.ª Todo el día estarán detrás mal fablando. E si quieres saber de mugeres nuevas, vete al forno, a las bodas, a la iglesia, que allí nunca verás sinón fablar la una a la oreja de la otra, e reírse la una de la otra, e tomar las unas compañías con las malquerientes de las otras, e afeitarse e arrearse a porfía, aunque sopiesen fazer malbarato de su cuerpo por aver joyas, e ir las unas más arreadas que las otras, diziendo: «Pues, ¡mal gozo vean de mí si el otro domingo que viene tú me pasas el pie delante!» Ayúntanse las unas loçanas de un barrio contra las otras galanas de la otra vezindad: «Pues agora veamos a quáles mirarán más e quáles serán las más fabladas e presçiadas. ¡Quiçá si piensan que non somos para plaça mejor que non ellas! ¡Aunque les pese, e mal pese, sí somos, en verdad! ¡Yuy, amiga! ¿Non vedes

cómo nos miran de desgaire? ¿Quiéres que les demos
una corredura e una ladradura? Riámonos la una con
la otra e fablémonos así a la oreja mirando fazia ellas,
e ¡verés cómo se correrán! O, antes que ellas se
levanten pasemos *aýna* delante dellas, porque los que
miraren a ellas, en pasando nosotras, fagan primero a
nosotras reverençia antes que non a ellas, *e* esta les
daremos en barva aunque les pese, quanto a lo primero.» E estas e otras infinitas cosas largas de escrevir estudian las mugeres e urden en *tanto que nunca
donde van e se ayuntan fazen sino* fablar e murmurar
e de agenos fechos contractar. Do podemos dezir: la
muger ser muy parlera e de secretos muy mal guarda-
dora. Por ende quien dellas non se fía non sabe qué
prenda tiene, e quien de sus fechos se apartare e,
más, las olvidare, bivirá más en seguro; desto yo le
aseguro.

CAPÍTULO XIII

Cómo las mugeres aman a
los que quieren
de cualquier hedad que sean

La muger amar al ombre de voluntad pura e coraçón
verdadero, non ay regla que lo diga, nin esperiençia
que lo muestre, nin doctrina que lo ponga, nin ninguna
que lo faga; por quanto tú demandas amar e ser aun
amado, e esto, comõ ya de suso dixe, sería mudar una
montaña junta en otra parte contra natural curso.
Empero, querer ser amadas ellas, esto sí, e si veen
que non son tan fermosas e loçanas o de tales condiciones e graçiosidad para que las bien quieran, que
non solamente los ombres aman las fermosas, mas las

graçiosas, bien fablantes, donosas, honestas, limpias, corteses e de buena criança e costumbres honestas, en todos sus fechos vergonçosas. Estas son las que deven ser amadas, e aunque algund tanto non sean tanto allá fermosas nin paresçientes; ca muchas son fermosas, blancas, rubias, de maravillosas façiones, que en sí son tan ruines, viles, suzias e de tachas llenas e de malas condiciones, que piensan que por sola su fermosura han de ser amadas. Bien creo que el que non las conosçe quiérelas a prima vista, mas, conosçidas, fuye su compañía sinón en tanto que con ellas su delectaçión oviere, e non más: luego les da cantonada e non las querría veer fasta que le torna otro defrenado apetito para las ir ver e fablar. Mas lo peor aquí es, e de grand pecado: quando la muger vee que el ombre en amalla anda tibio o a las vezes verdaderamente la ama, las unas por aver amor de los que las tanto non aman, e las otras porque más amor les ayan de lo que les han, e non les paresca otra muger bien, e toda otra olvidar, e que a Dios e al mundo por ella aborrescan. Comiençan a fazer bienquerençias, que ellas dizen, fechizos, encantamientos e obras diabólicas más verdaderamente nombradas, e ellas dízenles bienquerençias. Desto son causa unas viejas matronas, malditas de Dios e de sus santos, enemigas de la Virgen Santa María; que desque ellas non son para el mundo nin las quieren tanto, que a sí mesmas en los tiempos pasados destruyeron e disfamaron e perpetualmente se condepnaron a las penas infernales por los inormes pecados que cometieron en este aucto, e así fenesçieron e continuaron fasta ser de tal hedad quel mundo las aborresçe e ya ninguno non las desea nin las quiere; e entonçe toman ofiçio de alcayuetas, fechizeras e adevinadoras por fazer perder las otras como ellas. ¡O malditas descomulgadas, disfamadoras, traidoras, alevosas, dignas de todas bivas ser quemadas! ¡Quántas preñadas fazen mover por la verguença del mundo, así casadas, biudas, monjas e aun desposadas! ¡O, quién osase escrevir en este caso lo que oyó e vido o se le entiende!

Sería por dezir la verdad ganar enemistad, e, lo peor, avisar por ventura a quien dello es inoçente, o dar logar a mal fazer con la esperança del remedio. Por ende, la pluma çesa. Empero, dime, estas viejas falsas paviotas, ¿quántos matan e enloqueçen con sus maldades de bienquerençias? ¿Quántas divisiones ponen entre maridos e mugeres, e quántas cosas fazen e desfazen con sus fechizos e maldiciones? Fazen a los casados dexar sus mugeres e ir a las estrañas; eso mesmo la muger, dexado su marido, irse con otro. Las fijas de los buenos fazen malas: non se les escapa moça, nin biuda, nin casada que non enloquecen. Así van las bestias de ombres e mugeres a estas viejas por estos fechizos como a pendón ferido.

En Barçelona yo conosçí una que nunca su casa se vaziava de los que venían a estas burlerías, vieja de setenta años. E la vi colgar, a la puerta de uno que mató con ponçoñas, por los sobacos, e a otra puerta de otra casada, que muerto avía, la colgaron del pescueço, e después fué quemada al Cañet[63], fuera de la cibdad, por fechizera, e non la valió todo quanto favor tenía de muchos cavalleros. E ya tanto es usado e non corregido este pecado, que ya las gentes non se dan nada por ello. Por tanto, deves tomar enxiemplo en esto e otras cosas. Dime, ¿qué es lo que le fallesçe a aquella que buen marido rico e de honra e de linaje tiene, que non le fallesçe sinón lo que busca, mala postrimería o mal acabamiento? Dígote que esta tal, que es obligada de querer, amar e honrar a su marido, pero esta tal verás que se envuelve a las vezes en otros malos baratos —conviene a saber, envolverse con otro más hazino e cuitado e mezquino— e desonra a sí e a su marido. Pues, ¿ésta tal ama a su marido? Çiertamente non, que si le amase non le

---

[63] El arcipreste demuestra aquí estar muy familiarizado con Barcelona, puesto que el *Canyet* era un lugar en las afueras de la ciudad donde se enterraban los animales muertos y se quemaba a los delincuentes. *Canyet* significa muladar.

desonraría; mas esto face el poco amor que la muger al ombre tiene: que non le ama más de quanto anda a su voluntad e le faze lo que quiere. Que, dígote, que por mucho que la muger demuestre amar a su marido, si el marido le faze mill plazeres, fágale una cosa que a su voluntad non sea, luego es la renzilla en casa e las lágrimas en los ojos, las çejas abaxadas, bolviendo la cara e el cuerpo, poniéndose a lo escuro. Non quiere comer nin bever de pesar —pero mientras él está delante, que después come como raviosa. Demás, non quiere çenar nin se quiere con él acostar; duerme sobre un banco, faze como que llora e que solloça; de noche levántase gemiendo, maldiziendo su ventura: tanta toma de tristor, que non es marido en aquel punto que le non comiere a bocados su muger. E fecho lo que quiere, otro día la risa en casa e bailar en un pie, alegre como julía[64]: «Daca esto para mi marido.» Abráçale, bésale, péinale e fácele todo serviçio. Pues, mira cómo la muger quiere al ombre e lo ama, e quánta voluntad le tiene, ca del cuitado del marido ha de salir por donde sean amigos. Pues, si la muger esto a su marido faze, ¿qué espera otro cuitado aver de aquella que luego que parte sin dar, le mofa como mesquino e demás en su presençia face del ojo a su vezina e tuerçe la boca, dándole del ancha por fazer dél ansarón? Por ende, el fiar dellas es por demás; bien quererlas es papafigo; penar por ellas: el sombrero, pues ¡camina, compañero! E bien puede saber la muger que non es cosa al mundo de que ella mayor enojo faga a su marido o coamante que su cuerpo librar a otro. Pues bien podéis considerar de qué amor le ama, o si le quiere deliberadamente enojar, la que comete tal contra el que dize que ama, e a las vezes su cuerpo delibrará, aun a ombre estraño, peregrino e non conosçido al mundo, sólo por dél aver e su apetito desordenado complir con él. Donde sepas que muchas vezes la muger disimula non

---

[64] julía, del catalán juliu, o fiesta.

amar, non querer e non aver. Piensa bien, amigo, que caldo de raposa es, que paresçe frío e quema; que ella bien ama e quema de fuego de amor en sí de dentro, mas encúbrelo, porque si lo demostrase, luego piensa que sería poco presçiada; e por tanto quiere rogar e ser rogada en todas las cosas, dando a entender que forçada lo faze, que non ha voluntad, diziendo: «¡Yuy, dexadme! ¡Non quiero! ¡Yuy, qué porfiado! ¡En buena fe yo me vaya! ¡Por Dios, pues yo dé bozes! ¡Estad en ora buena! ¡Dexadme agora estar! ¡Estad un poco quedo! ¡Ya, por Dios, non seades enojo! ¡Ay, paso, señor, que sodes descortés! ¡Aved ora vergueña! ¿Estáis en vuestro seso? ¡Avad, ora que vos miran! ¿Non vedés que vos veen? ¡Y estad para sin sabor! ¡En buena fee que me ensañe! ¡Pues en verdad non me río yo! ¡Estad en ora mala! Pues, ¿queréis que vos lo diga? ¡En buena fe, yo vos muerda las manos! ¡Líbreme Dios deste demoño! ¡Y andad allá si quieres! ¡O cómo sois pesado! ¡Mucho sois enojoso! ¡Ay de mí! ¡Guay de mí! ¡Avad, que me quebráis el dedo! ¡Avad, que me apretáis la mano! ¡El diablo lo troxo aquí! ¡O mesquina! ¡O desaventurada! ¡Qué noramala nasçí! ¡Mal punto vine aquí! ¡Dolores que vos maten, ravia que vos acabe, diablo, huerco, maldito! ¿Y piensa que tengo su fuerça? ¡Todos los huesos me a quebrantado! ¡Todas las manos me a molidas! ¡Ravia, Señor! ¡A osadas allá iré nunca jamás! ¡Désta seré escarmentada! ¡Yuy! ¡Tomóme agora el diablo en venir acá! ¡Maldita sea mi vida agora! ¡Fuese yo muerta! ¡O triste de mí! ¿Quién me engañó? ¡Maldita sea la que jamás en ombre se fía, amén!» Esto e otras cosas dizen por se honestar, mas Dios sabe la fuerça que ponen nin la femençia que dan a fuir nin resistir; que dan bozes e están quedas; menean los braços, pero el cuerpo está quedo; gimen e non se mueven; fazen como que ponen toda su fuerça mostrando aver dolor e aver enojo. Por ende, de muger cree lo que vieres, e de lo que vieres la meitad e menos, e non creas en su amor, que vano e ligero es, transitorio e non durable, como susodicho he: tanto le dura quanto le place. En esto concluye e non disputes más: piensa que quando pensares que tienes algo non tienes nada.

Capítulo XIV

Cómo amar a Dios es sabieza e lo ál locura

Por ende, amigo, si considerases cómo sólo amar a Dios es sabieza, virtud e proeza, donde mucho e infinito bien espera el que le ama de coraçón, e que amar cosas mundanales —riquezas, mugeres e estados— es loco e vano amor e viçio contra virtud, por el qual tantos dapnos, como susodicho he, se siguen e provienen. Demás, si consideras la muger —si la amas— qué cosa es, qué virtudes tiene e qué condiçiones e constançia, e por qué mueres e pierdes tu alma, como desuso razonado he, sepas que en amar a otro sinón a Dios nunca tu coraçón pensaría, pues todas cosas pasan salvo sólo amar a Dios. Bueno es, amigo, el ombre perderse o morir por buena cosa, pero morir e perderse ombre por vil cosa e transitoria, poco seso es e falta de natural juizio. Por ende, amigos, todo loco amor, pompa e vanagloria de nos lançemos, e en tal manera nos avemos que de aquel verdadero Sidrach, Ihu Xpo, fijo de la humil, graçiosa abogada nuestra la Virgen Santa María, seamos amados, non por nuestros méritos, mas por el derramamiento de la su propia sangre, que —voluntariosamente, sin premia ninguna— por nos en el árbol de la Vera Cruz derramó, por nos redemir e salvar del pecado a que nuestro padre Adam con nuestra madre Eva nos obligaron e sometieron. Quien algo desto considerase e su pensamiento en este amor verdadero algund tiempo adurmiese, pienso que mucho errar imposible le sería. Pero, pues que de las mugeres mal usantes en común algund tanto he dicho, de nesçesario es que los términos e propusiçiones se conviertan, e que non digan que fue manera de mal dezir e mal fablar dellas, non fablando de los malos ombres que se fallan en este mundo —por nuestros pecados infinitos— mal usar e mal perseverar e peor acabar; otros mal usar, mal perseverar e mucho bien acabar; otros bien usar, mejor continuar e muy mal acabar. Por ende, algund tanto a dezir dellos me alargaré, con la protestaçión susodicha de non querer mal dezir del bueno —que sería mal e contra conçiençia, e non es devido dezirse— nin otrosí yo querer dezir de los otros por que yo sea exento nin quito de culpa, antes confieso mi culpa e con uno de los que dixere quiero ser contado por pecador e errado. Pero alguno es malo para sí, que a las vezes da castigo bueno a otrie, como suso dixe, e yo así querría ser, e a Dios plega que lo sea así; por quanto muchos a las vezes son *como el antorcha que alumbrando a otro consúmese y se desfaze, e ni por eso queda que no faga lumbre a los otros.* Ya pluguiese al verdadero poderoso Dios que sus dones e graçias da a aquel o aquellas que le plaze, o Él por bien tiene, que diese a mí tanta graçia en esta brevezilla obra, o otras que a su serviçio e loor —aunque indigno— entiendo fazer, que algund buen enxiemplo alguna persona en sí tomase por do me relevase, por causa de su correcçión, enmienda e castigo, de mis culpas cometidas. Que Dios Nuestro Señor sus graçias muchas vezes reparte donde quiere e más le plaze; que a cada uno es dada *gracia según la voluntad de Jesu Christo e aun más,* que adonde el espíritu de Dios quiere inspirar allí inspira. E como Nuestro Señor dize en el su santo Evangelio: «Señor, muchas cosas a los sabios e prudentes de tus secrectos escondiste, las quales a los pobrezillos revelaste, y esto por que así plaze a Ti»[65]. E demás, por

---

[65] *San Mateo,* 11, 25: «quia abscondisti haec a sapientibus prudentibus, et revelasti ea parvulis».

conclusión, dixeron algunos grandes letrados, santos de Dios escogidos, en espeçial Sant Agustín: «Veemos unos violentos ombres que el mundo los aborresçe e los tiene en estima de non nada por simples, pobres e de poca çiençia e auctoridad, que roban e arrebatan los altos çielos por fuerça e con grand furia e violençia, que non ay detenimiento en ellos. E nosotros, con todo nuestro saber e çiençia, somos çabullidos en los infiernos.» Así, que non lo pongo en comparaçión esto por *yo* ser tal, nin uno de los violentos, por que me pesa; bien uno de los que poco saben e la merced de Dios esperan. Esto sin lisonja nin infinta, sinón como lo digo así lo conosco por verdad. Empero, a las vezes, los que poco saben dan buen consejo para otro, aunque para sí non son para lo tomar; e tal sabe a las vezes reprehender, que es mucho más digno de reprehensión que otro. Non pare mientes el bueno al malo nin al que mal usa, nin el que doctrina reçebir quiere al que enseña, si malo es, nin a sus malas obras; tome dél los dichos e aprovéchese dellos, e déxelo con sus viçios, quél dará cuenta dellos: que cada qual ha de levar su carga e della en estrecho juizio dar razón; que nin el fijo levará la culpa del padre, nin el padre la del fijo. Aunque te digo que muy digno de loor es el que enseña por palabra si por obra lo aprueva, e este tal, Dios es con él. Pero ¿quién es éste? —e loarle hemos— sabed que este tal faze miraglos en su vida. Así que todos somos, segund más o menos, pecadores; si dezimos que pecado non tenemos, nosotros engañamos a nos mesmos, según dize Sant Juan en la su canónica, en el capítulo primero, como non sea ninguno que sin pecado biva[66]. Por ende, contándome por uno, en el número de los que diré quiero ser el primero. E si bien dixere, non sea reprehendido; *e* si mal dixere, quiero ser corregido, non de los sabios solamente, mas de los que paresçiere yo aver errado e

---

[66] *Ioannis*, I, 1, 8; «Si dixerimus quoniam peccatum non habemus, ipsi nos seducimus, et veritas in nobis est.»

mal dicho, mal escripto o mal fablado. E por quanto el intento de la obra es prinçipalmente de reprobaçión de amor terrenal, el amor de Dios loando, e porque fasta aquí el amor de las mugeres fue reprovado, conviene quel amor de los ombres non sea loado. E si las mugeres amar quisieren los ombres, vean quién aman, qué provecho se les seguirá de los amar, qué virtudes, qué viçios para amar tienen los ombres. E por quanto comúnmente los ombres non son comprehendidos como las mugeres so reglas generales —esto por el seso mayor e más juizio que alcançan— conviene, pues, particularmente fablar de cada uno segund su qualidad; e esto non se puede saber sin natural materia de los estrólogos naturales. Por ende, conviene saber primero las planetas e los signos, quáles e quántos son, cómo obran en los inferiores cuerpos; quantas complisiones son de ombres, cada uno en qué ge lo conosçerán *e*, conoscido, cómo dél se guardarán; por que algunos non digan que non faze esto tractar a propósito de reprovaçión de amor, sí faze, e mucho si lo consideran. E aunque tal es mesmo de las mugeres, pero generalmente ellas tienen otras condiçiones que los ombres, de las quales voluntariosamente les plaze usar e usan, segund dalto ya dixe. Demás, ruego a los que este libro leyeren que non tomen enojo por el non ser más fundado en çiençia; que esto es por dos razones: por quanto para viçios e virtudes farto bastan enxiemplos e práticas, aunque parescan consejuelas de viejas, pastrañas o romançes; e algunos entendidos reputarlo han a fablillas, e que non era libro para en plaça. Perdonen e tomen lo poco, e de buena mente. ¿Qué más pudiera fazer sinón que cada uno sepa e entienda la manera del bivir del mundo? Que ya en los mesmos dichos son las grandes sotilidades reprovadas. E la segunda razón sí es que mal dize el que más non sabe nin entiende. E aquí çesa todo argumento en contrario contra mi fecho en esta parte.

*Fenesce la segunda parte desta obra e comiença
la terçera.*

AQUI

COMIENÇA LA TERÇERA PARTE DE ESTA OBRA,
DONDE SE TRACTA DE LAS COMPLISIONES
DE LOS OMBRES E DE LAS PLANETAS
E SIGNOS, QUÁLES E
CUÁNTOS SON

Capítulo Primero

De las complisiones

En ombres ay muchas maneras, e por ende son
malos de conosçer, peores de castigar. E por quanto
es cosa muy fonda el coraçón del ombre, segund
Salamón dize, por ende, non sólo por lo que de partes
de fuera demuestra es conosçido, mas aun por las
calidades e complisiones que cada uno tiene es por
malo o bueno avido. E son en quatro prinçipales
maneras falladas, segund las calidades dellos: unos
son secretos, callados e de cortas razones, flemáticos, adustos; e otros son en otras tres maneras: unos
sanguinos, alegres e placenteros; *otros* colóricos e
furiosos; otros malenconiosos, tristes e pensativos.

Esto segund más e menos, que el ombre de todas quatro complisiones es compuesto, mas una dellas señorea el cuerpo más que non otra, segund que aquí diré de las complisiones de los ombres. E quiero primeramente poner las complisiones mejores e de mayor excelençia, segund su naturaleza dellas e la costilaçión de sus planetas; que çierto es que los cuerpos sobrecelestiales dan a los inferiores cuerpos sus influençias naturalmente e obran en ellos segund más e menos[67].

Capítulo II

De la complisión del ombre sanguino

Primeramente digo que ay algunos ombres que son sanguinos, con muy poquita mezcla de otra calidad e complisión ni preduminación en grande quantidad de otro açidente. Este tal en sí comprehende la correspondençia del aire, que es húmido e caliente; este tal es alegre hombre, placentero, riente e jugante, e sabidor, dançador e bailador, e de sus carnes ligero, franco e ombre de muchas carnes e de toda alegría es amigo, de todo enojo enemigo, e ríe de grado e toma plazer con toda cosa alegre e bien fecha. Es fresco en la cara, en color bermejo e fermoso, sobejo, honesto e

---

[67] Aquí no hay ninguna contradicción de la creencia del arcipreste en el libre albedrío. Según la teología medieval, que adopta la concepción agustiniana del universo, existe un orden universal de jerarquías en la Naturaleza. El hombre, que es parte de la Naturaleza, tiene que obedecer las leyes físicas de ésta. Por lo tanto, su cuerpo recibe las influencias de las estrellas. Sin embargo, el hombre, por la gracia de Dios, posee un alma (compuesta de la razón, el intelecto, y la voluntad) que le permite contravertir las predisposiciones de los astros. (Sobre esto, véase San Agustín, *De Libero Arbitrio*, III, 11; *Epistolae*, 140, 2 y 4.)

mesurado; este tal es misericordioso e justiçiero; que ama justicia *e mesura*, mas non por sus manos fazerla nin executarla; antes es tanta la piedad que en su coraçón reina, que le non plaze ver execuçión de ninguno que biva, antes ha duelo de qualquier animal inraçional que vea morir o penar. Duélele el mal fecho, pésale el mal obrar; plácele bien fazer e verlo fazer. Suma: que el sanguino, si de otra calidad contraria non es sobrado, dicho es bienaventurado. E son de su preduminación estos tres signos: Gíminis, Libra, Aquarius: su reinar destos tres signos, lo demás es en poniente.

CAPÍTULO III

De la calidad del ombre colórico

Ay otros ombres de calidad colóricos: éstos son calientes e secos, por quanto el elemento del fuego es su correspondiente, que es caliente e seco. Estos tales súbito son irados muy de rezio, sin temprança alguna. Son muy sobervios, fuertes e de mala complisión arrebatada, pero dura breve tiempo; pero el tiempo que dura son muy perigrosos. Son ombres muy sueltos en fablar, osados en toda plaça, animosos de coraçón, ligeros por sus cuerpos; mucho sabios, sobtiles e ingeniosos; muy solícitos e despachados; *a* todo perezoso aborresçen: son ombres para mucho. Éstos aman justiçia e non todavía son buenos para la mandar, mejores para la executar; así son como carniçeros crueles: vindicativos, al tiempo de su cólera, arrepentidos de que les pasa. Son de color blanquinosa en la cara. E son de sus preduminaçiones estos tres signos: Aries, Leo e Sagitarius: ardientes como el fuego. Reinan estos tres signos en levante, e son muy fuertes ombres *e* los demás a perder.

Capítulo IV

De la calidad del ombre flemático

Ay otros que son flemáticos, húmidos e fríos de su naturaleza de agua. Estos tales son tibios, nin buenos para acá, nin malos para allá, sinón a manera de perezosos e negligentes, que tanto se les da por lo que va como por lo que viene; dormidores, pesados, más floxos que madexa, nin bien son para reír nin bien son para llorar; fríos, invernizos, de poco fablar, solitarios, medio mudos, fechos a machamartillo, sospechosos, non entremetidos, flacos de saber, ligeros de seso, judíos de coraçón e mucho más de fechos. Son de su preduminación tres signos: Cáncer, Escorpius, Pisçis. Reinan estos tres signos a la parte de la trasmontana. La color tienen como de abuhados.

Capítulo V

De la calidad del ombre malencónico

Ay otros ombres que son malencónicos: a estos corresponde la tierra, que es el quarto elemento, la cual es fría e seca. Estos tales son ombres muy irados, sin tiento nin mesura. Son muy escasos en superlativo grado; son incomportables donde quiera que usan, mucho riñosos e con todos rifadores. Non tienen temprança en cosa que fagan sinón dar con la cabeça a la pared. Son muy inicos, maldizientes, tristes, sospirantes, pensativos; fuyen de todo logar de alegría; non les plaze ver ombre que tome solaz con un paperote. Son sañudos, e luego las puñadas en la mano, porfiados, mentirosos, engañosos; e inumerables otras tachas e males tienen. Son podridos, gargajosos, çeñudos e crueles sin mesura en sus fechos. Esto todo susodicho se entiende de las complisiones de cada una de las dichas calidades en él más preduminantes. Empero, si otra complisión mejor ayudase a la mala en quantidad mayor que ella, fará a la persona perder la propia e allegarle a la que le ayuda, e será demudado en la mejor complisión. E por el contrario eso mesmo. Enxiemplo: el flemático puede ser tanto de la sangre ayudado que le fará ser muy mejor que flemático; e esto es de todas las complisiones. E por el contrario también, aunque, como dixe, el ombre de todas quatro es complisionado; pero la que más reina, aquélla le tira a su calidad en mucho o en poco, en bien o en mal, segund su reinar. Son de sus preduminaçiones tres signos: Taurus, Virgo e Capricornius. Reinan estos tres signos al mediodía. Color tienen de çetrinos.

CAPÍTULO VI

De cómo los signos señorean las partes del cuerpo

Pues agora as oído que son quatro complisiones en los ombres —e lo que te digo en este caso en los ombres entiende de las mugeres: ombre sanguino, ombre colórico, ombre flemático, ombre malencónico. E aunque cada cuerpo sea compuesto destas quatro complisiones e non sin alguna dellas, pero la que más al cuerpo señorea, de aquélla es llamado complisionado principalmente, e así se dize de las otras complisiones en la sustançia donde abitan corpórea. Tienes más: los quatro elementos que corresponden a estas calidades: el fuego al colórico, el agua al flemático, el aire al sanguino, la tierra al malencónico. Tienes más: que de doze signos que son, cada tres dellos son preduminantes a cada elemento e complisión: Aries, Leo, Sagitarius, son de los colóricos, respondientes al elemento del fuego; Cáncer, Escorpius, Piscis, al flemático, correspondientes al elemento *del agua; Géminis, Libra, Aquarius, son del sanguíneo, correspondientes al elemento del aire. Taurus, Virgo, Capricornius, son del melancónico, correspondientes al elemento* de la tierra. Veed aquí las complisiones de los cuerpos humanos. Item: Aries es masculino, e señorea la cabeça de la criatura; es su planeta Mercurio. Taurus, femenino, señorea el cuello; es su planeta Venus. Géminis, masculino, señorea los braços; es su planeta Mercurio. Cáncer, femenino, señorea los pechos; es su planeta la Luna. Leo es masculino, señorea el coraçón; es su planeta el Sol. Virgo es femenino, señorea el vientre e el estómago; es su planeta Mercurio. Libra es masculino, señorea el ombligo; es su planeta Venus. Escorpius es femenino, señorea las partes vergonçosas; es su planeta Mares. Sagitarius es masculino, señorea los muslos e la espina del lomo; su planeta es Júpiter. Capricornius es femenino, señorea las rodillas; la su planeta es Saturnus. Piscis es femenino, señorea los pies; la su planeta es Júpiter. Agora tienes que son de los doze signos los seis masculinos, los seis femeninos, segund ya de alto dixe[68]. Pues agora, para venir a mi propósito, aunque si se oviesen de dezir las naturales

---

[68] En este catálogo el arcipreste omite Aquarius, un signo masculino que domina las piernas. El *lapsus* parece indicar que nuestro autor o estaba siguiendo una fuente escrita de la cual algo se le pasó por alto, o que no estaba completamente familiarizado con esta materia.

señales de las personas que de sí dan e muestran
quién es y el cielo que las tiene —que son como
ombres crespos o bermejos, o canudos en moçedad;
que tienen la cabeça redonda o luenga, muchas rúas
en la fruente, o remolinos o grandes entradas en ellas;
çejuntos, romos, camusos, o grandes narizes e luengas, o delgadas e agudas; ojos fondos, chicos, las
pestañas apartadas, los ojos bermejos e pintados; la
boca grande, ceçeoso, tartamudo, los dientes afelgados o dentudos; la barva partida, la cara redonda e
ancha; las orejas grandes e colgadas, las quixadas
grandes e salidas afuera, moço de barvas; el cuello
gordo e corto; tuerto del todo o visco del un ojo, o de
amos señalado; lisiado, las espaldas anchas, corcobado, gibado de amas partes o de una non más; el
cuerpo peloso e todo velloso o sin pelos, todo liso; las
ancas salidas afuera, las piernas tuertas, las manos e
pies galindos; el fablar suave, los fechos arrebatados,
el gesto asegurado; el coraçón movido, mentirosos,
sobervios; otras muchas tachas— e cada una qué
significa o demuestra, sería de tener tiempo. Desta
materia largamente fallarás en el libro *De Secretis
secretorum* que fizo Aristótiles a Alixandre, quasi a
la fin. Allí leerás maravillosas cosas de las señales de
las personas, e cómo a vezes mienten por el grand
juizio quando los rige; mas por quanto esta regla se
falla non ser continua nin verdadera, non la prosigo
aquí[69]. E porque cuando esto algunos leyeren non se
turben los unos con los otros diziendo: «Pues tú
tienes tal señal e yo tengo tal; pues Fulano tiene tal,
síguese, pues, que es tal e el otro es tal», por esto lo
dexo. E demás que algunos se fallan bermejos e son
buenos, e así de las otras señales. Esto a las vezes

---

[69] Referencia a la obra pseudoaristotélica *Secreta Secretorum
Aristotelis*, traducción latina del *Sirr Alasrar* hecha por Johannes
Hispalensis (1135) para Teresa, hija de Alfonso VI de Castilla. La
Secreta Secretorum fue muy divulgada en la Edad Media y hubo
numerosas versiones (hay una en verso castellano del siglo xv, la
Poridat de las poridades, ed. Lloyd Kasten, Madrid, 1957).

faze la discreçión *e* seso de los que tales señales tienen, que se refrenan e saben guardar*se* de errar e caer en aquello que su señal demuestra, e saberse encobrir las tachas con mucha sabieza. Por ende, todo esto dexado, vengamos al propósito e conclusión.

CAPÍTULO VII

De la qualidad del sanguino

Dígote de las calidades e maneras de los susodichos ombres e mugeres. Mas de mugeres aquí no se tracta, como de suso se a dicho algund poquito —e tan poco que non es más quel grano del mijo en la boca de un asno— para avisaçión e correcçión: farto al que quisiere puede aprovechar. Mas pues de los ombres, de sus viçios e tachas, non se descutió dalto sinón como gato que pasa por asguas por ende agora diré aquí de sus viçios e tachas (así de mí como de los otros) avido por fundamiento las complisiones dellos, cómo e quáles son nin qué preduminaçiones tienen. Primeramente prosigo los que son sanguinos: qué tachas tienen, qué males e qué viçios, qué virtudes o buenas calidades. Pues digo primeramente que el ombre sanguino es muy alegre, franco e riente e plazentero; pero aunque estas bondades de sí el sanguino tenga, pero mal faziendo e mal usando convierte o trasmuda sus buenas en malas condiçiones: que, como quier que es alegre e plazentero, es mucho enamorado e su coraçón arde como fuego, e ama a diestro e a siniestro; e quantas vee, tantas ama e quiere, e con todas mucho alegre, alegando por sí lo que dize el profecta David en el Salmo: «Señor, delectásteme en la fechura de tus manos» [70]. Por ende, Señor, si amo, amo

<hr />

[70] *Psalmi*, 91, 5: «Quia delectasti me, Domine, in factura tuae; et in operibus manum tuarum exsultabo.»

e quiero la muger, que es fermosa, que es fechura de tus manos, pues, Señor, el profeta lo manda, yo, Señor, nin por esto non devo pecar[71]. Amigo, a esto te respondo que el tal deleite es para Dios alabar, mas non para pecar. Si tú en la muger te deleitas, non pecas por esta vía diziendo: «Señor, bendicho seas Tú que cosa tan fermosa formaste.» Si esta es tu delectación, buena es, así de la muger como de las otras cosas todas por Dios criadas; mas si por la ver fermosa luego la cobdiçias para con ella pecar, non es este tal deleite, mas pecado, e deste tal non fabló el profeta. Otros dizen: «¿Para qué, pues, Dios crio ombre e muger e les dio estímulos carnales, pues non los han de exsecutar?» Esto fallarás reprovado por el Papa en las *Clementinas*, en la postrimera *Clementina, De los erejes*, en el seteno error que tenían los bigardos e bigardas en Alemaña, do difine el Papa ser mortal pecado, salvo con propia muger suya e non toda ora[72]. Tenían estos quel aucto de luxuria non era mortal pecado por ser naturalmente inclinado a él, e más por el auctor ser cálidamente dello temptado, a lo qual todos los doctores santos son contrarios. Dígote que los fizo a los tales para generaçión por cópula matrimonial; dioles estímulos para aver gualardón por ello a aquellos que se quisieren refrenar; pues gualardón sin trabajo non se puede alcançar. Por ende, quien gloria e folgança para siempre quisiere, sufra por Dios e por su amor algund tanto; padesca, aunque

---

[71] Una de las prácticas más comunes de la lírica del amor cortés en el siglo XV era el acomodamiento de textos sagrados, sobre todo los Salmos, a contextos eróticos. Sin duda, el arcipreste en este pasaje recuerda las costumbres irreverentes del amor cortés. Véase nuestro estudio «Eros y ágape: el sincretismo del amor cortés en la literatura de la baja Edad Media castellana», *Actas del Sexto Congreso de la Asociación Internacional de Hispanistas*, Toronto, 1978. (En prensa.)

[72] «... septimo: quod mulieris osculum (quum ad hoc natura non inclinet) est mortale peccatum; actus autem carnalis (quum ad hoc natura inclinet) peccatum non est...» *Clementinae*, L, V, «De Haereticis», cap. III.

Él por tu padesçer non ha más ni menos de aquello que ab æterno tenía e avía, pero quiere el buen coraçón e la buena voluntad, e non locos amores de mugeres nin de ombres. E como las mugeres se paguen de ombres alegres e amadores e enamorados, mas con condiçión que non amen a otra sinón a ella; que para ella nasçió en el mundo e le crio su madre, etc. E de nesçia non se les entienden, mas alléganse las mugeres a ellos, e éstos, con sus plazenterías, solazes, burlas e juegos, traen muchas engañadas, burladas, escarnesçidas, a perder. ¡Guay de la triste desaventurada que los cree! Que, como el amor dellos sea en muchas derramado por ser de muchas queridos, non pueden amor firme haber, sinón ¡vaya el río so la puente mientra el agua corriere! Son guallladores e del mundo burladores; oy aquí, cras allí; si Marina non me plaze, Catalina, pues sí faze. Esto procuran: ser alegres, rientes, francos, plazenteros e de fermosos jestos e cuerpos, tañedores, cantadores, e en todos sus fechos julíos; e con la vanagloria de la fama buena que su noble calidad demuestra enloquéçense, e non es en su poder una sola amar, por ser aún queridos de muchas. E por mejor muger se tiene la que le usurpa o puede aver para sí, o puede quitar de otra quel tal ama con pura envidia; que non ha cosa de que más arreada se tenga la muger que de alcançar marido o amigo que de tal calidad sea; siquiera sea difamada del pueblo todo e de sus parientes vituperada. ¡O de la loca desaventurada que tiene firmeza con todo ombre; que muchos ay que temprados de otra non podrían de non dezirle! E así se pierden muchas, e aun andan por mal cabo, e pierden sus buenos casamientos, sus honras e estados por creer a aquel que, desque su voluntad complida della aya, non se dará por ella más que por cosa olvidada. Créele lo que le promete e jura diziendo: «Yo te daré; yo te faré; yo te contesçeré.» E ya lo jura con engaño en su coraçón, diziendo: «¡O, si me creyese, cómo la burlaría!» Pues si le creen, duelo tienen doblado para mientra que bivieren; que desonrarlas ha quien cobro después non les dará, sinón irse a otra a plantarla por reverdir[73]; aunque la aya sacado de su tierra o levado a tierra agena, o de casa de su marido, o de su padre o madre, o de poder de su primo o hermano, e demás aunque preñada o parida dél sea, non guarda nada de lo jurado e prometido. En tanto que te digo que si algunas por serviçio de Dios pasasen tanto mal, tanta fambre e sed, tanto frío e tantas pasiones, enojos e verguenças e pobrezas, e aun la meitad menos —así en irse con ellos como en los seguir, o creer de ligero consejo dellos, como en los dolores del parto, fijos dellos pariendo, criando, e malas noches e días, e malas oras con ellos pasando— creo que irían rezias como vira o saeta a la gloria de Paraíso sin detenimiento ninguno. ¡Quién puede pensar a quántos males, perigros e dapnos se pone la muger después de errada, o en el tiempo que comete los tales yerros a quántos denuedos —e la muerte al ojo— e non cura sinón çerrar e pasar e biva la locura! Por cierto con su marido, o su padre, o parientes non lo sufriera tal pasar, antes se degollara. E por salir de so el mandado de su padre o madre, marido o parientes, vanse e creen aquellos que non solamente las mandan, mas la farrean como a bestias: «¡Farré acá! ¡Farre acullá!», después quel amor pasado —que dura quando más un año, e es ya mucho si tanto dura— e de allí adelante ¡vía andar a vara! E todo esto por amor de aquel que en verdad non pierde sueño nin comer por ella —basta que lo perdió al comienço quando propuso de la captivar e engañar, non curando que por él perdiese marido nin casamiento, nin honra, pero después fe:nesçió su amor al complimiento de su voluntad; e la que entonces tibiamente le amaba, continuando el uso de amor con él, cresçió su amor como fuego con estopas— en tanto que ella cresçe en amor, e pierde el comer, bever e dormir e folgar, por el

---

[73] Jacme Roig usa esta misma expresión en *Lo Spill* (532-533), al tratar del modo despreciativo que adoptan las mujeres respecto al marido, al cual «Per reverdir En sech lo planen».

contrario de lo de primero que mientra más iva, él más ardía e ella menos sentía. Estos tales son ombres muy alegres, plazenteros e mucho rientes de voluntad: de una paxarilla que vaya bolando *se reirán* fasta saltarles las lágrimas de los ojos. Non tienen jesto nin risa infingida; todos ombres alegres aman; todos juegos les plazen, especialmente cantar, tañer, bailar, dançar, fazer trobas, cartas de amores; guasajosos en dezir, alegres en participar, verdaderos en lo que prometen, entremetidos en toda proeza: esto si la criança ge lo da, quel rústico aldeano, ombre forano, aunque de la tal calidad sea, el non uso de gentileza non le ayuda a ser tal como el curial; pero su calidad presta está a todo guasajado e bondad, salvo que en amar juegan con la brida como muleta nueva. Por ende, créame la que quisiere, e ame a Dios primeramente. Ame a su breve tiempo, ese poco que ha de durar, que le non despienda en locuras, pues ha de dar cuenta dél, *e* aun de toda palabra oçiosa. Ame a su fama e honra. Ame a sus parientes do viene. Ame a sí más que non a otro, e non crea de ligero nin buelva sus ojos a son de pandero. Sea contenta con honestidad e buen renombre e buena fama, comiendo e paçiendo las yervas, e con sólo pan e agua, estando entre dos paredes; que más vale a ella mill vezes que non ufanías e locuras e pompas e vanaglorias, seyendo *deshonradas e* vituperadas, e mal traídas locamente amando. E non curen de creer locos amadores por mucho que sean bailadores, loçanos nin cantadores: que todos son burladores, honestad de matrimonio salva.

Capítulo VIII

Del colórico, qué dispusición tiene para amar e ser amado

Ay otra manera de ombres que non son de tan buena calidad como los susodichos: éstos son *los* colóricos, que en ellos predumina e señorea la cólera a las otras calidades. Estos tales son muy curiosos e de gran seso, ardidos, sotiles, sabios, ingeniosos, movidos de ligero e feridores. E a éstos que estas calidades tienen verés de muchas vezes fazer sus fechos tan arrebatados que, si en algo alguna buena calidad tienen, en otro la pierden. Fazen estos tales amando mucho mal: lo uno porque de sí son movidos e en un punto enojados, e tienen las manos prestas a las armas e a ferir. Estos tales son sacadores de sangre que en pocos ruidos se fallan que non saquen sangre. Por ende, las mugeres aman a estos mucho por vengar sus injurias, e que ninguno nin alguna non les ose dezir peor de señora, teniendo los tales por sí; que si alguno o alguna les dize alguna cosa mal dicha o que le non viene bien, luego rebienta su coraçón en lágrimas e sollozos quando entienden que ha de venir él a casa. E quando el ombre entra, está ella escondida, o faze que se esconde por desgaire; e dize a los de casa el marido o amigo quando él viene: «¿Dó Fulana?», o «¿Dó tu señora?» «Señor, allá está en el palaçio mucho triste e llorosa.» E quando él entra, comiença ella de alimpiar sus ojos de las lágrimas —e a las vezes se pone saliva en los ojos porque paresca que ha llorado, e frégalos un poquito con las manos e

217

dedos porque se muestren bermejos, encendidos e turbados— e luego esconde la cabeça entre los braços, o la buelve, quando él entra, fazia la pared. E el otro dize luego: «¿Qué has, amiga?» Ella responde: «Non nada.» «Pues dime, señora, ¿por qué lloras? que goce yo de ti.» Responde: «Non por nada.» «¿Pues qué cosa es ésta? ¡Así gozes de mí!» «Vos digo que non nada.» «Dime, pese a tal, señora, ¿qué cosa es o quién te enojó, o por qué son estos lloros? Dímelo, pese a tal, señora.» Responde ella: «Lloro mi ventura.» E luego comiença de llorar e los ojos de rezio alimpiar, tragando la saliva más veninosa que rejalgar, e dize: «¿Paresçe vos esto bien que Fulana o Fulano me ha desonrado en plaça? ¿E cómo? Bien a su voluntad llamándome puta amigada. Díxome puta casada, e díxome tales e tales injurias, que más querría ser muerta que ser en vuestro poder venida. ¡Ay de mí, cuitada! ¡Agora so disfamada y desonrada! Y ¿de quién? ¡De una puta vellaca, suela de mi çapata!» o «¡De un vellaco vil, suela de mi chapín! Pues si esto vos paresçe que yo devo sofrir, en antes renegaría yo de mí en Dios e mi ánima; antes me fuese con un moro de allén la mar o con el más vil ombre de pie que en Castilla oviese, e non digo más.» Luego el otro, como es colórico, e en un punto movible, sin deliberación alguna, arrebata armas e bota por la puerta afuera sin saber si es verdad nin fazer otra pesquisa sinón solo a dicho de una que es parte formada, o se dará al diablo por ver destroída o destroído a aquel que la ha injuriado. E por tanto, el que juizio toviese devría primero pensar quién ge lo dixo: si ge lo dixo en tiempo que estava paçífica o sañuda, irada o sosegada; si la otra era su amiga o enemiga; o amiga de su amigo o vezino; e guardar de non perder su amigo por un enemigo que es la muger —que si amigo fuese callaría e tal non urdiría— sinón dezirle: «Amiga, estás agora malencónica, e yo he ya comido e bevido. Espéralo para otra ora, que agora non puede reinar colora en mí, que ya estó exormado al presente. Presta paçiençia, que yo remediaré en ello; oy en este día non.» Mas de todo esto non cura el loco con su locura, sinón allá va el prieto. Quando le vee tomar armas e salir de casa, comiença ella a dar gritos e bozes, diziendo: «Cuitada, mezquina, corneja triste, desaventurada! ¡Venid acá, non vades allá!» E ella non vee la ora de oir dar a la otra gritos e bozes de cómo da en ella, o en él, cuchilladas, palos e coçes. Empero de la otra parte sale luego su marido o su pariente de la otra muger, e fe el roido en la mano: o él mata o le matan, o él fiere o le fieren, que todo es dapno, así dar como resçebir. E quando entra ferido por casa o ha ferido, ráscase la *bendita* de la promovedora dello las nalgas —con reverençia fablando— diziendo: «¡Cuitada, mezquina, turbada, corrida! ¡Yuy, y qué será de mí! Señor, ¿quién vos firió por la cara?» o «¿Quién me vos mató?» o «¿Quién vos dio tal golpe? ¡Virgen María! ¡A tí lo acomiendo, Ihus mio! ¡Bueno, y non me lastimes! ¡Ay triste de mí! ¡Daca huevos; daca estopa; daca vino para estopadas! Juanilla, ve al çurujano; dile que venga. ¡Corre aína, puta, fija de puta! Marica, daca una camisa delgada, que se le va toda la sangre. ¡Yuy, Ihs! ¡Ay Santa María! ¡Dame del agua; que me fino! ¡Ay triste de mí! Pedro, id, fijo, en un salto a su hermano que venga luego. Juan, id a su compadre e dezilde que ovo roido; non digas pero que está ferido. Martín, llamad a mi comadre; llamad a mi vezina. ¡Yuy,qué duelo fué aquéste! ¡Qué quebranto atán grande! ¡Qué dolor tan desigual! ¡Yuy, cativa! ¡Ay mezquina! ¡O triste! ¡Ay lasa de mí![74] ¡Ay Virgen María! ¡Pues, señor, dezid, dezid, amigo! Y ¿qué vos duele, amigo? Y ¿qué sentís? ¡Triste de mí, que noramala nasçí!», etc. ¿Verés, que vos ayude Dios, qué demanda? Vee*le* que tiene la cara atravesada, o buena puñalada o lançada, e demándale: «¿Qué vos duele?» o «¿Qué sentís?» Meresçía la tal casada *o* amigada, o otra qualquier

---

[74] *¡lassa de mí!* es un catalanismo que significa «desgraciada de mí».

que tal con sus lágrimas raviosas procura al que tiene
o que bien quiere o que querría, ser por ventura
despachada ya dél: que como entrase ferido, le diese
a ella una tal por la cara en señal de vitoria e enxiemplo a las otras que nunca dieren causa a los ombres de
mal aver nin mal fazer por vengar sus lágrimas raviosas, e injurias voluntarias e dañadas: que más prestas
fallarás las lágrimas en el ojo de la muger quel agua en
la fuente. Por donde pierden después sus faziendas *e*
andan por mal cabo por non sofrir una poca de injuria
que luego pasa, e dar logar al mal, queriendo quebrar
un poquito su coraçón; antes, después han de perder
lo que tienen e andar escondidos e fuidos; dexar sus
tierras e casas e andar por las agenas, *e* dar de comer
a los alcaldes, alguaziles e notarios. E esto se *les* viene
de cada día por estas lágrimas negras, malditas, mal
aventuradas, raviosas e emponçoñadas, veninosas,
crueles e desmesuradas. ¡Ay Dios, quién pudiese
pesar una lágrima de muger! ¡Si el ombre tan discreto
e sabio fuese! Por cierto, más pesa una lágrima dellas
que un quintal de plomo o de cobre: ¡maldito sea el
que en esto non pensare, amén! Quando lágrimas
dellas viere, que primero tome *acuerdo que ven-*
ganza, de las quales donde juizio, discriçión, seso e
entendimiento oviese, devrían çesar las buenas mugeres honestas quando vienen los ombres delante dellas,
por escusar el mal; más que más quando son ombres
colóricos, que son prestos a las manos e reina súbito
la malenconía en ellos, e fazen en un punto e en una
hora cosa de que se arrepienten por todo un año o
quiçá toda su vida; o le matan súbito e va a las penas
infernales condepnado. E ella queda triste, desaventurada, complida su voluntad e su malenconía vengada e su ira executada, e comenzado su dolor, bien
se le deviera membrar que a buen callar llaman Sancho[75]. Empero estos tales son robustos en amar,

[75] El ms. sigue: «Dize en el proemio de las *Clementinas* sobre
aquella palabra Silencio dize el fablante sea discreto en fablar Dice
más Ovidio non ay menor trabajo que callar e mayor pena que

atrevidos a mal fazer, indiscretos en la ora de la cólera, ávidos e espertos para exsecutar, non temerosos para poner por obra; e si el entendimiento non se duerme, las sus manos pero velan: por ende son muy perigrosos para amar e ser amados. Más, dexando su amor dellos —que es viento e roçío que en breve momento pasa e dura— *amar* ellas a Aquel que dura e durará su amor para siempre jamás, sabieza sería, salvo mejor consejo.

CAPÍTULO IX

De las condiçiones de los flemáticos para amar e ser amados

Ay otros ombres que son flemáticos, los quales son para arte de amar los más áviles e convenientes del mundo: éstos son primeramente perezosos —toma quanto a lo primero— para comienço de amar; son muy cobardes, más que judíos. Nota lo segundo: para ser amados son flacos e ligeros de seso, sospechosos, groseros e non en cosa de pro nin de honra entremetidos. Toma lo terçero: para querer e ser queridos, pues estos tales verás cómo han de amar teniendo todas las contrarias cosas en sí que *a* amar

---

mucho fablar porque trae consigo el mucho errar Dice Caton que la primera virtud creese refrenar la lengua Dice Socrates dezir me peso callar nunca Dice el Arcipreste sabieza temprado callar locura desmayado fablar.» Esta es, sin duda, una interpolación de una nota marginal en el ms. ascendiente. El arcipreste de que se habla aquí es el mismo de Talavera. Véase la edición citada de Marcella Ciceri, II, 149.

pertenesçen. Por quanto, quiero que sepas que es
menester que el que amare o amar quisiere —segund
el mundo e tiempo moderno de oy— que sea muy
presto, ombre muy fuerte de coraçón e constante, sin
sospecha, animoso, amoroso, donoso, non enojoso,
franco, cortés, mesurado, liberal, osado, ardido, en-
tendido, esforçado, para mucho, en gentileza entre-
metido[76]. Pues este flemático, vil e desaventurado
que tales condiçiones tiene, ¿cómo amará nin será
amado? Que si le dixeren algo o hoviere de fazer algo,
o ir de noche o andar con frío o lodos o malas noches
donde su amada está, que luego que se espereze
primero, e que boçeçe segundo, e lo terçero que
saque la cabeça fuera de la puerta a ver si nieva o
llueve; lo quarto que se esté concomiendo e pensando: «Iré; non iré; sí iré. Si vo, verme han, mo-
jarme he, me encontraré con la justicia e tomarme ha
la espada; correrme ha por las calles la ronda si me
encuentra; e si estropieço por ventura, caeré; ensu-
ziarme he de lodo los çapatos de alta grasa. Non iría
sin galochas fuera de casa. ¡Guay, si me muerde
algund perro en la pierna, o si me dan por ventura
alguna cuchillada, o si me dan en la cabeça alguna
pedrada, o si me toman en casa, cortarme han lo mío
e lo mejor que he! ¿E si me toman entre puertas o si
me cargan de palos? Non sé, pues, si me vaya. ¡Al
diablo, en buena fe, allá non vaya! ¡En buena fe, de
casa esta noche non salga! Bien se está el pie en la
pierna: vámonos acostar, que quien bien está e mal
busca, si mal le viene, Dios le ayuda.» Empero, si
este tal sale fuera convençido de mucho amor, e se va
a casa de la amada e encuentra alguno que trae cañas
a cuestas o pellejos que fagan ruido, luego —como es
muy flaco de coraçón e cobarde de espíritu e de

---

[76] Compárese esta enumeración con las de las etopeyas de los
galanes enamorados de Fernando de la Torre, Suero de Ribera y
Hernando de Ludueña que citamos en nuestra introducción (página 27). Es como si el arcipreste estuviese devolviendo estas calidades
a un contexto moral cristiano, rechazando así su expropiación por
los partidarios del amor cortés.

voluntad— luego se le torna el coraçón tamaño como de formiga, e da a foir, e tropieça e cae, e levántase atordido, e fuye e mira fazia tras por ver si viene alguno tras él; que piensa que son ombres armados que le van a las espaldas rosollando para le matar, e fuye çielo e tierra. E si por ventura entra en casa de su dama, non entrará por ventana —que non le bastaría el coraçón— nin por escalera de cuerda, nin por tejado, nin por açotea, nin desquiciará la puerta, nin saltaría seis tapias en alto[77]; pero si la puerta le abren, todo entra encogido *e* a cada rencón le paresçe ver ombres armados. E si algund gato se mueve, peor es que muger: luego cae amortesçido, e ella le ha de aconortar e retornar en sí con el agua de las gallinas: «Esforçar, amigo, que gato era, mi amor.» E el judío, sudando como corrido, la color perdida, los ojos embelesados, el coraçón saltando, diziendo: «¡Señora, muerto so! Yo vi agora, a mi paresçer, más de çient ombres, e paresçióme en el estruendo que estavan armados. ¡Señora, muerto so! ¡Abrid, amiga! ¡Irme he; que me vienen trasudores de muerte!» Mirando está por dónde fuya o por dónde saldrá. Dize ella: «¡Yuy, amigo, non ayais miedo, quel gato es que fuyó desque vos vido!», o «La gallina es que tiene pepita e faze ruido», o «La mula es que come çevada e faze ruido», o «Dos anadones son que están en aquel corral chapullando», o «Mi señora la vieja es que tose», o «Mi madre que cierne», o «Mi hermana que amasa», o «La perrilla que se rasca las pulgas e

---

[77] Estas imágenes también son muy comunes en la poesía de la lírica cancioneril. En el «Diálogo entre el amor y un viejo» de Rodrigo de Cota, por ejemplo, el protagonista, al dirigirse al Amor quien le viene a tentar con sus deleites, le dice: «Di, ladrón, ¿por qué saltaste / las paredes de mi huerto?» En la «Escala de amor» de Jorge Manrique, el poeta, al ser asaltado metafóricamente por la belleza de su señora, se describe a sí mismo con las siguientes palabras: «Estando triste seguro / mi voluntad reposava, / quando escalaron el muro / do mi libertad estava.» Vale recordar también a «... ese loco, saltaparedes...», Calisto, de la *Celestina*. El arcipreste, pues, parece estar ironizando sobre tópicos conocidísimos del amor cortés.

gruñe. Estad, amigo; sosegad vuestro coraçón, que tan seguro estáis como en vuestra casa, desto non dubdes.» Responde él: «¡Ay, señora, quiérome ir! Non podría aquí de miedo estar; los cabellos se me repeluznan. ¡Algo es esto, Ihus!» Desque ella vee que está temblando como azogado e más muerto que bivo, e vee que aunque quedase, que non quedava con ella ombre sinón muger, dize ella: «Pues muger por muger, non he menester aquí otra muger.» Abre la puerta e déxale salir, e las bendiçiones que ella le da, estas vengan a los que lo fazen: maldiçiones abondo, injurias a osadas, pugeses non por burla, ronquidos a pares, silvos como a buey, diziendo: «¡Mal gozo vea tu madre de ti, nunca otro para quien a ti parió, amén! Veés qué esfuerço para amar? ¡Roncalde!» ¡Cómo sería el tal para con un puñal defender una puerta a diez o doze, e que ninguno non se le osase acostar, que tanto estudiese mortal! Así que los tales non son buenos para amar, nin aun para ser amados, que nin tienen lo que amor requiere, nin han lo que la fembra quiere. Amar, pues, a tales es mengua de bondad e sobras de ruindad. Como ay en algunas que eso se les da ser amadas de brioso que de perezoso, de fuerte que de flaco, de ombrezillo que de ombre entero, de ardido que de cobarde, de perezoso que de esperto, de generoso que de villano, de ligero que de pesado: solamente ay un florín; que todo lo otro dizen que es burla. Pero ésta es la verdad, que uno en camisa vale más que otro con millares de doblas. Pero pasó ya este tiempo, que agora de sesenta años sea el ombre non ay otro al mundo —esto con ronçería e falsedad— bástale a ella, pues, le dé con que arreada se traiga, e siquiera sea feo o desdonado, puerco, gordo e dormidor. Empero, después con el viçio que este les da en arreos e buen comer e bever, nunca les fallesçe después algund ombre de pie con que juegue e fuelgue. ¡Guay del que escota e paga! Este caso, eso mesmo digo de las mugeres que de los ombres; que así los ombres a las vezes aman unas suzias, feas, desinchalidas e para

224

poco, sólo que tengan o sean de estado e manera pensando que non son aquellas mugeres como las otras, e sabe Dios que a las vezes vale más una en sayuela que otra con rabos de martas. Pero así en casamientos como en amiganças, de aquestos amores e de aquí salen los panes gibados e los cuernos retuertos e los casamientos aborridos. Quien da vieja a moço en amor nin en casamiento, nin moça a viejo, nin viejo con vieja: los unos buscan fadas malas e gelosías; los otros viejos reñir e raviar e porfiar; más suzios son que la araña. ¡Oh qué cosa para amores!

Quatro maneras son de casamientos: las tres son reprobadas, e la una de loar.

La primera manera sí es: quando el moço casa con la vieja. Esta tal madre bendita, con sus rugas en el vientre, ¿qué espera? Que con lo suyo della tenga el moço una o dos o más enamoradas a su ojo cada día, e la vieja maldita que rebiente de gelosía e muera mala muerte en pena e vida dolorida; e si fablare, que ande el cardenal en el ojo, e aquél traiga por alcofol; toda ora palos e descalabrada e siempre apelmazada. Esto demanda e busca la buena madre, señora, en sus postrimeros días por tomar marido o amigo moço, que se pensava de nesçia quel moço avía de ser contento de su cuero rugado, o esperava aver fijos dél en su loca vejedad la Marta piadosa, huesos de luxuria. Pues, téngase lo que le viniere la vieja desmolada, canas de infierno; muera e rebiente la vieja grofa maldita que buscó refresco en la última hedad. Aconórtese con la mala vejedad, con su cuero curtido, su vientre rugado, su boca fedionda e dientes podridos: que para moço, moça fermosa, e que la quemen a la vieja ranziosa; y para moça, moço graçioso e que rebiente el viejo enojoso. Por quanto quiero que sepas que esta buena madre, señora, fizo contra horden de matrimonio[78]. Pues, la buena nues-

---

[78] El ms. sigue: «Tomo nombre segund dize Ostiense en la *Suma* en este título que se compuso de madre e munio que quiere dezir oficio de madre. Otros dizen así como el Sagramental en este titulo

tra dicha madre vejota poco curó de guardar matrimonio, salvo tomar consejo del monico por aver mala vejez. E, ¿sabes por qué non se llama patrimonio, salvo matrimonio? Por los grandes cargos, penas e dolores que la muger soporta, ante del parto encargoso, en el parto doloroso, después del parto, en criarle, enojoso. Por ende, se llama de parte de la madre matrimonio, lo cual poco pensó la vieja curtida. ¡Aya, pues, mala vida y esté deste mundo por despedida.

Ay la segunda manera de matrimonio o amor reprobado, quando el viejo casa o ama a la moça, ¿Qué espera el tal viejo guargajoso, pesado como plomo, abastado de vilezas, sinón que la moça, farta de enojo de estar cabe tal buey de arada, que busque un moço con quien retoçe, e que lo sienta él e calle, e si non callare, que lo pese o plega, que lo soporte e vea de cada día su casa perderse, e non pueda dar recabdo? La primera oración que dize la tal moça quando entra en la cama del viejo es esta: «¡Mal siglo aya el padre o madre que tal da a su fija!» E dale dos pujeses e échase sospirando cabe él, mas non sospira por él. O dize: «¡Nunca otro casamiento faga quien este casamiento me adilgó! ¡Mala postrimería, malos días, malos años le dé Dios, amén!», etc. Apaga la candela, échase cabe dél, e buélvele el rostro, e dale las espaldas diziendo: «¡Mala vejez, mala postrimería te dé Dios, viejo podrido, maldito de Dios e de sus santos, corcobado e perezoso, sucio e guargajoso,

---

en el parrafo Que cosa es matrimonio dize que se compone de madre e munir que quiere decir guarnescer porque guarnesce e guarda la madre de infamia e fornicaçión Otros dizen que tomo nombre de monos que quiere dezir uno porque de la materia de dos engendra uno Sant Esidrio en el libro de las Ethimologias dice tomo nombre matrimonio de matrona que quiere dezir madre del nascido.» Esto parece ser una nota marginal interpolada en el manuscrito ascendiente, véase la edición de Marcella Ciceri, II, 149. El Ostiense nombrado en el pasaje es Enrique de Seguisa, canonista del siglo XIII. Su *Summa aurea* incorpora y comenta sobre las *Decretales* de Gregorio IX, texto que el arcipreste cita a menudo. La referencia a San Isidro de Sevilla es a *Etymologiae*, L, IX, 7. El *Sagramental* es el *Sacramentario* leonino.

226

vellaco y enojoso, pesado más que plomo, áspero como caçón, duro como buey, tripudo como ansarón, cano, calvo e desdentado! ¿Y aquí te echaste cabe mí, diablo desazado, huerco espantadizo, puerco invernizo, en el verano sudar e en el invierno temblar? ¡Triste de la que tal heredo tiene! ¡Guay de la que tal posee! ¡Ay de la que tal cada noche al costado tiene! ¡O triste de mí, que en ora mala nasçí! ¡Y para mí fueron guardadas, cuitada, estas fadas malas! ¡Otra logró su moçedad, y para mí, captiva, estudo guardada esta mala vejedad! Pero, ¡para la pasión de Dios, si el día Dios me dexa veer, yo ge la urda! ¡Guay! ¿Y tal vida avía de sofrir? ¡Antes fuese yo quemada en medio de aquella plaça! ¡Ay captiva de mí! ¡Y quien me cativó, sí captivo se vea, çedo e non se tarde, en tierra de moros, amén! ¡Ya, Señor, y quántos, cuitada de mí, las manos a Dios alçaríen, si cabe mí dormiesen! ¡Ay Dios, e cómo non rebiento! E agora estó aquí, que si fría me echo, elada me levanto del costado. ¡En mal punto nasçí: que del lado que me echo dese me levanto! Yo non puedo creer que más desaventurada muger en el mundo nasçió. ¡Ya mi marido moço e çapatero fuese, pobre e sin dinero, e non fuese este diablo que tengo! ¿Qué me aprovecha su riqueza, cuitada? ¿Su fidalguía qué me vale? ¡Ya guaya! Pues que al mejor tiempo sola me fallo e desacompañada, fago cuenta que con mi comadre duermo como solía. ¿Parésçevos ésta vida? ¡Landre la que tal sufriese e mal huerco le llevase! D'oy más yo me daré cobro, que ya esto non es de soportar.» Esto todo está ella diziendo entre sí; buélvese fazia él e face como que le rasca la cabeça, e con los dedos fázele señal de cuernos; pásale la mano por la cara como que le falaga, e pónele el pujés al ojo; abrácale, e está torçiéndole el rostro, faziendo garavato del dedo, diziendo: «¡A la he, así se vos tuerçe, don falso viejo, como si fuese de badana o pellejo! ¡Cúbreme, pues, de luto, Señor, que me pena este traidor!»

Item, ay otro amor e casamiento reprobado, aunque non tanto como los dos susodichos, conviene a saber: el viejo con la vieja, que non son sinón para reñir e porfiar el uno de una parte e el otro de la otra; nunca están alegres, el uno con dolores e la otra con más, ella diziendo: «¡Ay de la madre! ¡Ay de las renes! ¡Ay de la cabeça! ¡Ay daxaqueca! ¡Ay de la muela! ¡Ay de la teta! ¡Ay del ojo! ¡Ay de la cadera! ¡Ay del estómago! ¡Ay del costado! ¡Ay del vientre! ¡Ay del ombligo! ¡Ay del todo el cuerpo, cuitada!» E el otro dize: «¡Ay de la gota! ¡Ay de la ijada! ¡Ay de los lomos! ¡Ay de los reñones! ¡Ay de çeática! ¡Ay de pasecólica! ¡Ay de las muelas!» en tanto que el uno llora e la otra regaña. Todo el día e toda la noche están regañando, dando maldiçiones a quien los sirve; de sí mesmos non se contentan; non les paresçe cosa bien; las çejas todavía lançadas, la color abuhada, tristes, pensativos; guasajados aborresçen, placeres los tormentan, podridos en la carne, carnosos en los huesos, suzios y gargajosos. Non les vale riqueza nin dinero, ni les ayuda cosa desta vida a su vejez, nin dolor: penar, morir, estar quedos. ¡Verés qué negro casamiento y qué solaz, qué amores, qué duelo y qué dicha buena! ¡Y buena pro vos faga el casamiento, don viejo, pues soes contento, y a vos, madre bendita, bevid con tal pepita! E, lo peor, que non han fijos, nin fijas, nin son para los aver, nin tienen esperança de los alcançar, e así biven toda su vida con dolor.

La quarta manera de matrimonio es aprovada: el moço con la moça, la moça con el moço. Éste es de loar e los otros de evitar, e en este tal matrimonio deve aver tres cosas: comienço, firmeza, acabamiento. Comiénçase en los esposorios, fírmase en las palabras, después consúmase e acábase en la carnal cópula. Esto fallarás largamente en el *Compendio,* seiseno libro, en el quarenteno título, *De los matrimonios,* donde bendito es el matrimonio donde amor Dios dio e ellos lo procuraron[79]. Ya se sepa que este

---

[79] En toda esta discusión del matrimonio, el arcipreste ha seguido el *Compendium Theologicae Veritatis,* atribuido a Hugo von Strassburg.

amor, e lo otro, e el mejor dellos, es locura e vanidad, sinón a Dios amar, que da vida, salud, riquezas, estado, honra e final gloria a aquel que le sirve, e de vanidades nin de locuras non se cura.

CAPÍTULO X

De cómo los ombres malencónicos son rifadores

Ay otros ombres que son malencónicos: estos tales son como los susodichos e aun peores, que son airados, tristes y pensosos, inicos e maliçiosos e rifadores. Pues, vean los que aman si estos tales, que tales viçios han, deven amar ni ser amados; que el que amare déstos, lo primero luego fabla con ira e sobervia, diziendo: «Pues, ¡para el cuerpo de tal yo meresco tal *e* tan buena e mejor que vos!» E piensan que por las asombrar las han de aver. Aunque algunos ay que desta regla se aprovechan, que con miedos e amenazas fazen a las cuitadas errar; pero de otra parte son muy tristes e pensativos en sus malenconías, e buscan luego vengança; non ay compañía que con ellos dure; non ha muger que los pueda comportar. Éstos son picacantones de noche, e de día jugadores de dados e muy perigrosos barateros, trafagadores, enemigos de justiçia, facedores de ultrajes e soberguerías a los que poco pueden. Robar, furtar, tomar lo ageno por fuerça: non ha maldad que por dineros non cometan, nin ha muger que por ellos non vendan por aver o más valer. La que tal marido o amigo tiene, posesión tiene de muerte o de poca vida. Pero dexando agora de más proseguir las calidades quatro susodichas por non ser más prolixo, que en lo dicho farto puede entender algo el que quisiere, si a bien obrar darse quisiere; por quanto puesto que los tales complisionados principalmente en las quatro complisiones susodichas sean tales e peores que dezir non se podría; pero, como suso dixe, de todas quatro calidades e complisiones ayuntadas es cada cuerpo compuesto, e si las malas sobrepujan a las buenas mucho ayudan a mal, e por el contrario eso mesmo, así que las unas con las otras se tempran. Empero, el sentimiento e natural seso e juizio mucho ayuda al ombre e muger para se encobrir de algund açidente si le predumina de rezio e le es malo: que el que seso tiene, si se siente ser soberuio, fuya quanto pudiere de aver palabras feas con ninguno, buelva luego las espaldas antes que la cólera le ençienda. E el que remedia en sí con tiempo e en sus viçios, que conosçe e provee a ellos e los previene de remedio antes que ençendidos sean, non faze poco; e el tal es luego señor de sí, e el otro enemigo de sí, que trae los enemigos consigo e non provee de armas para se defender dellos. ¿Quántos enemigos tiene el mezquino del ombre? El mundo, el diablo e la muger. E demás, la muger e el ombre ¿qué enemigos tienen? Estos que te diré: primeramente estas calidades malas, los açidentes perversos dellas, el usar mal continuando fasta la fin. Muchos son los lazos que en este mezquino de mundo están aparejados al cuerpo para fazer perder el ánima cuitada, sin provisión que fagamos. Tiene más enemigos: la voluntad desordenada, la cobdiçia defrenada, la ira non temprada, la vengança aparejada[80]. Abra el ojo, por ende, quien para siempre bevir quisiere; que non se mueva de ligero nin buelva sus ojos a son de pandero. Ame a Dios con temor hordenado, tema su justiçia, guárdese de le ofender, o si le ofendiere demande luego misericor-

---

[80] Aquí el arcipreste anticipa ya la temática de la cuarta parte de su obra, que es parte íntegra de su tratado, y no un *insufferably dull teatrise on astrology* escrito con un *logic-chopping Schoolman's style* que no pertenece a *Arcipreste de Talavera*, según Lesley Byrd Simpson (trad. cit., pág. 8).

dia. Aya demás por abogada a la Virgen Santa María; nunca su coraçón se parta della, siempre se acomiende a ella[81]; ruegue a los santos e santas de paraíso inçesantemente que le guarden, amparen e defiendan; que a la ora de su fin non sea en mortal pecado comprendido; que muera a Dios conosçiendo porque se pueda arrepentir de los males que cometió e fizo. E en esta manera Dios, que es todopoderoso, ampararle ha e dar le ha su gracia e bendiçión. ¡Plégale que en tal manera le amemos e sirvamos, que merezcamos aver la gloria suya, amén!

Aquí se acaba la terçera parte deste libro e obra.

---

[81] Martínez de Toledo fue particularmente devoto de la Virgen. Véase *San Ildefonso de Toledo a través de la pluma del Arcipreste de Talavera*, edicción de José Madoz, Madrid: CSIC, 1943, donde se publica la traducción de la *De Virginitate Sanctae Mariae Contra Tres Infideles* de San Idefonso que hizo el arcipreste páginas 103-181).

AQUI

COMIENÇA LA *QUARTA* [81 bis] PARTE DESTA OBRA E DESTE
LIBRO, QUE FABLA DEL COMÚN FABLAR
DE FADOS, FORTUNA, SIGNOS
E PLANETAS

CAPÍTULO PRIMERO

Del común fablar de lo susodicho

Por quanto ya de suso avemos visto los fundamentos de amar *e* los provechos e bienes que dél se siguen, demás avemos visto quál es mejor e más provechoso —amar a Dios o a las cosas terrenales— e de cómo el amor desordenado de ombre a muger o *de muger a hombre* es muy perigroso, que mata los cuerpos e condena las ánimas a penas infernales; demás vimos los viçios en algund tanto de los omes e mugeres. Pues agora conviene que fablemos algund tanto de una mala e dapnada opinión que las más gentes tienen por verdad, aunque es dapnada e reprovada por la Madre Santa Iglesia, e otros fuera della la repruevan, infieles e paganes. E por quanto ay mu-

---

[81 bis] En el ms. se lee «mjª», evidente error del copista por el número «iiijª». En todas las ediciones impresas se lee «comiença la quarta parte...» Véase la edición citada de Ciceri, II, 8.

chas personas, así omes como mugeres, que tienen
que si mal han, que non les viene sinón porque de
nesçesario les avía de venir, llamando a esto tal
ventura, fado e fortuna, o dicha buena o mala, diziendo: «Ninguno non diga que soy mala o malo, que
si mi ventura mala me corre, ¿qué culpa hé yo? Non
he mal nin bien si non lo oviera primero de aver.
Pasará, pues, mi fortuna así mientra biviere» [82]. Argui-
rán algunos contra mí diziendo así: «Tú, segund tu
escriptura, que de alto posiste, dixiste que los cuerpos de los omes o mugeres son de quatro complisiones: sanguinos, colóricos, flemáticos, malencónicos,
e que son aquestas complisiones destos en preduminación de las planetas e signos: que el sanguino es
alegre, e el malencónico ome irado, e el colórico
movido de ligero, e el flemático torpe e perezoso; e
esto, que ge lo dan sus complisiones, que tomaron
nasçiendo en los años, meses, días e oras en que las
planetas e signos dan sus naturales influençias. Pues,
si esto así es, de nesçesario conviene quel sanguino
sea de buena calidad e faga bien, e el malencónico
irado *que con* su ira faga mal, e así de los otros; e
pues tal es su complisión, non puede sinón por ella
pasar, e fazer e acabar segund su costelación. Pues
¿cómo me quieres agora tornar a dezir que non es
nesçesidad quel malo faga mal, pues que de su calidad
le viene, que acabe mal faziendo mal —e el bueno por
el contrario— pues paresçe que de nesçesidad es e
non voluntad?» Agora yo te quiero responder, ca
argumento en esta manera: yo non te niego que los
cuerpos superiores non den sus influençias a los inferiores, e que las personas que en los tales tiempos,
días e oras naçen durante sus influençias de los signos

---

[82] Uno de los argumentos más comunes de los amantes cortesanos era que su pasión fuese predestinada y causada por las estrellas. Véase el texto de las «Leyes de amor», que citamos en la nota
número 15 de nuestra introducción. Aun hoy día en inglés existe la
expresión *star-crossed lovers*, que significa una pasión intensa y
desgraciada.

e planetas, que non reçiban de sus calidades e correspondençias; pero con esto están dos respuestas: la
primera, que Dios todopoderoso puede de ti e de mí
ordenar contra tu calidad e mía; que aunque quera-
mos nosotros usar mal, empero a Él le plaze que
nosotros usemos bien, dándonos conosçimiento del
mal usar nuestro con perdimiento —porque non
quiere la muerte del pecador, pero que biva e se
arrepienta— dándonos señales para bien fazer e
obrar, non costriñendo el natural juizio a bien obrar
—quel mérito se perdería— mas dando demostracio-
nes de cosas que de voluntad propia suya le retraigan
de mal fazer, e le den voluntad e apetito a bien
fazer. E como dize en la leyenda de la quarta feria de
Pasqua de Resurreçión, donde dize: «Non quieras
murmurar porque dixe: ninguno a mí non puede venir
si primero el mi Padre a mí non lo troxiere»[83], paresçería por ende que ninguno non puede venir a bien
fazer si non será traído, e luego paresçería ser forzado
el tal bien fazer, e non voluntario. Responde aquí e
dize: «Algunos a bien fazer vienen como forçados, a las
vezes con bien, a las otras con mal; pero así traídos,
el bien que después fazen, voluntario le fazen e de
grado; e si el comienço fue forçado, el medio e la fin
son voluntarios de bien fazer.» Dice más adelante:
«Non cure, pues, ninguno de dezir ¿Por qué non trae
nuestro Señor a este como aquél, e al uno como al
otro, e comúnmente a todos?» Responde e dice:
«Porque quiere ser, como señor, rogado; que aquel
que a sí trae, por algund bien que alguna vez fizo, lo
troxo.» Por ende, consejo da aquí e bueno, diziendo:
«Si vees que nuestro Señor non te trae a sí como a los
otros, e te olvida, ruégale, suplícale que le plega de
traer a tí a sí como a los otros trae a bien obrar; gime
tus culpas, llora tus pecados, conosçe tus errores,
castiga tus obras, enmienda tu vida, conosçe su

---

[83] *Joann.*, 6, 43-44: «Nolite murmurare in invicem. Nemo potest
venire ad me, nisi Pater, qui misit me, traxerit eum.»

poderío, entiende su graçia, siente su bondad, guarda la su clemençia e piedad, teme las penas, desea su gloria, bive bien, e déxate de tales cosas judgar, pedir ni demandar.» Empero si dizes que así non es esto, dispútalo con Él, e déxate de mí, que de los fechos de Dios non te puedo más çertificar, que nin reçibe argumento insoluble, nin sofisma, nin obligatoria, nin terminus in quem, nin argumento lulista, remonista[84] nin sofista, nin otro dezir nin arguir sinón lo que le plaze, lo que quiere e permite que lo que es, que sea así. La segunda razón por tu argumento que feziste, como pensando que era insoluble, para le anular es esta: dime, ¿nuestro Señor non dio para cada criatura seso e juizio natural para el mal del bien discerner, e que conosca él mismo quándo faze mal e quándo faze bien? Dime más: ¿non dio Nuestro Señor Dios a la criatura discreçión e franco alvedrío para fazer bien e obrar mal si quisiere, dándole primeramente conosçimiento del bien?[85] Dime más: ¿non dio Nuestro Señor Dios a cada criatura un ángel bueno que le conseje —porque a las vezes la criatura turbada de voluntad desordenada, casi como çiega que non vee, o induzida e consejada por el enemigo Satanás, o por otros contrarios e enemigos que la criatura tiene, como es el mundo, sus averes y deleites, e como la criatura a las vezes con estas turbaciones, por la flaqueza de la carne, que se inclina antes a estas cosas que non *a*

---

[84] Después de referirse a los procedimientos de la lógica nominalista, el arcipreste menciona unos de la filosofía. *Llulista* se refiere a Raimundo Llulio y *rremonista* a Raimundo Sabunde, dos pensadores catalanes.

[85] En el *Primer de Crestià*, Françesc Eiximenis dice lo siguiente: «Item, no't ha dat franch àrbitre tan poderós que nengún enemich teu no'l pot sobrar si tu donchs no li consents?» (cap. CLXXVII). Un poco más adelante en el texto, el arcipreste hará referencia a la *Vita Christi* de Eiximenis. ¿Estaría pensando más bien en el *Primer del Crestià*? Sobre la posible influencia del franciscano catalán en la obra del arcipreste, véase David J. Viera, «Francesc Eiximenis (1340?-1409) y Alfonso Martínez de Toledo (1398?-1470?): las ideas convergentes en sus obras», *Estudios Franciscanos,* 76 (1975), páginas 5-10.

amar e servir a Dios, empero le dio el ángel bueno, que luego le trae a la memoria: «Cata, que mal fazes contra Dios e contra el consejo que te do, contra tu conçiençia que siempre te acusará lo mal fecho?» Pues dime, todo esto previsto, si tú quieres mal usar, ¿fázelo la costelaçión de tu planeta e signo, o calidad tuya de ser flemático o colórico, o tú mesmo que te lo quieres? Por cierto non lo faze otro sinón tú mesmo que lo así quieres fazer, que non por falta de conosçençia nin por falta, que si quando fazes mal quisieres fazer bien o del tal mal fazer dexarte que non pudieses. Concluyo dos cosas aquí: la primera, que non ha criatura que, si apartada non sea de natural seso, e aquesta tal non le es contado el mal que faze, si seso no tiene —es de ver en qué estado le tomó la privación del seso: que si en estado de gracia, bien está; si en pecado mortal, menester *ha* el ayuda de Dios; pero esto es de otra materia e non deste propósito— pero como dixe, si la criatura poco o mucho juizio tiene —quanto poco que ella tiene— non la ay criatura que non aya conosçimiento que faze mal o bien; o que de sí lo conosca, o que ge lo revele, o que a la memoria traya el buen ángel; o a las vezes los méritos de algunos bienes que fizo o faze el otro por él, e a las vezes ruegos de santos o santas a quien devoçión tiene: estos tales santos o las tales santas ruegan a Dios por él que conosca su mala vida e que le dé graçia de bien obrar; non ruegan a los signos nin planetas, nin al fado ni fortuna, salvo a Dios todopoderoso. La segunda razón es que non ha criatura que si bien quisiere obrar que non tenga más poderío para ello que non para mal obrar; que bien obrando todo es suyo, franco, libre e quito. Non ha temor de persona que biva. Pero para mal obrar non tiene este poderío; que él ha miedo a la justiçia, ha miedo a las gentes a quien mal e dapno faze, ha miedo a todos comúnmente; e aunque sean otros e non aquellos a quien él mal faze, que le prendan, que le redarguyan, que le acusen del mal que fiziere. E este tal que mal faze ha miedo a todos éstos, e de Dios non ha miedo nin temor. Pero el que bien faze es por el contrario; que non ha miedo nin temor a la justiçia nin a las gentes, sinón a Dios solo, que ha miedo de *le* ofender, ha miedo si el bien que faze si le es plazible a Nuestro Señor o non; ha miedo que si quando muriere si averá fechas tantas buenas obras, e tales que sea mereçedor de *alcanzar* purgatorio. E todos estos miedos son en el bueno, e los susodichos en el malo. Pues si el malo bien quisiere obrar, *su* fado nin planeta non ge lo puede quitar; si el contrario, eso mesmo[86]. E por tanto, te digo que cada uno tiene en su poderío e es todo señor de sí para mal o bien fazer, mediera la gracia de Dios Nuestro Señor; que si en otra guisa fuese, sería dar nesçesidad a las cosas ser así o non ser así, e la condepnaçión del infierno al malo sería contra justiçia, e la salvaçión del bueno sin méritos sería. Que si el bueno fue bueno, e su costelaçión, su planeta, signo, fado quando nasçió ge lo dio, que bien avía de acabar, ya nin grado nin gracias, que segund esto sancto nasçió e bienaventurado murió. Eso mesmo del malo: si el malo nasçió en mal signo, e fue así que ovo de proseguir su maldad biviendo, e murió malo, ¿qué justiçia sería ésta, aver dapnaçión, pues él non procuró de nasçer en aquel mal signo, planeta o fado? E sería venir a la fuerte materia de los preçitos e predestinados, diziendo que los unos de nesçesario han de ser salvos, los otros dapnados. E con razón averían que dezir los que se esperasen de dapnar de nesçesario, diziendo: «¡O Señor!, pues de nesçesario me tengo de dapnar, ¿por qué quisiste que nasçiese, pues a Ti era notorio en la tu paresçiencia eternalmente dispuesta, que yo me avía nasçiendo de dapnar? Pues si Tú lo quisiste así, a Ti sea gloria como Soberano Señor. Pero, Señor, por

---

[86] En el *Primer de Crestià* de Eiximenis (cap. CLXXXIIII) se encuentra el siguiente pasaje que concuerda con lo que dice el arcipreste: «... tostemps lo franch àrbitre roman en los hòmens en sa libertat, donchs per aytals conjunctions lo franch àrbitre no segueix neguna d'aquestes sectas, mas apres la conjuctió que dabans en que lo franch àrbitre romangue axí franch tostemps y axí u posen ells mateixs.» Véase Viera, art. cit., pág. 8.

Tú ser verdadera justiçia, piensa que non me fazes
justiçia, ca mejor fuera que non naciera para tal
condepnaçión aver e esperar tal tormento, no seyendo mía la culpa, nin procurar mi ser e naçimiento
en el mundo. Tú lo hordenaste, a Ti plogo, Señor; sin
culpa *so* deste pecado e bien inocente dello.» Esto e
otras cosas muy reprovadas se siguen de la tal nesçesidad, e desta materia non se deven las personas mucho
curar nin disputar, especialmente los que theólogos
mucho fundados non son, segund en el libro de *Vita
Xpi* dixo maestre Francisco Ximenes, fraile menor[87].
E por non venir a este inconviniente e questión, e
muchas otras irróneas demandas que fazer suelen los
simples o locos atrevidos, dexarse dello sabieza es:
que por tanto dio Nuestro Señor a cada uno seso, e entendimiento e conosçimiento de mal *e bien, e* que fuese
señor de sí e aun señor del diablo, si quisiese, *e* que en
su mano fuese de se salvar *o* dapnar sin fado nin planeta, como dice David: «Señor, la mi ánima siempre *está*
en mis manos para la poder salvar o dapnar»[87bis]. Desta
materia lee la xxiii causa, la quistión quarta, capítulo
Nabucodonosor, en el *Decreto.* Allí fallarás difinida
esta materia por Sant Agostín e otros dotores, de los
precitos e predestinados, donde pone enxiemplo en
Faraón e Nabucodonosor, que eran iguales Reyes, al
uno endureçió el coraçón e se condepnó, al otro ge lo
abrandó, faciéndole andar como bestia por los montes, privado de su regno e aborrecido de los suyos e
desonrado[88]. Empero, estos dos amos fueron sobervios e desconoçidos a Dios, empero el uno fue salvo,
e el otro condepnado por permisión de Dios, por

---

[87] No la *Vida de Jesucrist* de Eiximenis, sino probablemente su
Primer del Crestià (caps. CLXXVII y CLXXXIIII). Véanse las
notas 85, 86.

[87bis] *Psalmi,* 108, 109: «Anima mea in manibus meis semper: et
legem tuam non sum oblitus.»

[88] Se refiere al canon 22 de la *quaestio* IV de la *Causa* XXIII del
Decretum Magistri Gratiani, segunda parte. El *Decretum Magistri
Gratiani* es un apéndice a las *Decretales* de Gregorio IX. En
conjunto, estas obras forman el *Corpus Juris Canonicis.*

quanto el uno de Dios tentado, se arrepintió e meresçió ser a su regno restituido después la fecha penitençia; el otro, Faraón, tentado, se ensoberveçió e se tornó peor, donde meresçió ser perdido. Pruévase luego el ome de su bien o mal ser causador de su libre alvedrío: porfiando Faraón quiso ser perdido, como a otros Faraones de cada día contesçe. Pues el porfiado e rebelde, crudo e tirano, inobediente e sobervio pecador, culpe al causador de su culpa e non al ordenador de su pena. Si demandas por qué esto, responde Sant Agustín: «Porque al Soberano así plaze.» Desta materia lee el *Eclesiástico* a los quinze capítulos[89], e verás cómo el poderío de la criatura es en ella de se salvar o dapnar; e aun se fallarían millares de autoridades otras al propósito concluyentes. Non te escuses pues, con fado, planeta, nin suerte, nin ventura, nin diciendo que le plogo a Dios; sinón di que te plogo a ti, e pudieras salvarte, e fue en tu querer e mano, e por poca delectación mundana. Di e confiesa que non quisiste salvarte, e esta es la verdad, e lo ál creer es vanidad. Pues espiriençia lo demuestra, e cada uno lo vee bien en sí. E esto es lo que a los dapnados tormenta, la conçiençia que los acusa cómo por su propia culpa se dapnaron, confiando locamente mucho en la misericordia de Dios, mal faziendo continuamente, non pensando en la su justiçia, que esperó, e nunca vino emienda. Por quanto quiero que sepas que Nuestro Señor del comienço del mundo, e desde siempre, todas las cosas fueron complidamente a Él notorias, e sabe todo lo pasado, presente e venidero. Empero la su presçiençia e saber es en dos maneras: la una quanto al saber que es çerca de sí, e esto es incomutable; la otra es quanto en esguarde de la criatura. E este tal saber nunca a la libertad de la criatura repugna nin contradize; ante, así con la libertad, franco alvedrío de la criatura, se arregla, que el bueno o mal obrar suyo mu-

---

[89] *Ecclesiasticus*, 15, 14: «Deus initio constituit hominem, et reliquit ilum in manu consilii sui.»

da presçiençia a la criatura endereseçada. Por tanto, los preçitos —conviene a saber, *los* que son malos e se han de dapnar— e los predestinados —los que son buenos e se han de salvar— esto non les viene *de* su presçiençia e predestinación por nescesidad; por quanto su bien fazer de los predestinados e buenos non le han sin gracia de Dios, e él de los preçitos malos sin su remordimiento de conçiencia, por ende de culpa feridos son e en la tal culpa. E esta tal nesçesidad de ser o non ser lo que ha en la criatura de ser, se refiere a la divinal Providencia de Nuestro Señor, non en esguarde de sí e del saber quanto a sí, segund dixe, mas en esguarde de la criatura, que a su libertad della non repugna el tal saber. E así Nuestro Señor permitiente, que quiere decir non contradiziente a la discriçión liberal de la criatura para que ella tome entención de la cosa buena o mala, y que elija la que le plugiere —aunque todos desean ser salvos— sus méritos, pero exigentes, que su justicia non sería otramente justa. Lee el capítulo *Vasis* e el capítulo *Non Ergo*, XXIII, questio IV e verás en cómo Nuestro Señor, por penitençia fecha de graves pecados, muchas veces muda su sentençia, por quanto su misericordia es tal que sigue las buenas obras del penitente[90]. Pues he aquí respondido a tu argumento que me feziste, a mi juizio, ser enmienda de muy muchos letrados que sé que asignaríen mayores e más fuertes e fundadas razones en este caso. Pues a nuestro propósito tornando, los unos dizen fados, los otros dizen ventura, otros dizen mala dicha o fortuna. E si una criatura muere mala muerte, luego dizen: «Su ventura era que avía de morir aquella muerte: ya eran sus días complidos.» Estas palabras muy reprovadas e otras muchas dizen, e ya pluguiese a Dios que sólo con el dezir passasen; mas lo peor e de mayor pecado que es que lo creen ser así verdaderamente, e ponen en ello fe tanta, e *tan grande e* tan puro coraçón e voluntad en ello ponen,

---

[90] *Decretum Magistri Gratiani secunda pars, Vasis,* canon 23; *Causa* XXIII, *quaestio 4. Non ergo* es la glosa de Graciano al canon 23.

qual pusiesen en amar a Dios e conoscer que dél vienen todas las cosas. E por nuestros pecados tanto es este pecado en uso de las gentes, que ya non es tenido en nada —aunque lo oyan dezir e lo peor creer— *e* también e mejor lo dizen e creen los grandes ombres, e aun *los* letrados como *los* simples *e* inorantes. E nin por eso queda que el tal uso nin costumbre sea dicho uso nin costumbre; antes es dicho uso corrupto e costumbre reprovada e dapnada, *como baxo diré*, pues non es razonable, legítima nin prescripta, que antes es contraria de toda razón, como ya suso dixe. Pues síguese que non es razonable *mas* reprovada, segund dize en muchos logares la Santa Escriptura, pues prescripta non puede ser dicha, que desde el comienço del mundo, *aunque* algunos de poco sentido dixeron ser fados, fadas e venturas, pero los que la verdad alcançan e la verdad conoscieron, todavía dixeron lo contrario. E nin aun por ser luengo tiempo dicho por algunos ser fados e venturas, non se sigue por *eso* ello ser así, nin que deva ser creído, nin ello ser verdad, que sería multiplicar inconveniente. E quanto más se dixo e más se usó se creyó, tanto fue más error e mayor pecado, e tanto fue, e es e será la opinión de los tales agravada e reprovada por aquellos que juizio natural alcançan, segund verés en una *Decretal*, la postrimera de las *Decretales*, en el título *De las costumbres*, donde dize: «Tanto son más graves los pecados, quanto más luengo tiempo tienen *a* la desaventurada cuitada del ánima atada, e más luengamente son exercitados e usados»[91]. Conclúyese, pues, que un mal uso aver grand tiempo ser usado, nin por eso es mejor nin traherlo en argumento es bueno; que es multiplicar inconveniente, porque el mal uso aborrecido deve ser; pues non alegue ninguno: «los pasados tovieron ser fados e fortuna, síguese que lo *no* devemos nosotros tener e creer»,

---

[91] «Los pecados tanto son más graves quanto más luengo tiempo está el omne en ellos.» *Decretales de Gregorio IX, version medieval española,* ed. cit., I, 59.

pues reprovado por la Santa Iglesia es. Pero estos que estas tales cosas dizen quiérense defender e traer en argumento al dicho de Job en las liciones de muertos, donde dize así: «Los días del ombre breves son, e el número de los sus meses açerca Ti es.» Síguese más adelante: «Señor, Tú costituiste al ombre términos, los quales non pueden traspasar»[92]. A esto te respondo que le costituyó al ombre en la terçera hedad, e dende adelante de ciento e veinte años, los quales ninguno non traspasará segund nuestra expirençia. E David da término e testimonio en el salmo *Deus refugium,* donde dize quel poderío del ome es fasta los ochenta años, e de allí adelante trabajo e dolor[93]; pero segund él mesmo dize, aun el ome puede ser causa de non bevir tanto si mal usare continuando, donde dize que los varones llenos de maldades non demediarán *los* sus días. Así que verdad es que son breves los días del ome en comparación de las primeras hedades, que bevían nueveçientos e más años, e que tienen términos segund que de alto dixe, e aun los abrevian mal biviendo, que mueren o fazen mala fin en breve; o son breves los días del ome a respecto de los días del mundo pasados e de los venideros; o *a* respecto de los que han en el otro siglo de durar, en comparación de un soplo *son los* que en este triste mundo bevimos. E aun en el salmo que comiença «Dixe, yo guardaré mis carreras, que *yo* non peque con mi lengua», en el sétimo verso dize así: «Señor, ¡ahé que medidos posiste los mis días, e la sustancia mía así como non nada es delante Ti!» Síguese: «En verdad te digo, todo es una grand vanidad el bevir del ome que allega e guarda que non sabe para quién»[94].

---

[92] *Iob,* 14, 5: «Breves dies hominis sunt; numerus mensium eius apud te est; constituisti terminus eius, qui preteriti non poterunt.»

[93] *Psalmi,* 89, 10: «Anni nostri sicut aranea meditabuntur: dies annorum nostrum in ipsis, septuaginta anni. Si autem in potentatibus, octoginta anni, et amplius eorum, labor et dolor.»

[94] *Psalmi,* 38, 6: «Ecce mensurabiles posuisti dies meos: et substantia mea, tamquam nihilum ante te. Verumtamen universa vanitas, omnis homo vivens.»

Conclúyese luego, segund lo susodicho, que ya el ome tenía término e tiempo limitado de bevir, e que aquel término non puede traspasar: esto entienden a la letra los que esto arguyen. Síguese, pues, que allegando al término, de nesçesario conviene morir al ombre, e que sus días allí fenescan, o por vía de buena o mala muerte, o por lisión o ocasión, que non es dar medio. E aun estos tales, por su razón e argumento fortificar, dizen para en prueva de lo que dicho he: «Veo yo de cada día unos que biven bien e acaban mal, otros que biven mal e acaban bien.» E destas maneras sobredichas de bevir las fines dellas son muy estrañas e de diversos e de infinidos casos e enopinadas muertes, segund veemos de cada día por espriencia; que unos están en *su* casa folgando, e viéneles voluntad súbito de ir a algund lugar, e aun tal voluntad que la non pueden resistir; e quando salen de su casa viénele un caso desastrado que le acuchillan, o cae una teja que le mata, e otras muertes e lisiones que de cada día se siguen ex improviso. Las gentes luego profaçan e dizen: «Tal murió agora. ¡Dios le aya el ánima! ¿Vistes que muerte sóbita? Aun agora estava conmigo fablando; agora *se partió de mí; aun agora* le vi *pasar* por aquí sano e alegre, e fabló conmigo, aun agora salió de su casa. Creo sin falta que aquella muerte avía de morir, o aquella fin avía de fazer. ¿Vistes qué mala ventura le vino, qué desastre le acaesció? Non eran sus días complidos fasta hoy: su signo, su planeta en que nasció ge lo procuraron.» E otras muchas cosas dizen e fablan osada e atrevidamente las gentes. Por ende, pues así *es,* este tal o estas tales que así mueren, bien parece o se da a entender que complidos sus días conviene que súbito mueran o buena o mala muerte, en casa o fuera de casa, que si esto non fuese, ¿cómo el ome sano e alegre morría tan súbitamente, sin a las vezes aver enfermedad nin mal, que *cae* muerto sin fabla? ¿E el otro que le matan súbito sin mal fazer, sinón yéndose seguro a la plaça o a la iglesia? Por ende, estos tales non han consideración a otra cosa, salvo a los planetas, signos e naturales cosas, e non piensan *en* el poderío infinito de Nuestro Señor Dios, e al alto consejo de sus innumerables secretos, sinón quando más non alcançan, dizen: «Pues esto ¿por qué lo faze Dios?» O: «Esto que Dios faze, permite, non me pareçe derecha razón nin justiçia.» E aun a las veces algunos locos, que infingen de muchos sabios, dizen: «En verdad, si *a* Nuestro Señor le pluguiese ponerse a derecho conmigo en este caso, yo le diese tales razones evidentes por que Él non deviera fazer tal cosa; murió tal sabio, tal rico, tal poderoso, tal dueña, tal doncella, tal Papa, tal Emperador, tal Rey —e así de los otros— los quales estavan bien en el mundo: fazían muchas limosnas; fazían muchas iglesias; casavan muchas huérfanas— e así de otras cosas. Llevólos Dios que eran para el mundo moços, mancebos e buenos, e dexó los viejos e ombres malos bevir e prosperar, que persiguen a Dios e al mundo, que con ellos ombre non puede bevir. Pues ésta ¿qué justiçia o qué razón es, que el malo prospere e biva, e quel bueno padesca e muera? Que, segund dize Catón, aquél es digno de ser llamado Rey, que regir sabe sus reinos[95]. Por ende, los que regir saben e meresçen ser Reyes, éstos non deverían morir, e los otros que no son para Reyes, nin deverían suceder, bevir nin heredar. E lo que del Rey digo, entiendo de otra cualquier suçesión, mejoradgo, honor e erençia. Los que esto dizen non paran mientes a otra cosa, salvo a su pareçer e segund tal les dita la ficta razón suya; e ellos bien dizen a prima vista, estos tales, pero non conosçen más de aquella gruesa forma e materia que al ojo veen, e de aquello non saben aún departir, e quieren osadamente fablar e disputar, e querer saber e escodriñar las cosas infinitas e los secretos de Dios incomprensibles. E por tanto, el sabio Catón dezía: «*Dexa, dexa los secretos de Dios; no quieras saber ni*

---

[95] La cita no se encuentra en los *Dicta Catonis*. Por otra parte, durante la Edad Media circulaban numerosas versiones de los *Dicta* con variantes diferentes.

perscrutar quáles son nin por qué o si son.» Demás
dize el santo Job: «Líbrame, Señor, e póneme çerca
de Ti e la mano del más fuerte siquiera sea contra
mí»[96]. Así que conosció Job, segund esto, el poderío
que Nuestro Señor sobre todo el *mundo* tiene abso-
luto. Non curava este santo de demandar quién es nin
por qué faze Dios esto; paresçe que ya le conosçía;
por ende, quería ser su allegado, siquiera todo el
mundo, e aun el çielo, fuese contra él. E en otro logar
dize el Apóstol Sant Pablo en una Epístola que embió
a los Corintios: «Si Dios es con nosotros, ¿quién será
contra nos?»[97] Quería dezir que non lo avía ninguno
tan osado. E aun el Profeta David dezía: «Los juizios
de Dios muchos son e muy fondos.» Demándote,
amigo ¿non sabes tú que de una muger tuya e *que* a tu
serviçio está, nunca en tu vida puedes sus secretos
saber nin entender; que comes e duermes y *estás* de
cada día con ella, e la mantienes e le das todo lo que
le es nesçesario? Nin de un amigo tuyo non puedes
descobrir sus secretos, ¿e quieres tú saber los secretos de Dios muy poderoso, infinito en saber, los quales non le plogo a *los* sus amados Apóstoles, nin a los
sus escogidos disçípulos revelar, nin a los sus electos
ángeles *del cielo* descobrir? Como Él mesmo en el
Evangelio dixo: «Hermanos míos, ruégovos que non
querades trabajarvos en querer saber los tiempos e
momentos que son secretos del mi Padre, los quales
para sí reservó e los puso so el poderío suyo abso-
luto»[98]. E tú, ombre mundano, de non nada fecho,
quieres saber, e con diligençia mucho tomas estudio

---

[96] No se trata de *Dicta* II, 12, sino de II, 2: «Mitte arcana Dei
inquirire quid sit / cum sis mortalis, quae sunt mortalia cura.» En
cuanto a Job: «Libera me Domine, et pone me juxta te, et cuiusvis
manus pugnet contra me» (*Iob*, 17, 3).

[97] No *Ad Corinthios,* sino *Ad Romanos,* 8, 31: «Si Deus pro
nobis, quis contra nos?»

[98] No en los Evangelios, sino en *Actus Apostolorum,* 1, 7: «Non
est vestrum nosse tempora vel momenta, quae Pater posuit in sua
potestate.» La referencia anterior a David es probablemente de

con pensamiento vano de querer saber e entender los secretos suyos, de tomar manera casi de continençia contra Él, diziendo: «Pues ¿esto por qué? Aquello non va *mucho* bien; esto non es razón.» E demás, aun lo peor, que determinadamente quieres fablar creyendo ser así que fados, planetas e fortunas son, e a las cosas dan ser e non ser, e *que* fazen las criaturas ricas e pobres, dolientes e sanas; non faziendo en todo ello menzión de Nuestro Señor Dios, Criador de todas las cosas, el qual a todos da influençia, ser, regir e cursar. E bien devería *caer* cualquiera en esta razón que, pues Nuestro Señor Dios da ser e permaneçer, e obrar, e finir, e da sus costelaçiones a las planetas e signos, e dél proçeden todos los cursos que fazen, e los çircuitos e movimientos, e sin permisión e voluntad suya non farían dello nada, e nin aun ser non averían, pues ¿quién dubda si Aquel que rige *a tu planeta e signo que rige* mayormente a ti? E si la planeta que a ti da influencia —como tú dizes— es por Nuestro Señor regida e governada, por consiguiente ¿y aquellas cosas a quien ella da sus influencias? Esto ligero está de entender, e si otra razón al mundo non oviese, esta sola bastar debería a los porfiados incrédulos, que en creer otras vanidades fazen dioses de fortunas, dioses de fadas, dioses de venturas, dioses de naturas, dioses de planetas e signos, dioses de locuras, queriendo atribuir poderío a aquel que más poderío non tiene de quanto Nuestro Señor le da o permite aver. Por tanto, dixo David en el salmo «Dixo el loco en su coraçón que non era Dios», dize adelante: «El Señor Dios paró mientes desde el çielo sobre los fijos de los omes, para ver si avía alguno que entendiese e requiriese e reclamase a Dios.» E síguese: «Como claro sepulcro son sus gargantas; con sus malvadas e mintrosas lenguas en engaño fablan; venino como de aquella sirpiente espi-

---

Psalmi, 35, 7: «Justitia tua sicut montes Dei: judicia tua abissus multa.»

den de yuso de sus lenguas trayentes.» Dize más
adelante: «A Nuestro Señor no llamaron, e dixeron
non aver miedo a donde non convenía aver miedo.»
Pues vedes aquí cómo las gentes en guar de llamar,
suplicar e invocar a Nuestro Señor, llaman e invocan
fados, fadas e locuras. Por ende, dize David en otra
parte en el salmo «Salvo me faz, Señor», en el verso
terçero dize así: «Nuestro Señor desipe todas las
bocas engañadoras e aun las lenguas mucho fablantes» [99]. Por ende, amigos, cada uno fable temprada,
sabia e mesuradamente en todas las cosas, propo-
niendo a Dios Nuestro Señor delante. Por ende, por
solo servicio de Dios, cada uno en este caso tenga e
crea lo que razón dita. Si quieres para ello pruevas
más e muchas más de cómo solo Dios es el que faze e
desfaze, manda e vieda, dispone e hordena, darte ya
mill autoridades de la Santa Escriptura, pues tanto es
de creer como yo e tú, por fazer callar a algunos
carmidos que sus lenguas sin miedo estienden a fablar
más que non conviene; como dize Sant Pablo: «Non
conviene más saber, mas mesuradamente querer saber; esto es buen saber; que non querer saber lo que
non pertenesçe e dexar de saber lo que nesçesario
es» [100]. Primeramente te do a Moisén Profeta —¡velas
si es testigo de tachar!— el qual dize, fablando por
espíritu de profeçía en persona de Dios, esto que se
sigue; lee el cántico que comiença: «Vosotros, çielos,
oíd agora lo que yo fablo; a la tierra ruego que oya las
palabras de mi boca.» Para aquí mientes, amigo,

---

[99] *Psalmi*, 13, 2: «Dominus de coelo prospexit super filios hominum ut videat si es intelligens aut requirens Deum.» *Psalmi*, 13, 4:
«… Sepulcrum patens est guttur eorum; linguis suis dolose agebant,
venenum aspidum sub labiis eorum.» *Psalmi*, 13, 5: «Dominum non
invocaverunt, illic trepidaverunt timore ubi non erat timor.»
Psalmi, 11, 4 (no 3): «Disperdat Dominus universa labia dolosa et
linguam magniloquam.»

[100] No parece referirse a un pasaje específico de las Epístolas.
Quizás el arcipreste estuviese pensando en *I Ad Corinthios*, 1, 26-7,
y 3, 18-20 donde se habla de la insuficiencia de la sabiduría
humana.

como Moisén al çielo lo dixo e, por consiguiente, a sus planetas que en él están, que aquel que todo lo dize non saca nada de lo que dize. Asímesmo a la tierra dixo: «Tú, tierra, ruégote que oyas las palabras de mi boca», queriendo dezir: «Vosotros çielos con vuestras planetas e estrellas e signos, e tú, tierra, que es çircuito del mundo, mares e arenas, e los que en él estades, oíd qué vos digo. Di, si tú, ombre, en pecados estás engrasado, dexas a mí e buscas dioses estraños, planetas e fados; yo esconderé mi faz contra ti e yo consideraré los tus fechos pasados e por venir, e te daré por tus obras gualardón de mal o bien, segund tu meresçimiento.» E síguese: «¡O generación perversa e mala, fijos que yo crié, infieles, yo vos daré plagas!», etc.ª Síguese: «¡O gente sin consejo e sin prudençia, ya fuese que sopiésedes e entendiésedes e a las cosas por venir proveyésedes!» Síguese adelante: «¡Mía, mía es la vengança! Yo la tomaré de vosotros al tiempo que a mí plogiere. Yo faré desvarar los vuestros pies; çerca es ya el día de la vuestra perdiçión, e para que así sea, ya se vienen allegando los tiempos.» E dize más adelante: «Catad bien que solo yo so Dios, e non ay otro ante mí ni después de mí; yo mataré, yo feriré, yo sanaré e bevir faré, e ninguno non puede de mi mano escapar.» Síguese más adelante: «Yo alçaré mi mano al çielo, e diré: "yo sólo soy el que para siempre bivo"»[101]. Pues, amigos, ¿qué andamos más buscando? Si creemos que Moisén fue Profeta de Dios, como verdaderamente fue; si creemos que fabló por la boca de Espíritu en persona de Dios, como verdaderamente fabló, e es verdad, e la Madre Santa Iglesia tiene, e

---

[101] *Deutoronomii*, 32, 1: «Audite coeli, quae loquor, audiat terra verba oris mei.» 28: «Gens absque consilio est, et sine prudentia.» 35: «Mea est ultio, et ego retribuam in tempore, ut labatur pes eorum: juxta est dies perditionis, et adesse festinant tempora.» 39: «Videte quod ego sum solus, at non sit alius Deus praeter me: ego occidam et ego vivere faciam; percutiam, et ego sanabo, et non est qui de manu mea possit eruere.» 40: «Levabo ad coelum manum meam et dicam: vivo ego in aeternum.»

todos los cristianos tenemos e creer devemos; bien veemos al ojo cómo en persona de Dios dixo, que sólo Dios Nuestro Señor mata, *sana* e lieva a los infiernos, e da ser e vida a las criaturas razonables, e aun á los brutos animales de razón careçientes. Dize más: que ninguno non puede de su mano escapar. Dize más David en el salmo «Loa la mi ánima a Dios»: «Loaré al Señor en quanto yo biviere.» E síguese: «Non quieras confiar en los príncipes ni en los fijos de los omes, en los quales non fallarás salud; que su espíritu saldrá dellos e en aquel día peresçerán todos los sus pensamientos. Bienaventurado será el varón de quien es Dios de Jacob su ayudador, e su esperança es en el Señor Dios que lo fizo a él, e al çielo e la tierra, la mar e todas las cosas que en ellos son; el que siempre guarda verdad e faze justiçia a aquellos que padesçen injurias, e a los fambrientos farta de vianda. Nuestro Señor es el que a los presos suelta e a los çiegos alumbra; Nuestro Señor alça los caídos, e a los justos endereça; Nuestro Señor guarda a los estraños, al huérfano e a la biuda ampara e en sí toma, e las carreras de los pecadores derrama; reinará Nuestro Señor para siempre en todas quantas generaciones serán» [102]. Pues bien paresce que Nuestro Señor Dios es el que faze todas las cosas, e non otro fuera dél. Pues luego fados, planetas, signos nin ventura non han este poder, que antes, como suso dixe, son regidos e governados por Él e a la su voluntad sus operaçiones e çircuitos fazen con su permisión. E non entiendas aquí a la letra do dize «yo mataré, yo sanaré», etc.[a], que Dios ande a matar ombres, nin toma venganza en sí, nin malenconía, nin pensamiento— aunque la letra por manera de fablar lo diga, non que ello así sea; que en Nuestro Señor non caen

---

[102] *Psalmi*, 145, 3: «Nolite credere in principibus; in filiis hominum in quibus non est salus/Exibit spiritus eius et revertetur in terram suam: in illa die peribunt omnes cogitationes eorum / Beatus cuius Deus Jacob, adiutor eius, spes eius in Domino Deo ipsius / Qui fecit coelum et terram, mare et omnia quae in eis sunt...», etc.

açidentes, nin los toma segund más nin segund menos, nin pasiones algunas, las quales non caen sinón en corpóreas sustançias. E como Nuestro Señor Dios tal en sí non tenga, síguese que non toma en sí açidentes nin pasiones; mas permitiendo e logar dando en el bien e en el mal, en la muerte o daño de aquel e del otro. Dice el Profeta que Él lo faze, e aun de cada día lo oímos —e leyes e cánones e fueros e derechos ay dello— que los *que* consienten e *los que* mal fazen, por igual pena son de pugnar[103]; eso mesmo el que manda o consiente, e aprueva o da favor o ayuda al mal fazer, paresçe él mesmo fazerlo. Demás te diré: si el señor reçebta e toma a su servidor en su casa, e le favoresçe después del mal fecho por el servidor, seyendo el señor dello sabidor, es a la pena el señor obligado. Más fuerte te digo: si tú vees ferir o matar, o incendio poner a su casa o viña o campo de tu próximo, e el tal mal tú pudieras estorvar que se non fiziera, e por *tu* nigligencia o mala voluntad lo dexaste, dígote que eres al *tal* mal e daño obligado, segund derecho e aun segund Dios, e te será ante Dios a su tiempo demandado por aquel *quel* tal daño o muerte reçibió: lo qual no reçibiera si a ti ploguiera interponerte a ello. Pues vees aquí cómo por Nuestro Señor premitir fazer las cosas, Él mesmo te dize que Él mesmo las faze consentimiento dando a ello: que non morría el que muere, nin penaría el que pena, nin sería pobre el que lo es, nin el alto *vernía a lo* baxo, nin el baxo sobería en alto, si a Nuestro Señor non le ploguiese e lo non permitiese. Pues, déxate de fablar de planetas e signos, fados e fadas, e venturas e fortunas, que todo es nada sinón solo Dios Todopoderoso. Pero lee a David en el salmo, *quarta feria,* que comiença: «Nuestro Señor, oye mi oración e los míos ruegos non los menospresçies»; verás en el verso postrimero que dize: «Los varones ensangrentadores —e quiere dezir que son pecadores e engaña-

---

[103] En los dos incunables se lee *punir* en vez de *pugnar.*

251

dores— los sus días non les demediarán.» Item en el salmo «Noli emulari», en el *noveno* verso, dize que los que biven e andan con maliçias serán esterminados; los que a Nuestro Señor Dios sostovieren, éstos heredarán la tierra. Síguese: «Irás a buscar al pecador e non le fallarás en su logar; los mansos, estos fallarás herederos en la tierra.» Síguese adelante que mejor bive con poco el justo quel pecador con todas sus riquezas. Síguese más adelante: «Mançebo fui e viejo me vi, mas nunca justo desamparado vi, nin los de su linaje mendigar nin ser pobres.» Dize más: «Los *in*justos serán punidos e su simiente peresçerá» [104]. Así, pues, los ombres si por matar o acuchillar fueren derramadores de sangre de sus próximos, o fueren ensangrentadores por pecados, maldiziendo mal de otros, fablando o mormurando, profaçando, detratando, estos son dichos también ensangrentadores, por que la Escriptura toma al ombre sangriento o ensangrentador por pecador; como dize en el salmo «Señor, ave merçed de mí segund la Tu grand misericordia», dize adelante: «Líbrame, Señor, de los sangrientos o sanguíneos»; non lo dize por los que son de complisión sanguinos, nin por los que de sangre están untados, mas por los pecadores que de cada día cometen e están en ellos emboltados, sin correçión, nin enmienda, nin castigo; lo qual proviene de poco temor de Dios, e por la gran misericordia suya que le plaze sofrir tanto e esperarlos a penitençia. E así aquí *a* nuestro propósito los varones sanguinos o sangrientos, conviene saber, los pecadores e engañadores, ante de su tiempo morrán. e aun non alcançarán bevir a la meitad del tiempo que razonablemente bevir

---

[104] *Psalmi*, 54, 24: «Viri sanguínum et dolosi non dimidiabunt dies suos; ego autem sperabo in te, Domine.» 36, 9: «Quoniam qui malignantur, exterminabuntur; sustinentes autem Dominum, ipsi haereditabunt terram» (Quizá 21-22: «Mutuabitur peccator, et non solvet: justus autem miseretur et tribuet / quia benedicentes ei haereditabunt terram; maledicentes autem ei disperibunt.») 25: «Junior fui, etenim senui, et non vidi justum derelictum, nec semen eius quaerens panem.»

pudieran. Lee en el salmo «Bendeziré al Señor en todo tiempo», de la segunda feria, en el verso XVII.º, donde dize: «La faz de Nuestro Señor todavía está sobre aquellos que mal usan o mal fazen para destruir en la tierra la memoria dellos»[105]. *Dime, pues, esto: si los mata fado o fortuna, sino que por su mal vevir le plaze a Dios que mueran antes de tiempo*, a las vezes mal, a las vezes bien, segund la disposiçión de su divinal Providençia. Lee en el salmo «Load al Señor, porque es bueno», síguese: «Él, que es bueno e sana a los contritos de coraçón e ata las contriçiones dellos, Él, que cuenta la muchedumbre de las estrellas e a cada una pone nombre, muy grande es Nuestro Señor, e muy grande es la su virtud. Toma en sí los mansos Nuestro Señor e umilla los pecadores fasta tierra.» Síguese: «Nuestro Señor cubre los çielos de nuves e da a la tierra lluvias. Él es el que da feno en los montes e yervas para serviçio de los ombres. Éste da a las animalias de comer e a los fijos de las aves quando le llaman. Non en la fortaleza del cavallo voluntad averá, nin en las piernas del varón non será su querer: la buena voluntad Dios la ha al que le teme e aquel que espera en la su misericordia»[106]. Pues non en la de la fortuna, fado nin planeta nin signo. Lee más a David en el salmo «A mi Señor Dios será la mi ánima sujecta», en el postri-

<hr/>

[105] *Psalmi*, 50, 16: «Libera me de sanguinibus, Deus, Deus salutis meae, et exultabit lingua mea justitiam tuam.» 33, 17: «Vultus autem Domini super faciente mala: ut perdat de terra memoriam eorum.»

[106] *Psalmi*, 146, 3-6: «Qui sanat contritos corde, et alligat contritiones eorum / Qui numerat multidudinem stellarum et omnibus eis nomina vocat / Magnus Dominus noster et magna virtus eius, et sapientiae eius non est numerus / suscipiens mansuetos Dominus: humilians autem peccatores usque ad terram.» 8-11: «Qui operit coelum nubibus, et parat terrae pluviam / Qui producit in montibus foenum et herbam servituti hominum / Qui dat jumentis escam ipsorum, et pullis corvorum invocantibus eum / non in fortitudine equi voluntatem habebit: nec in tibiis viri beneplacitum erit ei / Beneplacitum est Domino super timentes eum; et in eis qui sperant super misericordia eius.»

mero verso dize así: «Una vez fabló Nuestro Señor Dios; dos cosas oí: quel poderío de Dios es, e a Ti, Señor, es dado fazer misericordia, e Tú, Señor, darás a cada qual gualardón segund sus obras» [107]. Pues esto non lo puede fazer *nin faze* la fortuna nin fado. Lee desta materia en la leyenda de la Epifanía sobre aquel paso quando aparesçió la estrella a los *tres Reyes Magos:* allí verás cómo reprueva la Santa Escritura estas locuras de fados e venturas. Lee más el salmo «Alegróse mi coraçón en el Señor», donde dize: «Nuestro Señor Dios es el que da muerte e vida; lieva a los infiernos e saca de aquéllos al que le plaze; e fizo del rico pobre e del pobre rico; ensalça al que quiere e umilla al que le plaze, e levanta al menguado del polvo e del estiércol alça al pobre» [108]. E aun en otra parte dize: «Nuestro Señor levanta a todos los caídos e endereça a todos aquellos que están perdidos.» Síguese adelante: «Nuestro Señor guarda a todos aquellos que le aman, e a todos los pecadores perderá e fará perder.» E en el salmo «Yo ensalçaré a Ti, mi Señor e mi Rey», tornando al salmo primero dize adelante: «Del Señor Dios son todas las cosas de la tierra e a su governamiento se mandan.» Demás en el salmo «Bendize tú, mi alma, al Señor», en la maitinada del sábado, en los versos veinte e nueve *e xxx,* donde dize: «Señor, dándoles Tú, ellos escogerán: abriendo Tú la mano, llenos serán de abundança; si Tú, Señor, les bolvieres la tu faz, luego serán todos turbados»; e «Señor, si el espíritu les quitares, luego desfallesçerán e serán polvo tornados de donde salieron»; e «Señor, embía el tu espíritu e serán recriados,

---

[107] *Psalmi* 61: «Nonne Deo subiecta erit anima mea?» 12: «Semel locutus est Deus, duo haec audivi, quia potestas Dei est, et ibi, Domine, misericordia: qui tu reddas unicuique juxta opera sua.»
[108] Los textos de la Epifanía son *Isaías* 60 y *Mateo* 2. Sin embargo, no hay nada en ellos que concuerde con la referencia del arcipreste. En *I Regum,* 2, 6-8, se encuentra la otra cita: «Dominus mortificat et vivificat, deducit ad infernos et reducit Dominus pauperem facit, et ditat, humiliat et sublevat / suscitat de pulvere egenum, et de stercore elevat pauperem...»

e toda la faz de la tierra será renovada.» Pues vee aquí, amigo, cómo Dios Nuestro Señor da ser e non ser, vida e muerte, cría e descría, da bienes temporales e los quita, e non fado nin fortuna. Lee más en el siguiente salmo «Confesadvos al Señor e invocad su santo nombre», dize cómo [109] Nuestro Señor envió a Muisén, e las plagas que envió a las gentes con mortandades. Esto fazían los malos ángeles por su mandado a Faraón e a sus compañas. Esto mesmo cuenta el salmo «Oíd, pueblo mío, la mi ley», en la quinta maitinada del jueves, donde cuenta quánto fizo Nuestro Señor por su pueblo judaico, e cómo le fue desconocido, e cómo los penó para siempre sin fado ni fortuna. Demás, en los salmos «Load al nombre del Señor; Load, siervos, al Señor», e en el salmo «Confesad el Señor porque es bueno», verás cómo Nuestro Señor [permitía] [110] matar desde el ombre fasta las pécoras. Léelo bien e verás las maravillas de Dios, cómo penavan los malos en el tiempo pasado; en la quarta bisperada lo fallarás. Pues vee aquí en los susodichos salmos e versos, e millares otros e otras alegaçiones e doctores que en este paso podrían ser alegados, sinón por non detener tiempo, en cómo sólo Dios manda e hordena, mata e sana, faze e desfaze. Aun dize el mesmo David en el salmo «Dios de los dioses fabló», dize así: «El ombre como fuese en honra non tovo entendimiento, e es comparado a las bestias e semejable es fecho a ellas.» En otro logar dize fablando destos tales: «Como bestias, Señor, con el cabestro e con el freno aprieta las quixadas Tú destas bestias tales, que se non quieren llegar a Ti. A los pecadores, Señor dales muchos açotes e castígalos, e a los que en Ti esperaren de mucha

---

[109] En el ms. se lee más. Preferimos la lección de los incunables, cómo.

[110] En el ms. se lee prometa matar. Preferimos lo de los incunables, permitía, puesto que traduce el salmo 135, 8, de donde procede la cita del arcipreste. En todo lo anterior, Martínez se ha referido a Psalmi, 104, 26: «Mittit Moysen servuum. Aaron, quem elegit ipsum», y a 77, y 134.

misericordia e piedad serán en derredor çercados.» Por ende no nos maravillemos si por nuestros pecados e bestiedades Nuestro Señor mansamente nos açota —non segund mereçíamos, que ya non seríamos al mundo— como dize David: «Si non que mi Señor me ayuda, poco menos en el infierno morara ya la mi ánima» [111]. E así Nuestro Señor segund la su grand benignidad nos castiga por mortandades, malos tiempos, adversidades, sequedades de pocas aguas, guerras, enfermedades, pasiones, tribulaçiones, dolores de cada día e afanes; que ya los tiempos non vienen como solían, por que los ombres e criaturas non biven como bivían; que agora en el verano faze invierno e en el invierno verano. En el invierno truena e relampaguea con rayos contra natural curso, e en verano serena e non llueve sinon piedra e granizo. Estas cosas e otras veemos de cada día por nuestros pecados e mereçimientos, que ya los antiguos que biven dizen: «Nunca tal vi; nunca tal oí; nunca me acuerdo de tal tiempo tan fuerte, tan crudo, ni tan seco, nin tan caluroso.» En tanto que bien vee *el* ome ciertamente que ya los tiempos non son los que solían. E como ya de suso dixe, quando verás el árbol verde, que non le fallesçe umidad nin agua e se seca, señal es de non llevar ya fruto e que el fuego con deseo lo espera. Entienda quien quiera este enxiemplo, entiéndase cada qual e non errará: tema a Dios e déxese de fados e fortuna, que, como dize David en el salmo «Señor, provásteme e conosçísteme», dize en los versos çinco fasta los nueve: «Muy maravillosa es fecha la tu çiençia», etc.ª Síguese: «¿Dónde iré, Se-

---

[111] El Salmo *Deus deorum Dominus locutus est* es el 49, pero no concuerda con la cita del arcipreste. Sí corresponde, en cambio, con el 48, 13: «Et homo, cum in honore esset, non intellexit: comparatus est iumentis insipientibus et similis factus est illis.» Las otras citas corresponden a *Psalmi*, 31, 9-10: «In camo et freno maxillas eorum constringe, qui non aproximant ad te / Multa flagella peccatoris, sperantem autem in Domino misericordia circumdabit», y al 93, 17: «Nisi quia Dominus adjuvit me: paulominus habitasset in inferno anima mea.»

ñor, del tu espíritu, e adónde de tu faz foiré? Si me subiere en el çielo, Tú allí eres; si deçendiere al infierno, Tú presente eres; si bolare con mis péndolas, por mucho que por la mañana me levante e me fuere a los estremos de la mar, allí, Señor, terná tu mano diestra, *e de* allí me traerá e sacará ella»[112]. Pues vee aquí cómo doquier que vamos, que quiera que digamos, non podemos salir del poderío de Dios. Pues loco es el que a signo nin planeta quiere atribuir poderío, sinón a solo Dios infinito, segund en muchos logares por David te lo he provado. E, ¿sabes por qué te alego más al profeta David que non a otros, aunque *hay* para alegar a este propósito infinitos santos e dotores? Por quanto el Psalterio cada qual lo alcança, o lo puede bien alcançar, e de cada día se lee e se trae *entre las* manos, e los otros dotores non los puede aver cada uno así de ligero. Por ende me atreví más a provar mi entinçión con David que con otro. Non alegue ninguno, por ende, ventura, signo, fortuna, fado nin planeta, sinón Nuestro Señor, que le plaze por los pecados de las criaturas que así sea lo que es e se faze; que ninguno non ha mal, lisión nin daño nin muerte, sinón porque a Nuestro Señor así plaze o lo permite que así sea. Esta es la verdadera conclusión de todo. Por ende ninguno non diga: «Este sucedió en tal Reino o heredad o dignidad, aunque sea papal, porque su fado, signo o planeta ge lo dio o procuró, *e* así avía *de* ser»; o «este murió tal muerte, que nasçio en tal signo o fado»; nin «este es rico o pobre porque su ventura non le avía de fallesçer e así avía de ser»; que sería a la voluntad de Dios e al franco arbitrio de la criatura raçional dar nesçesidad; que es una grand eregía e falsa opinión dañada e reprovada por aque-

---

[112] *Psalmi* 138, 6-10 (no 5-9 como dice el arcipreste): «Mirabilis facta est sciencia tua ex me: confortata est et non potero ad eam / Quo ibo a spiritu tuo? et quo a facie tua fugiam? / Si ascendero in coelum, tu illic es: si descendere in infernum, ades / Si sumpsero pennas meas diluculo, et habitavero in extremis maris: / Etenim illuc manus tua deducet me: et tenebit me dextera tua.»

llos que de juizio non careçen e Dios ilumina de su verdadera çiençia e lumbre de inteligencia. Dize Sant Agustín que *aunque* «preçito» o «predestinado» sea dicho *venir*[113] de nesçesario, empero esa nesçesidad non se refiere quanto a las cosas que en ellas de nesçesidad se ayan así de complir e executar; mas refiérese la tal presçiençia o predestinaçión quanto a la divinal presçiençia de Nuestro Señor eternal, e non al advenimiento de las cosas. Fallarás esta conclusión en el capítulo *Vasis* XXIII, questio iiij, en el párrafo «Non ergo neçessitatem», fasta capítulo «His omnibus» en el *Decreto,* segund que ya de alto más largo esto dixe e escreví en ese mesmo capítulo[114]. Ay otros que non fablan tanto mal diziendo: «Si tal muerte murió o tal mal ovo, o tal caso se le siguió, de Dios *le* estava ya ordenado»; o dizen: «Plógole a Nuestro Señor que así fuese, bendito sea su santo nombre por siempre jamás.» E estos dizen bien e dizen la verdad; e así diziendo e creyendo, Dios ayudarlos ha quando *con* paçiençia sofriesen si mal les viniere la ocasión o el dapno, diziendo: «Mi Señor Dios es desto plazentero, eso mesmo yo; bendito sea el su santo nombre, amén.» Non curen de fado nin ventura, nin signo nin planetas, sinón de Aquel a cuyo govierno todas las cosas se goviernan e mandan. Nin curen de dezir «¿Por qué este bueno, que siempre usó bien, ovo mal?», nin «¿Por qué este malo, que toda su vida usó mal, prospera e todavía ha bien, e de día en día su facienda, fijos e bienes prosperan?» Que desto Nuestro Señor sabe quál es malo e quál es el bueno, quál bive bien, quál bive mal, que *a* Él non se le esconde nada e a las gentes sí; que algunos ay como vigardos, malos de conoscer, por quanto son de muchas guisas e naturas e opiniones, segund sus flacos ingenios les procuran que se retraigan en aquella desimulada vida de bevir entre las gentes. Pero

---

[113] En el ms. se lee *venga*. Preferimos la lección de los incunables, *venir*.
[114] Véase nuestra nota 90.

¡ay!, unos destos *que* disimulan el mal e infingen el bien con disimulados ábitos e condiçiones, con palabras mansas e gestos sosegados, los ojos en tierra inclinados como de honestidad, mirando de revés *e* de so capa; devotos e muy oradores, seguidores de iglesias, ganadores de perdones, concordadores de pazes, tratadores de todas obras de piedad, roedores de altares[115], las rodillas fincadas en tierra e las manos e los ojos al cielo, los pechos de rezio firiendo con muchos sospiros, lágrimas e gemidos. E destos bigardos algunos dellos son en dos maneras: ay unos que se dan al acto varonil, desean compaña de omes por su vil acto, como ombres, con los tales cometer. Ay otros destos que son como mugeres en sus fechos e como fembrezillas en sus desordenados apetitos, e desean *a* los omes con mayor ardor que las mugeres desean a los ombres. ¡Fuego, fuego en ellos! E déstos non digo nada, por quanto sería grand fealdad dezir sus abominables obras de sodeníticos fechos; por quanto dizen aquí desta materia fablar es muy abominable a Nuestro Señor, en tanto que los aires se corrompen de la sola fabla dellos, e los ángeles e santos e santas de Paraíso buelven su gesto sintiendo la palabra en la tierra dezirse dello: que la tierra e los cielos devían tremir e absolver a los tales en cuerpo e ánima como malvados brutos *e* animales de juizio, seso, razón e entendimiento careçientes, pécoras salvajes, de naturaleza falleçientes e contra natura usantes contra natural apetito. ¡O diablos infernales! Non esperan los tales redençión, nin creen ser justiçia nin juizio executorio en Nuestro Señor; que así a ojos abiertos se van *a* poner en las bivas llamas del infierno. Ved, señores, los que esto leés, *los* que oístes, vistes e entendées, ¿qué vos paresçe cómo se acerça la fin del mundo? Pues non es temido Dios nin su justicia, e la vergüenza toda es ya a las gentes perdida tanto que todo va a fuego; que ya non valen los

---

[115] En el verso 4122 de *Lo Spill,* Jacme Roig también llama a los hipócritas *rosega altars.*

castigos que fueron de Sodoma e Gomorra, *ni* los
omes que a fuego por esta razón son muertos e de
cada día por nuestros pecados mueren[116]. Demás te
diré que, de la segunda materia, de los que agora
dixe, *los* más dellos aborreçen las mugeres *y* escupen
dellas, e algunos non comen cosa alguna que ellas
aparejasen, nin vestirían ropa blanca que ellas xabo-
nasen, nin dormirían en cama que ellas fiziesen: si les
fablan de mugeres, ¡alça Dios tu ira! ¿Qué se dexan
dezir e fazer de ficta onestad? E después andan tras
los moçuelos besándolos, falagándolos, dándoles jo-
yuelas, dineros *e* cosillas que a su hedad convienen.
Así se les ríe el ojo mirándolos como si fuesen fembras; e non digo más desta corrupta materia e abominable pecado. Por ende te digo que al coraçón destos
primeros —pues que de los segundos callar es sabieza, pues sus fechos dellos, segund agora dixe, lo
demuestran— empero de los primeros que aquí dixe
de alto, que non se entremeten en la suziedad deste
pecado, sinón en ficta iproquesía, por se mostrar
santos e ser notados e tenidos en reputación, con
engaño de alguna cosa alcançar, estos tales aun non
los puede ninguno bien judgar; que fablan muy a
espaçio: «¡Loado sea Ihu. Xpo! ¡Dios vos salve,
hermano; paz sea convusco! ¡Nuestro Señor vos con-
serve! ¡Deo gracias! ¡Siempre aquí salud!» e otras
tales maneras *de fablar*. Pero vee ombre a las vezes
destos tales, que non son sinón diablos infernales;
non tienen más *paciencia* de quanto ninguno non les
dize nada, nin les contradizen a lo que fablan e non
les enojan —pues esto, nin grado nin graçias— pero si
les tocan en dinero o en contradezir algo a su voluntad, o avés de contratar con ellos de su provecho o
dapno ¡guárdevos Dios! E ¡cómo sale aquella color al
rostro fogando, e abaxan los ojos a tierra, que dirés
que se quieren consumir e desfazer! ¡Allí verés por

---

[116] En el mismo *Spill,* Roig dice lo siguiente: «La sodomia /
peccat no poch / digne de foch, / del mundanal / e infernal... de
podridura, dumos corruptos...»

dónde va el loado sea Dios e el Deo gracias! E, como
dize David: «Si allegas a los montes e los *cavas,* luego
fumarán» [117]. La paçiençia buscalda; la honestidad
non es para aquella ora, fasta que la saña sea partida.
Muchos destos son odiosos, detractadores, murmura-
dores, mentirosos e escandalizadores, excesivos burladores, muy fuertes juradores —de aquellas sus juras
meliosas e suaves— avarientos de aver, lisonjeros a
perder, infingidos en saber, fictos fabladores, vindicativos, subplantadores; de abominables e odiosos pecados cometedores; o míseros al esecutar, croyos a
perdonar; non ay moro, pagano, ereje arriano que él
más para vengar; súbditos más que las ovejas donde
non pueden más fazer, fuertes más que leones adonde
pueden mandar; temerosos en sofrir, ardidos en mal
fazer, vergonçosos en plaça, desonestos en secreto.
Muchos destos son nigrománticos, alquimistas, lapi-
darios, encantadores, fechizeros, agoreros, físicos e
de yervas conosçedores; andan de casa en casa, de
logar en logar, de regno en regno, de tierra en tierra,
de çibdad en çibdad, con su ábito e vida desimulada
engañando el mundo. Non ay arte, çiençia nin maes-
tría que ellos non dizen que saben. Déstos anda el
mundo lleno, e con sus mansos fablares e dulces
palabras, con sus disimuladas obras e con sus juramentos raviosos dando a entender ser justos e muy
santificados. Dizen que non consintirían en cosa de
pecado, nin cabrían en cosa mala. ¡Dólos al diablo
vestidos, calçados, desnudos e aun despojados! Ya
vedés si los conosçió bien Nuestro Señor, quando
dixo en el Evangelio: «Guardadvos destos que andan
con ''paz sea con vos'', e pareçen de fuera justos e
santos, que de dentro son lobos robadores» [118]. Yo
creo bien que Nuestro Señor *los conosçió* bien, e
pues Él dixo que nos guardásemos dellos, guardémo-

---

[117] *Psalmi,* 143, 5: «Domine, inclina coelos tuos, et descende;
tange montes et fumigabunt.»
[118] *Mateo,* 7, 15: «Attendite a falsis prophetis, qui veniunt ad vos
in vestimentis ovium, intrinsecus autem sunt lupi rapaces.»

nos dellos; que estos falsos iprócates son los que fazen los males incogetados. Verlos hedes muy callados, muy secretos, muy cerrados, podridos de dentro; torçiendo las manos e dedos, faziendo a los pechos cruzes con los braços, juntando las manos e alçar los ojos al çielo quando juran o fablan, rezio sospirando, la lágrima presta, fazerse que non entienden nada nin saben del mundo cosa —desimular los fechos mucho— quien los platicare nunca los entenderá jamás. Fázense simplezillos como mugeres, la boz delgadilla, fablan muy de paso; todavía los fallaréis entre mugeres, pero non de las viejas. Asiéntanse en tierra llana como ellas; dan a entender que son vírgenes e que nunca muger conosçieron nin las querrían ver, salvo para las confesar e consejar que bivan bien: esto porque se fíen en ellos una vez, e porque puedan usar donde mugeres estén con toda ficta onestidad. Safúmanse las caras con cominos róstigos e con piedra sufre, e con el baho de la yerva orthigosa cuando la cuezen en la olla, porque parescan amarillos e transidos de las abstinençias e ayunos. Pero, quien los travase del papo del ombligo, allí paresçería si comen sardinas o gallinas.

En mi tiempo vi uno que se safumó, como dixe, e fue al Papa Benedito, infingiendo de santo, diziendo que non quería ser benefiçiado, e así forçado tomó el Arçedianadgo de Tortosa, e después que ovo *pescado* [119], tornóse un diablo e non le fartara el Papa de benefiçios, e llamávanle «Quare tristis est anima mea» [120], por el engaño que avía fecho. Otros destos ipróquitas desbarvados malos aprenden de broslar e fazer bolsillas, caperuças de aguja, coser e tajar e adereçar altares, encortinar capillas, endereçar un

---

[119] En el ms. se lee *pasado*. Preferimos el *pescado* de los incunables.
[120] Alude irónicamente al Salmo 41, 12. Martínez en esta anécdota parece indicar que desde muy joven se movió entre los de la Curia pontifícia, puesto que el papa Benedicto XIII (don Pedro de Luna) murió en 1422.

palaçio, una cama e una casa, e aun las mugeres quieren saber tocar e las monicas afeitar, fazerles los cabellos ruvios; aguas para lavatorios infinidas saben fazer, todas las cosas infingen de fazer como muger, dexando su usar varonil. Infingen delicados, temerosos e espantadisos, e juradores como mugeres: «¡Jesús! ¡Santa Trenidad! ¡Ángeles! ¡Yuy! ¡Ay, avad, hermano! ¡Yuy, amigo! ¡Deo gracias!» Si a ellos llegan, quéxanse como mugeres, amortéçense como fenbras. Trabajan mucho por las virtudes de las yervas por dar a las mugeres melezinas: a algunas para empreñar, a otras para sanar de la madre, del estómago, de la teta, del alfombra, de los paños a las preñadas, de la cara; el dolor de axaqueca, de ijada, del dolor del ombligo, e dende ayuso, etc.ª Toda física saben; todo dolor curan; todo mal remedian. Donde mugeres fermosas ay, allí *los ve buscar*[121]; bástase que [siempre] los verás, los falsos, solos entre mugeres: nunca de otro ome quieren compañía. ¡Dios sabe a osadas cómo las aman de coraçón a las mugeres! E fazen estos falsos mucho mal e daño; por donde van siempre dexan rastro. ¡Acomiéndolos a Satanás, a Berçebú e a Fallanás! E por *ende* de las tales iprocresías e viçios teñidos de color de virtudes, dize Sant Gregorio en *Los Morales* que tanto son peores quanto menos conosçidos, ca son de simulada egualdad, que es doble maldad[122]. Enxemplos te daría mill sinón por non ser prolixo. Pero en nuestros días, e aun yo lo conosçí, fablé e comí e beví con el hermitaño de Valencia —mira qué ombre reputado por santo en toda aquella cibdad e aun en todo el regno— que así ivan a su casa, e mejor, *que non* a la iglesia; e teníase por santo o santa quien una astilla de la cama donde él dormía podía aver; e muchos sanava con el agua del pozo de su huerto e con las yervas que en él nasçían; que si una persona toviese trópigo

---

[121] En el ms. se lee *las buscan*. Preferimos la lección de los incunables, *los ve buscar*.

[122] *Lib. Moral.*, III, 2 y XXXI, 39.

e comiese un ajo o un puerro de su huerto, luego creía
ser sano. Bigardas, dies a dies, e veinte a veinte, cada
día entrar e salir veríades en su casa; cavalleros e
nobles eso mesmo, por quanto tenía una casa muy
graçiosa, un huerto muy poblado de todas cosas, e
era ombre que se preçiava de lo tener gentil e limpio,
e conbidava de grado a quantos allí ivan. Pero sópose
a la fin cómo avía avido muchos fijos en muchas
veguinas; e otras muchas enpreñadas con «Deo gracias»; otras vírgenes desfloradas —seglares e vigardas— con «pas sea con vos»; casadas, biudas, monjas
arreó con «loado sea Dios». Teníanlo gordo como
ansarón de muchas viandas: así ivan ollillas e puche-
ruelos a su casa, destas beginas, como cantarillos a la
taverna. Era nigromántico, e con sus artes fazía venir
a su casa aquellas que él quería e por bien tenía.
E por aquí fue él descobierto; que él tenía un compañero, un cavallero destos de la çerda, e una día
hordenaron de mandar a un pintor que pintase cómo
Nuestro Señor estava cruçificado, e el diablo allí
pintado muy desonestamente, lo qual non es de dezir;
e pusiéronlo por obra, fecha el abenençia con el
pintor; y el pintor fue *del dicho monje satisfecho e*
muy bien pagado. E pintólo, como dicho he, en casa
del hermitaño secretamente en un retrete muy secreto
que ninguno non lo sabía, salvo él e aquel cavallero,
donde ellos fazían sus invocaçiones a los *diablos.*
E desque lo ovo fecho fuese el pintor, movido de
conçiençia, al governador de la çibdad de Valençia e
contóle todo el fecho. El governador, espantado de
aquello —porque lo tenía por santo como los otros— ca-
valgó e fue a casa del hermitaño e fizo çercar toda la
casa en torno de gente e el pintor consigo. Llamando a
la puerta, abrió el hermitaño e dixo: «Señor, ¡paz sea
con vos!» Respondió el governador: «¡Amén, mon
frare!» Luego el hermitaño abrió las puertas e fizo
entrar a todos, pero el pintor quedó fuera fasta que le
él llamase. E dixo el hermitaño: «Señor, yo so muy
alegre de la vuestra buena venida. ¿Quál Dios vos
traxo agora aquí? Ca ha bien dos meses que non

venistes a vesitar esta vuestra posada; que en verdad, señor, yo e ella somos *muy* prestos e obligados a vuestro mandamiento.» Dixo el governador: «En verdad, hermitaño, yo me sentí un poco enojado e víneme aquí a ver esta vuestra posada.» Dixo el hermitaño: «Señor, pues véala vuestra merçed.» E luego llevólo al huerto e mostrógelo todo, e llevólo por la casa e mostrógela toda, salvo la cámara donde él dormía e la recámara secreta; que non se podía saber si estava allí camareta o non, que era fecha de madera juntada e non paresçía puerta nin ventana sinón que era toda una cámara. E como los casados tienen una cámara arreada gentilmente para reçebir a los que vienen, así él tenía aquella camareta con dos fazes de sarmientos por cama e una piedra por cabeçera, e aquello mostrava a los que venían. Pero en la camareta fallaron después cama e tantas joyas e ropas. E como el governador entró dentro en la cámara, dixo: «¿Aquí dormides, padre?» Dixo: «Señor, sí.» Començó el governador a se reír, e dixo al oreja a uno de los suyos: «Sal e llámame al pintor.» El hermitaño pensó que dezía el governador al otro al oreja: «¡Qué santo ombre es este hermitaño!» E començó a sospirar e llorar el hermitaño, que tienen las lágrimas prestas mejor que mugeres. E dixo *al* governador: «Señor, mucho más pasó Nuestro Señor por nosotros pecadores salvar.» El governador dixo, como que non sabía: «Padre, ¿qué tenés tras estas tablas?» E dio una grand palmada sobrellas. Dixo el hermitaño: «Señor, por la umidad las fize poner *ay*; que, como non me desnudo toda mi vida para dormir, e non tengo otra ropa en la cama, defiéndenme estas tablas de la friura de la pared; si non, ya sería muerto.» Dixo el governador: «¿Paresçe como retrete que está aquí?» Dixo el hermitaño: «¡No, señor, nada en mi verdad!» Dixo el governador: «Abrid, padre, así gozés; veamos qué tenés dentro.» E el hermitaño mudó la color e vido que non era buena señal cómo porfiava el governador en ello, e dixo: «Señor, ¿e non me creés? Pues creerme deveríades; que nunca me acuerdo aver dicho mentira a ome nasçido. ¿Cómo, señor, avía de mentir a vos?» E arodillóse en tierra faziendo la cruz con los braços diziendo: «¡Por la pasión de Ihu. Xpo., que su sangre por nos derramó, nin para el gosto de la muerte que he a gostar —e así salve Dios esta alma pecadora— e aun *para* el santo sacrefiçio del altar, señor, que non ay más desto que vedés!» Entonçes el governador, movido de saña en que vido que mentía, segund el pintor le avía dado las señas, dixo: «¡Vos, don viejo falso e malo, abrirés mal que vos pese! ¡Yo veré qué tenés aquí dentro!» Desque esto vido el hermitaño, çegó e non pudo fablar, salvo dixo: «Señor, yo iré por la llave, pues tanto vos plaze que la abra.» Esto dixo a fin de salir fuera e foir; pero el governador dixo: «Vamos, yo iré con vos, que non vos dexara.» En esto entró el pintor, e quando el hermitaño vido al pintor, entendió que luego era muerto. Dixo el pintor: «¡Dios vos salve, padre! ¿Cómo vos va con Dios?» El hermitaño non pudo fablar, nin «Deo gracias» dezir, nin «paz sea con vos» nombrar. Entonçe dixo el pintor: «Señor, mandalde abrir; catad aquí la llave, ésa es que tiene en la correa colgada.» Entonçe tomáronle la llave e él enmudeçió, que non fablava, e salió fuera de seso. E abrieron por donde dixo el pintor como él avía visto al hermitaño abrir; e el governador entró dentro, e quando vido la fealdad tan abominable pintada, púsose las manos en los ojos e non lo quiso mirar, e dixo al pintor: «¡Liévalo, liévalo de allí e dobla aquel lienço! ¡Nunca paresca en el mundo tal cosa!» E fízolo *solamente* ver a dos o tres testigos, e dixo al hermitaño: «¡O traidor malo, engañador! ¿Quién te mandó fazer tal cosa?? E fízolo levar preso luego; e quantos lo veían levar preso, maravillávanse por qué lo fazían e lo levavan así al santo bendito. Veríades rascarse las vigardas quando supieron que lo avían preso, mas non sabían por qué; e veríades cavalleros e dueñas ir a rogar al governador, tanto que non se podía de ruegos de los grandes defender, fasta que dixo: «Si non digo lo que este malo falso ha fecho, muerto so, corrido e apedreado.» Que así andavan las beguinas de casa en casa de cavalleros como si se oviesen de salvar, aunque algunas dellas —de aquellas con quien él tomava plazer— bien se pensavan que le avrían fallado alguna muger en su casa, etc.ª Empero el governador lo ovo de descobrir a la fin porque non le enojasen más, e desque las gentes lo supieron començaron de blasfemar del hermitaño e las lenguas de callar. E luego el governador le començó de tormentar, e dixo el hermitaño cosas endiabladas de lo que fazía en Valençia así con sus malas artes, cómo porfiasen en su fita santidad las gentes. Suma: que finalmente fue sentençiado al fuego, e así fue quemado.

De otros muchos falsos bigardos te diría, mas non querría con la pluma enojar a los leyentes. Pero quiérote dezir solo un poco de otro bigardo, lo que vi a mis ojos, que non quiero dezir quién es él; pero allá donde tenía su hermitorio, non era tenido en menos reputaçión quel sobredicho, antes era avido por santo, e nunca çapato nin otra cosa en su pie entrava; todas las quaresmas a pan e agua ayunava e lo más del año todo. Fue dicho dél que en un monesterio avía fecho algunos fijos; e éste avía renunçiado de primero el mundo, que fue mucho ombre de pro, e alcançó manera de más de diez mil doblas e escuderos quatro continos e grand señor, e dexólo todo e diose a servir a Dios. Después oí yo dezir que en el ábito de fratichelo avía cometido un gran crimen por falsario contra un Rey. Después *le vi* yo bien fazendado e bien rico, dexado el ábito e con mucha renta e con mucha cobdiçia desordenada de aver *e* alçancar; *e* por causa de aquella falsedad que cometiera, segund fama era, en la mayor fervor de su prosperidad Dios le levó desta vida, el qual murió en mis manos. En conclusión, ninguno non diga: «Este ¿por qué bivió mal e acabó bien?» nin «¿Por qué este bivió bien e acabó mal?» que Nuestro Señor sabe, como dixe, quién es bueno o quién bive bien, quién es malo e bive mal: secretos son de Dios. E los que a las vezes paresçen a las gentes buenos son malos, como agora dixe, e a las vezes los que paresçen malos son buenos. Como dize Sant Agostín: «Muchos cuerpos de santos, o por tales avidos e reputados, son en la tierra sus cuerpos venerados, que sus ánimas dellos yazen en los infiernos; e así por el contrario de otros, que muchos santos que están en la gloria de Paraíso que murieron en nombre de pobres, que el mundo non los conosçió nin fue digno de los conosçer, están por claustros, rincones de iglesias e fuera dellas e en sepolturas pobres e de poco valor, que meresçen ser coronados de oro e piedras preçiosas, e non están en reputaçión de cosa alguna.» Pero yo creo que muchas vezes los ruegos destos, que ruegan a Dios por los suyos e de su tierra especialmente, que retiene sus sentençias Nuestro Señor muchas vezes por amor dellos. Empero, si el malo en este mundo ha bien e prospera, ¡guay del que aquí toma su gualardón! Empero, si es bueno e ha algund mal o padesçe adversidad, en el otro mundo folgará. ¡O triste del que por Dios non es visitado de las pasiones deste mundo! Mala señal es; el físico le ha desamparado al tal enfermo: señal es de muerte. Por ende te digo, nótalo bien, que en una de tres maneras Nuestro Señor Dios permite que la criatura sea punida: la primera es que permite a los malos punir por pena con condenaçión, por ser los tales perversos de mala ley e de mala e perversa calidad; que nunca conosçen a Dios nin a sus santos, biviendo mal continuadamente sin enmienda, e así fenesçen sus postrimeros días. Éstos plaze a Dios que en este mundo comiençen a tomar penas e sentirlas, levándoles lo que más aman, privándolos de estados e riquezas, o lançándolos a breve tiempo en estados grandes e manera, e derrocándolos dellos por tiempo, e dándoles enfermedades e pasiones en los cuerpos e personas, e dándoles desfavor e ira de señor, e otras maneras muchas de pasiones. E las tales malas personas rehazias, enteras, porfiadas, iniquas, perversas, obstinadas, yertas, duras e de mala calidad, mal biviendo acaban mal, e así van a las infernales penas, tomada ya en este mundo la posesión de penas e tormentos; como contesçió a los egepçianos e a los del diluvio, e a los de Sodoma e Gomorra, e a otros infinidos contesçió e conteçe oy e cada día por sus méritos e mal bevir de cada uno. Item, lo segundo permite Nuestro Señor que a las vezes los buenos ayan açote, castigo e perseguimiento: esto para aprovaçión de su buena e santa vida; que si a las vezes con flaqueza de la carne, instigaçión del diablo o inclinamiento del mundo e sus vanas cosas terrenales, estos tales fallesçieren e cayeren, o algund tanto a Nuestro Señor olvidaren, con la puniçión, açote e castigo se tornen a Dios e fagan enmienda de sus pecados e conoscan sus culpas e errores, retrayéndose del mal bevir de los viçios e pecados, e llegándose a las virtudes de bien bevir e bien usar. E, como por nuestros pecados non llamamos a Dios nin le conosçemos sinón en las priesas, trabajos, angustias e tribulaçiones, por ende permite los buenos ser castigados porque le non desconoscan: como fueron los del tribu de Israel, Sant Pedro, Sant Pablo e otros infinitos, que, seyendo punidos, conosçieron sus culpas e errores, e se tornaron a Dios Nuestro Señor veyendo que se perdían mal obrando. Ay otros buenos que Nuestro Señor permite que sean punidos por meresçer más gualardón; que estos tales en este mundo comiençan a sentir la gloria, corporalmente padesçiendo; e la gloria de Dios en el ánima e sus potençias sintiendo espiritualmente por contemplaçión e, a las horas, vesiblemente por revelaçión. E tanto son contemplativos e en el amor de Dios ençendidos por iluminaçión del Espíritu Santo que, aunque una vez cada día los tormentasen, e mill en logar de una muerte reçibiesen, con el amor de Dios con mucha paçiençia todos males sufrirían —como frío, fambre, sed, escándalos, malos denuestos, vituperios, tormentos, pasiones e muertes— como fueron los Apóstoles, los disçípulos, los mártires, confesores, vírgines e continentes, como fueron Job e Tobías e Catón e otros infinidos pasados e aun oy bivientes— aunque pocos por nuestros pecados.

Por ende, ave por dicho que a muchos vienen trabajos, daños, males, persecuçiones e tormentos a las vezes por provecho, bien e salvaçión, e a las oras por mal, daño e dapnaçión. Non piense, por ende, alguno que prosperar en este mundo es reinar, *nin* padesçer sea aterrar. Déxese, pues, de judgar aquél e el otro a ninguno, e de sí e sus fechos e conçiençia cure, e non diga: «Éste es bueno e aquél malo», nin «¿Por qué fue esto, nin contesçió aquello?» que de todo sólo Dios es sabidor e hordenador; que el malo por su propia voluntad peca e es malo sin gracia de Dios, mas el bueno obra bien por su voluntad e con graçia de Dios. Por quanto el malo mal faziendo privado es de la graçia de Dios, segund Sant Juan Evangelista en su espístola, *dize* así: «Más devería el pecador culpar sus males que del justo juizio de Nuestro Señor quexarse.» Lee en el capítulo *Vasis,* XXIII, q. IIII[a 123]. Pero por non detener más, non digo *más;* que farto se podría escrevir sobre este paso. Pero, por Dios, cada uno conosca lo que conosçer deve, e non dexe a Dios por fado nin planeta; si non, sepa que se arrepentirá, e non por burla, e en tal manera que fado nin ventura non le ayudará nin aprovechará cosa ninguna.

---

[123] En las epístolas de San Juan, no se encuentra nada que corresponda a la cita. El capítulo *Vasis* es el 23 de la *Causa* XXIII, *quaestio* IV del *Decretum.* Véase nuestra nota 90.

CAPÍTULO II

Cómo Dios es sobre fados, planetas, e el ánima non es sobjeta a ellos

Otra razón te quiero fazer entender, para te dar a entender que sólo Dios es que todas las cosas ordena e faze; a su mando conviene que anden así planetas como signos, como todo quanto en el mundo ay, así inferior como superior, así mundanal como sobrecelestial, pues, para provar que sobre el ome non ay fado nin signo, nin planeta, que de nesçesidad le costringa a ser malo nin bueno, sinón solo su franco arbitrio. Esto quanto a la causa formal e fecha, pero quanto a la efiçiente e principal, que es Dios, Él es el que le ha de preservar o matar, o fazer luengamente bevir o brevemente morir, o ser rico o pobre, o fazer de grande chico, o de chico grande; e esto permitive, e otro ninguno non, nin muerte nin fortuna que non tienen poderío. E piensan las gentes que la muerte es persona invesible que anda matando ombres e mugeres; pues non lo piensen, que non es otra cosa muerte sinón separaçión del ánima al cuerpo. E esto es llamado muerte o privaçión desta persente vida, quedando cadáver el cuerpo que primero era ornado de ánima. Esta es dicha muerte. Así que non diga ninguno: «Yo vi la muerte en figura de muger, en figura de cuerpo de ome, e que fablava con los reyes, etc., como pintada está en León» [124], que aquello es fiçión

---

[124] En la Capilla de los Quiñones en la Basílica de San Isidoro en León, se encuentran los restos de un fresco gótico que parecen ser

natural contra natura. Es natural porque natural es el morir; pero non que la muerte sea cosa que mate, segund que la pintan en fecçión, que sería contra natura, como dar cuchilladas, lançadas o saetadas a los bivos la muerte. Empero sé cierto que el Rey, e el Papa, e el çapatero, todos pasan por aquel vado, como dize Catón; que así a los duques como a los príncipes *la muerte* común es avida[125]. En otra guisa ¿quién podría con los poderosos, si la muerte e las pasiones e las miserias del mundo non gostasen e sintiesen? E muchas e más vezes biven e mueren mejor los de poco estado que los de grande estado e linaje: que el que poco tiene, poco se preçia, e con pan e sardina es contento e farto; non siente pobreza nin trabajo, sinón muy poco, nin aun se da mucho por morir o bevir, antes con puro coraçón, *con angustias,* desea de cada día la muerte. Pero el Rey, el Papa e el grande, ¡o quánto dolor le es quando muere, o pierde lo que tiene o non puede mantener el estado quél requiere! Toma esto por conclusión: que quanto el mezquino del ome mayor es e más alcança, tanto es mayor la su cobdiçia e la su avariçia a perder: que antes, quando poco alcança, es de aquello poco franco, e quando mucho alcança, non le es más dar, despengar o emprestar que sacalle el ojo. Los parientes e amigos, que pobre le avían bueno, rico le perdieron del todo; que ya non conosçe amigos nin parientes, nin los quiere ver; antes niega padre e madre; que non son ellos sus padre e madre, nin los otros sus parientes nin amigos. Fízole Dios bien e él non lo conosçe, e donde devería dar graçias a Dios e

___

los vestigios de una danza macabra. Allí aparece el Papa, el emperador, etc. ¿Sería esta la pintura de la muerte a que se refiere el arcipreste?

[125] No se encuentra la cita correspondiente en los *Dicta*. Se pudiera pensar en IV, 35, pero la semejanza es muy genérica: «Tempora longa tibi noli promittere vitae / Quocumque ingrederis sequitur mors corporis umbram.» Como queda dicho, hubo numerosas versiones de los *Dicta Catonis* en la Edad Media.

ser bueno, nin conosçe a Dios que ge lo dio, nin conosçe a los suyos nin a sí mesmo. Así lo traen engañado el mundo e el diablo, por donde muere mala muerte e lieva el cuerpo la tierra e los gusanos, e la ánima los diablos, e las riquezas los parientes, o quiça quien non las pensava heredar nin gozar dellas. E así, quando acaeçe que este tal muere, quanto mayor es su riqueça e más tiene, tanto es mayor el dolor quando muere, a la muerte e a la pena della, e tanto le ha más miedo terrible. E quanto es menor el ome *e* de menor estado, e quanto menos tyene, tanto menos ha de pena e menos le duele la muerte. E el que más *tiene e posee, más* ama el mundo, e el que menos tiene, menos cura dél; o muera o biva, o sea dello lo que fuere, eso le da por morir que por bevir. Así que non piense alguno que la muerte es muger nin ombre nin cuerpo nin espíritu alguno fantástigo, salvo privaçión de vida e apartamiento de cuerpo e de ánima. Esta es dicha muerte. Lo segundo es contra natura: por cuanto, así como dize Aristótiles, que de las cosas que non son nin aun paresçen, non puede ser dado juizio; pues como la muerte non sea cosa, nin se demuestre nin paresca, della non puede ser dado juizio nin dicho nada, pues ella non es nada sinón como un fablar de lo que aquí agora dixe: que el que es privado desta presente vida es dicho muerto, e quién lo privó dizen la muerte, por respecto e comparaçión dél, que le llaman muerto, e así de las otras cosas. E eso mesmo digo de la fortuna e ventura, que non es cuerpo nin espíritu, salvo si alguno busca mal e lo falla, aquel mal que ovo dizen ventura; o si va por la calle e le matan súbito, aquel mal que le vino llaman fortuna; o si es pobre e torna en rico, aquella manera de aver riquezas llaman ventura, e así del rico que torna pobre. Así que la manera de mal o bien aver llaman las gentes ventura, fortuna, o dicha buena o mala; que todo es uno. Pero tornando a mi propósito, yo te demando: ¿quál es más noble e de mayor dignidad, el ánima o el cuerpo? Si dizes que el cuerpo, non eres deste mundo, e tu dicho non es para en plaça. Pero si me dizes que el ánima es más noble e mejor, así como lo es —segund Aristótiles e todos los naturales dizen— demándote, pues, si el ánima por sí es hombre, o si el cuerpo por sí es hombre, o si juntos amos fazen ombre, teniendo unidad de compañía perpetua al tiempo que biven. Si me respondes que es verdad, que ánima e cuerpo juntos fazen ombre, pues, si las planetas e signos dan sus influençias a los cuerpos inferiores, seguirse ýa que darían influençia eso mesmo al ome e que tomaría el ome de las correspondençias de la planeta o signo, cada que el ome nasçiese o engendrado fuese en el tal tiempo que la tal planeta o signo tal curso fiziese o influençia diese. Dígote, pues, que non te lo niego que non den las planetas e signos sus influençias, pero non para determinar, nin dar ser o non ser, muerte o vida; que esto sólo está en la premisión de Dios. Apruévolo más claro así: ya sabéis en cómo la ánima de la razonable criatura es sobreçelestial e non sojecta a planeta nin signo, nin a fados nin a fortuna, nin reçibe pasiones nin miserias en este mundo, por quanto es criada por Dios limpia e pura, e a otro ninguno non es sojecta, como dize David en el salmo: «Mi ánima ¿non es sojecta sinón a solo Dios? Dél espero aver saluaçión» [126]. Pues, síguese que en el ánima non tiene nada signo nin planeta. Pues si al ombre da la planeta e signo influençia, seguirse ýa que así el cuerpo como el ánima como amos juntos fagan ome e non uno sin otro: pues esto es falso e inconviniente, segund agora dixe, por la planeta, fortuna e signo non tener preduminio en la alma alguno nin ninguno, salvo Él que la crio. Síguese que non han logar las costelaçiones de las planetas en el ombre, e si alguno han, por razón del cuerpo solo, e non del ánima, salvo mejor juizio. Empero, si alguno han, non tal para le fazer ser o non ser al ombre, o dar bien o mal, o le privar de vida o de

---

[126] *Psalmi*, 61, 2: «Nonne Deo subiecta erit anima mea? Ab ipso enim salutare meum.»

muerte preservar, sinón sólo Dios que es soberano a
signos e planetas. Otra razón te asigno: çierto es que
todo más digno atrae a sí lo menos digno, e lo más
priva lo menos. Pues en argumento: si el ánima es
mejor e mayor e más digna que non el cuerpo, en las
calidades o complisiones el ánima atraerá a sí el
cuerpo por eçelençia e por ser mayor e más noble.
Pues, si el cuerpo a sí atrae, fazerle ha ser de aquel
dominio de quien ella es. E pues ella non reconosçe
otro superior sinón a Dios, síguese que el cuerpo deve
reconoçer el superior de superior, que es el ánima, el
qual superior del ánima es Dios infinito todopoderoso; e tanto que la parte potençior, que es el ánima,
deve preduminar la parte sojecta, que es el cuerpo,
atrayéndolo a su superior, que es Dios. Donde se
concluye, por las susodichas razones, Nuestro Señor
dar ser e non ser, vida o muerte al ome, e non fado
nin planeta; que el que rige los fados e las planetas
bien se concluye que deve regir a las cosas que los
signos e planetas dan sus influençias, pues lo mayor
priva a lo menor e lo más priva a lo menos, el más
poderoso a lo menos poderoso, el señor al siervo, e el
criador a la criatura. En conclusión: si mal o bien te
viene, afán o trabajo, plazer o alegría, de Aquél te
viene todo lo que permite o le plaze, o quiere que las
cosas vayan todas a su dispusiçión e ordenamiento.
E para conclusión e determinaçión de todo lo susodicho, lee lo que David dixo en el salmo de la feria
segunda del lunes que comiença «En ti, Señor, esperé, non sea confondido para siempre», dize en
el XVIII.º verso: «Yo, empero, en ti, Señor, esperé e
dixe: Tú eres mi Dios e en las tus manos son las mis
suertes»[127]. Pues ¿qué quieres más especular esta
materia? pues David dixo que en la mano de Dios
eran sus suertes, esto por quanto *en* el tiempo antiguo
acostumbravan alcançar suertes, e los Apóstoles de-

---

[127] *Psalmi* 30, 15-16 (no 18): «Ego autem in te speravi, Domine:
Dixi-Deus meus es tu: in manibus tuis sortes meae.»

llas usavan; e pruévase quando echaron suertes quién suçedería en el logar de Judas, e dizen que cayó *la suerte* sobre Santo Matía. Ansí que antiguamente suertes usavan lançar. Por ende David dixo: «Señor, la mi buena o mala suerte en tus manos es: si *Tú quisieres* e a Ti ploguiere que *yo* aya buena suerte, fecho es; si Tú permitieres empero que yo aya mala suerte por mi culpa mal obrando, determinado es.» Por ende, aquí deve cada uno tomar liçión e aun enxemplo, pues David derechamente aquí fabló de suertes claro *a la letra;* pues quien más prueva desta materia busca, garavato demanda por non venir en conosçimiento de la verdad. Empero, si lo entender quisieres en otra manera —que suerte quiera dezir bien o mal que a la criatura viene acçidentalmente— tómalo e entiéndelo por cualquier vía que quisieres, que todavía has de venir al poderío e mano de Dios, segund de alto ya prové, e después al franco alvedrío de la criatura, junto con el raçional seso que Nuestro Señor le da para bien o mal fazer, sin alguna nesçesidad. Por ende cada qual pare mientes por sí e de su mal non culpe a otro más que a sí, salvo mejor consejo. En esto concluyo aquí e do fin a mi obra, la qual yo propuse de fazer a serviçio del muy alto Dios, el qual por siempre sea loado, amén[128].

Otra razón te diré, la qual Juan Bocaçio prosigue, de la qual pone un enxemplo tal. Dize que él, estando en Nápoles oyendo un día liçión de un grand natural filósofo, maestro que allí tenía escuela de estrología

---

[128] El tratado del arcipreste parece terminar aquí, pero continúa con la alegoría de Pobreza y Fortuna, adoptada del *De Casibus Virorum Illustrium* (*Liber* III, cap. I) de Boccaccio. En el ms., Alfonso de Contreras, el copista, ha dejado el espacio para una rúbrica que marque un capítulo aquí, pero no ha escrito nada. En los incunables, sin embargo, sí se divide en este punto la cuarta parte del tratado en otro capítulo (el número VI, «En que se demuestra cómo no devemos poner culpa a signos e planetas quando nos viene alguna mala ventura mas a nos mesmos que somos causa de nuestro mal», en las ediciones de Sevilla, 1498 y Toledo, 1500).

—el, qual avía nombre Andalo de Nigro, de Genova
çibdadano [129]— leyendo la materia que los çielos en
sus movimientos fazen e de los cursos de las planetas
e sus influençias, dixo esta razón: «Non deve poner
culpa a las estrellas, signos e planetas, quando el
cuitado [130] busca su desaventura e es causador de su
mal.» E pone un enxemplo para provança desta razón, el qual, queriéndo*lo* entender alegóricamente,
tiene en sí mucha moraldad, quien en él bien pensare,
aunque a primera vista paresca patraña de vieja. E el
ensemplo es éste: Dize que la Pobreza un día estava
muy triste e como trabajada, pensativa e muy dolorida e muy flaca, en solos los huesos e la pelleja,
negra, fea, magra e llena toda de sarna; los ojos
somidos, los dientes regañando, su sarna rascando, la
pelleja cortida e arrugada, muy espantable e fiera.
E estava echada al sol en encuentro de tres caminos,
faziendo al rascar jestos estraños e feas continençias;
sus cejas abaxadas como de persona que está comi-
diendo en algund grand pensamiento. E la Pobreza así
estando, fevos aquí donde viene por el camino adelante la Fortuna, muy poderosa, de edad de treynta
años, muy loçana e valiente, riendo e cantando con
mucha alegría, en somo de un cavallo muy grueso e
fermoso, una guirnalda de flores en la cabeça, muy
ceñida por el cuerpo e frescamente arreada segund la
gala del mundo. E como llegase a vista de la Pobreza,
su cavallo començó *de* tornar atrás e començó a dar
muy fuertes ronquidos, por quanto vido la Pobreza

---

[129] Efectivamente, Andalo de Nigro fue maestro de Boccaccio. El
texto de Boccaccio que adapta el arcipreste comienza así: «Cum
igitur iuvenis Neapoli olim apud insignem virum, atque venerabilem
Andalo de Nigro Genuensem caelorum motus, et syderum, eo
docente perciperem, inter legendum die una huiusmodi verbum
occurrit: Non incusanda sidera sunt, cum sibi infortunium quaesie-
rit opressus. Quod audiens, festivus, esto longevus, hilari vultu
inquit, hoc profecto lepida fabella, et antiquissima probatum est...»
[130] En el ms. se lee *causador*. Preferimos la lección de los
incunables, *cuytado*.

yazer muy fea e desfigurada, que paresçía a la muerte
propia que entonçe del sepulcro salía. E desque la
Fortuna la vido, dio de las espuelas al cavallo, e,
como a forçado, fízole a ella llegar; e la Fortuna
començó a sonreírse a manera de escarnio. Pero la
Pobreza, quando la vido, con grand seso e manse-
dumbre alçó sus ojos en alto e començó de mirar la
pompa e loçanía e locura e vanagloria, la jactançia e
orgullo que la Fortuna consigo tenía; e en manera
muy suave, a guisa de persona entendida e ançiana, la
Pobreza dixo así: «Amiga, ¿de qué te ríes que plazer
veas de ti? ¿Ríeste de mí, en que me veés fea e
desdonada, sola *e* apartada de los plazeres del
mundo, echada entre estos tres caminos?» Respondió
la Fortuna: «Pobreza, mucho me maravillo de ti, ¿e
non *me* devo reír considerando tu jesto e presençia
fea, negra, mal vestida, cubierta de mucha sarna,
huesos toda e pellejo, apartada de todo bien, alexada
de plazeres, acompañada de tristeza, complida de
pensamientos, llena toda de dolores? Dizes que non
me ría: sí reiré por buena fe. ¿Quién será el que non
riese si tu donaire viese? Mírate a un espejo antes que
respondas, e verás quién, cómo e quál estás.» Entonçe la Pobreza, non moviendo su coraçón a ira, dixo:
«Dime, amiga, ¿quién eres tú?» Dixo la Fortuna: «Yo
so la alta Fortuna, que fago e desfago, mando e viedo.
Todas las cosas a mi regimiento son.» La Pobreza
respondió: «Ora bien, ¿tú eres, pues, la Fortuna?
Mucho seas bien venida.» E començose como de
levantar, fincando las manos en tierra a manera de
persona pesada, vieja *e* cansada, e levantóse muy de
paso e miró muy de fito a la Fortuna, e díxole:
«Amiga, tú eres la Fortuna. Plázeme de tu vista e por
te aver conosçido, pues tú dizes que fazes e desfazes,
viedas e mandas, ordenas e dispones todas las cosas
del mundo e que son a tu govierno e mando las baxas
e aun las altas; e demás fázeste deesa e adorarte fazes
por todo el mundo como gloria mundana. Pues yo
reiría si oviese gana, e esto sería de reír, e non como
tú de mí ríes. ¡O de los locos que te creen! ¡Guay de

los tristes que de tí confían! ¡Guay de los desaventurados que a ti esperan nin esperança en ti tienen, que de todo lo que dizes *dígote* que non tienes nada! ¡O cuitada, non te conosçes con tu orgullo, vanagloria e pompa, e engañas todo el mundo! Mandas mucho e das poco; prometes a montones e dasles mucha nada; convidas con esperança e dasles mala andança. ¡O engañadora, inica e traidora, falsa e baratera! ¿Con esta manera siempre as de bevir? ¡Yo te faré venir a la mi melena! Por ende yo te digo que visto el grande engaño que tiempo ha por todo el mundo traes, *e* visto que lo non puedo ya más sofrir, yo te diré, pues, qué faré contigo: tú eres poderosa e rica, e yo flaca *e* sin fuerça; tú del mundo amada e querida, yo sola e desconsolada; tú gruesa e bien vestida, yo magra y despojada; vente a mí, pie a tierra, que yo te combatiré e faré conoçer que eres falsa e engañadora, e esto sin más tardar. Mano me*te* a la obra; mejor lo faré que lo digo, si ver bien lo quisieres.» Entonçe la Fortuna ovo [tanta] malenconía que quiso rebentar diziendo: «Fasta oy non fallé quien me vituperase sinón tú, Pobreza. Téngome por malaventurada por me igualar en fabla contigo, sinón darte por baldía; que véote desesperada, pobre e lazrada. Ya sé que pobres e alvardanes e vellacos e de poco seso non acostumbran a los buenos honrar. Así que, pues que los pobres tenés esta tacha, callarvos he, e a palabras locas fazer orejas sordas. De una cosa me plaze: que sabes tú que yo te abaxé e te fize venir al estado en que estás, e la sobervia non perdiste. Yo te prometo, para la mi real majestad, que fasta los abismos te abaxe como a cosa desaventurada; yo te faré perder la presunçión, la andança e la locura, e tanto te abaxaré, que quando me veas me fagas reverençia. ¿Conmigo fablas par a par? ¿Quién te dio esta osadía? ¡Pues ved, amigos, a quien non dimos vida, cómo es tan atrevida!» La Pobreza entonçes respondió: «¡O loca Fortuna! ¿Tú dizes que me abaxaste e venir tú me feziste en esto que agora estó? Si la verdad fuese mentira tú dirías verdad en ello; que tú non ignoras que yo de mi propia voluntad quise e me plogo dexar bienes temporales, el mundo e sus deleites, riquezas por bevir pobre, tal qual aquí me veas, e donde estava cativada, so franca, libre de mí, aunque tú, Fortuna, farto con tus lazos te trabajaste por me cativar; pero mi juizio natural venció a ti, burladora. Pero vee cómo te dexé e te di cantonada, non curé de tu mundo, nin curé de tus pompas, riquezas, bienes nin estados; nin pienso cómo robaré, cómo lo ageno usurparé, de buen justo o de malo, por allegar para fijos nin fijas, sobrinos nin sobrinas, nin otros cualquier parientes, condenado a mí para ellos llegando; que sé que en mis días, por el que más alcançare su muerte será más *en* breve *dada e* deseada; que ya el fijo al padre e a la madre, e el hermano a su hermano, el primo a su primo, el pariente a su pariente, quando vee que mucho alcança, e él non tanto como querría, la muerte le desea, e non vee la ora que heredar e partir sus bienes, algos e riquezas, siquiera el muerto vaya a los infiernos. Pues en los papas contesçe esto: que desean algunos su muerte por suçeder otro en su logar; en los emperadores eso mesmo; en los reyes eso mesmo; quel fijo desea la muerte al padre por ser él rey e ser señor; el hermano del rey desea a su hermano la muerte por suçeder en el reyno; e en los duques, condes, cavalleros, gentilesombres, çibdadanos, burgueses, mercadores e menestrales sí conteçe desear la muerte unos a otros —así los parientes como estraños— por heredar, más alcançar e más valer, e de mayores estados ser. E aun lo que es peor, que a las vezes procuran los tales la muerte a los tales parientes *que* desean la muerte, matándolos con sus propias manos cruel e malvadamente a cuchillo; o a las vezes con veninos e ponçoñas e con otras infinidas maneras exquisitas que non son de contar, las cuales de cada día conteçe por nuestros pecados. Pues de los eclesiásticos non es de dezir nada. ¿Que non cobdiçian la muerte unos a otros por suçeder en las honras e benefiçios? Que verás los espectantes del Papa las bocas abiertas como lobos en febrero fambrientos. ¿Quándo morrán los beneficiados? ¿Quándo oirán tañer campanas por ellos? Luego corren e buscan quién murió, e si es clérigo benefiçiado; e lo peor que quando alguno está mal /e/ al paso de la muerte, están los espectantes rogando a Dios: «¡O si muriese en este mes, que es del Papa, porque lo açebtase yo!» E eso mesmo los familiares de los ordinarios dizen: «¡O si muriese en el mes que viene, porque me lo diese el perlado o el ordinario!» E si sana del mal el tal enfermo, los otros reniegan e cuidan tornar locos porque non murió. Pues ¿quién dubda si desea la muerte el que benefiçio tiene e pensión, que muera aquél a quien faze la tal pensión cada un año, porque esento quede el benefiçio? E aun su deseo nunca es otro de algunos diziendo: «¡O si muriese aquel viejo falso! Más bevirá que la grama; que si él muriese, luego estaría yo bien benefiçiado.» Pues ¿quién dubda si en corte del Papa desean que mueran los cardenales por suçeder otros en sus honores e dignidades? Eso mesmo de los patriarcas, protonotarios, arçobispos e obispos, abades, deanes, arçedianos e otros eclesiásticos e capellanes. Tres maneras ay de eclesiástico en aver onras e estados e prelasías, dignidades o beneficios: unos entran como pastores para aprovechar, e éstos entran por la puerta; otros entran como ladrones para furtar e dapnificar, *e* éstos entran por los campanarios; otros entran como mercaderes para levar e desfrutar, e éstos entran por las paredes. Así que los pastores, defienden, los ladrones roban, los mercaderes dapnifican (XXIII, questio III, capítulo «Tres personas») [131]; síguese quel pastor es de amar, el merçenario de tolerar, e el ladrón, empero, de evitar. Pues en los ofiçiales de la corte, sí desean la muerte los unos a los otros por suçeder en sus onras e estados, como son viçecanceller, camarlengo, corrector, referendario, glosadores, abreviadores e otros

---

[131] Cita del *Decretum,* canon *Tres personas, Causa* XXIII, *quaestio* 4.

muchos ofiçios que hay; *unos* desean la muerte a los otros, procuradores de corte generales e de contradictas. E, pues, dexada la corte del Papa, la del Emperador ¿si va por esta regla? Dígote que non fallesçe della. Pues las cortes de los reyes, príncipes e grandes señores, ¿si ay en ellas algunos destos deseos malditos? Dubdar en ello sería pecado. Pues en las çibdades, villas, *burgos,* castillos e otros logares sobre los regimientos que son perpetuos, o a tiempo, triennales o anales, ay destos deseos abominables. *E* desçendiendo más abaxo, en las casas de cada uno, fállanse a las vezes unos servidores desear la muerte a *los* otros. Pues en las vezindades ¿desean la muerte los unos vezinos a los otros? Creo en verdad que sí, pues non he fallado dónde començó la muerte, dónde está e se acaba. Digo, pues, amigo: las mugeres desean a otras la muerte por herençias, por aver la fija a la madre, a la tía o a la ahuela, diziendo: «¡O si muriese, cómo la heredaría e luego casaría con un cavallero de çient lanças, o con un gentilome, o con tal fijo de çibdadano!» E la hermana a la hermana, o prima *a primo, o tía* a tío, o pariente a pariente, non dize: «¡O si muriese mi hermano, sería toda la herençia mía, e estaría muy bien vestida! ¡Faría luego esto e aquello; compraría luego una casa, una viña, una mula, unos paños, una villa o aldea, o tal heredad!» segund las personas son, segund sus diversos apetitos e vanos deseos desordenados. Más fuerte te digo en las mugeres: que a las vezes las unas fermosas *e* galanas desean la muerte a otras porque son así fermosas *como ellas o más,* e son en grand fama en el pueblo, diziendo: «Fulana es fermosa, *pero tiene tal tacha e fealdad;* por çierto más fermosa es la tal.» Quando la otra *lo* oye, cuida rebentar *e* desea la muerte *porque ella sola fuese nombrada e otra non,* aunque *la otra* nunca le fizo enojo *ni mal.* Esto de pura envidia, que si bien parares mientes, non ay muger fermosa que non te diga qué tachas, qué fermosura tiene aquélla, e la otra qué *donaires e qué desgaires,* que non estudian en otra cosa. Mucho más te diría, sinón por non te enojar; que non acabaría de aquí a un año *de dezir* lo que es e cómo contesçe.» E dixo la Pobreza a la Fortuna: ¿Oíste tú agora todo esto que te he dicho? Aunque general regla dello non sea, que así como ay de buenos *hombres* ay de malos, e como ay de disolutos en mal desear, así ay refrenados en mal cobdiçiar, antes nunca a otros la muerte cobdiçiaron por esperança dellos bien aver o riquezas alcanzar. Pero como ay de unos, ay de otros. Pero ¿úsase, Fortuna, como agora te *dixe,* esto algunas vezes? Sy me dizes que non, voluntad tienes de contradezir a la verdad, favoreçiendo la falsedad. Pues, dime, Fortuna, ¿non fui yo sabia de me apartar de todas estas cosas *e* inconvinientes e lazos del falso mundo, e quererme allegar a esta pobreza que tengo, e ser pobre como *soy yo,* non curando de tu mundo, nin de tus negocios e baratos, nin de tus imaginaçiones e pensamientos; perdiendo comer e bever e dormir los que te creen, pensando cómo el cuitado o cuitados averán e más alcançarán; que mientra más tienen más desean; que al mayor aver mayor deseo trae consigo, e *mientra* más tiene más desea el captivo soujudgado al aver más? Que es así, segund dize Valerio [132], que la cobdiçia del aver es un grand emperador del mundo al qual toda criatura servir desea. E después que la cobdiçia a la criatura vençe, jamás non puede ser franco; que fuego instimable es que quema continuadamente el coraçón. Agora, *pues,* non pienso *yo* synón solo a Dios servir, amar e complazer; en esto pienso *yo,* en esto trabajo de cada día. E bien sabes que del imperio romano deçiendo e vengo, e fui bien andante, que fuera más si quisiera. Pero visto los inconvinientes que aquí te he dicho, plógome de lo dexar de mi propia voluntad e tomar esta vida e ábito, como otros de mis mayores fizieron, dexando de

---

[132] La cita no se encuentra en Valerio (IX, *De avaritia*). Sin embargo, como los *Dicta Catonis,* hubo muchas versiones de Valerio en la Edad Media.

grado el estado e honra, allegándose a las pajas e a la tierra. Pues, loca desaventurada, sin ventura, non te alabes, como agora me dexiste, que tú me feziste venir a lo que estó; nin tú me abaxaste de mi estado e honra, pues yo de mi propia voluntad me lo quise. A lo que dizes que me farás e dirás, eso es fablar por demás; que tal poderío non tienes, nin oviste nin averás. Non busques aquí alabanças; véte agora otra parte; que quanto aquí non tienes ál, salvo repelón o bofetada. Por ende, vee si te cumple de provar tus fuerzas comigo, e los fechos darán testimonio, que las palabras corren por el viento. Decir e fazer, esto fallarás aquí en mí. Fablar mucho e prometer farto, poco dar e mucho rallar: esto sé que ay en ti. Si te plaze, pues, di, *que* tengo de ir una grand jornada e he de ser oy en París, aunque estó dél lexos e apartada.» La Fortuna, muy irada e con grand saña, respondió a la Pobreza: «Por çierto bien as agora pedricado. Todo el mundo has buscado de fablar de papas, de emperadores, de reyes, e non has dexado estado seglar e eclesiástico, e non olvidaste villas e logares donde creo que lo soñaste mucho más que non lo estudiaste. En verdad, pues, te digo que non ha estado de los que tú agora me nombraste que non fuiga de ti como de fiera cosa: que non eres más en ojo de cada qual de los que nombraste que mota o nuve o viruela; que bien te digo en verdad que non sé al mundo ome nasçido que de grado non te aborresca e malquiera, e te denueste, salvo quando más non pueden. Alléganse a ti los que son desesperados e non pueden fazer más. Pero Dios sabe la verdad por qué toman tal vía; e querríatelo dezir, mas non quiero ser enojosa *en fablar, que sé,* que si en este passo me alargasse a la verdad de algunos dezir, sería blasfemada; cómo nin por qué el mundo dexan e a la pobreza e a Dios se abrigan metiéndose frailes, religiosos e hermitaños. Por agora non digo más nin quiero ser más prolixa en más fablar, como tú, que ha una ora que fablas. A las picaças, papagayos e tordos querría yo mucho fabladores. Más as chirriado que golondrina en abril: de tanto fablar, la cabeza deverías tener quebrada. Siempre lo oí decir: el más ruin del apellido porfía más por ser oído. Más luenga tiene un mezquino que otro de fablar más digno. Así tú agora non te enojarías de fablar e non çesar de aquí a un año; que non tienes ál que fazer nin pensar. E lo peor que, segund veo, enfinges de fuerte e quieres que yo prueve mis fuerças contigo, sabiendo tú muy bien que yo he derrocado a los más fuertes del mundo: gigantes e poderosos, papas, emperadores e reyes; al rey David é Darío el famoso; a Alexandre, que del universo mundo fue señor; a Sansón e a Golías; al grand emperador victorioso Pompeyo; a Julio César, el singular conquistador e emperador; al grand Nembrot, gigante que fizo la torre de Babilonia; a Teseo, rey de Atenas; al grande Príamo, rey de los troyanos; al grande Roboán, rey de los judíos; la grande reina Dido, reina de Cartago; al fuerte Sedechías, rey de Iherusalem; al sobervio Tarquino, fijo del Tarquino emperador romano; al rey Antioco, rey de Persia e de Asia; al famoso Aníbal, señor de Cartago; al grande Marco Tulio Çíçero; al grande Herodes, rey de los judíos; al grande emperador Nero; al varonil emperador Çésar Augusto; al Valerio, de Roma emperador; al grande Diocleçiano, emperador; a Maximiano e a Juliano Apóstata, a Galero, emperadores de Roma; al rey César de Bretaña; al emperador Constantino romano; Andrónico, emperador de Constantinopla; Diógenis, emperador romano; a Radugaiso, rey de los godos; a los doze pares de Françia; al animoso Godofré de Bullón; a Tristán de Leonís e Lançarote del Lago; a Lançalao, rey de Nápoles; e otros infantes e reyes e grandes de España que sería prolixo de poner e nombrar aquí. Pues si de los eclesiásticos te dixese, como son papas, cardenales, patriarcas, arçobispos, obispos, abades, doctores, maestros en teología, en leyes e cánones, doctores birretados como fueron Agostino, Ambrosio, Isidrio, Leandre, Gerónimo, Bernaldo, Enselmo, Beda, Crisóstomo, Dionisio, Damasçeno, Fulgencio, An-

selmo, Guillelmo, Josepo, Alverto Magno, Inoçençio,
Leo, Teodosio, Garulo, Françisco de Nido, Alifonso,
Eugenio, Ilario, Bernaldo, Ricardo, Juan Andrés, Al-
berrico, Juan Monje, Juan de Dios, el abad de Sena;
poetas notables: Virgilio, Omero, Platón, Sócrates,
Cíçero, Dióginis, Aristótiles, Aristótiles, Séneca, Bo-
cazio, Ovidio, Lucano, Terençio, Aristotiles, Aviçena,
Abén Ruis, Boeçio, Cíçero, Catón, Doucas, Ga-
lieno, Dioscórides, Diomedia, Demóstenes, Epicurio,
Euclides, Egedio e otros infinitos poetas [133]. Pues, si
en particular a los baxos desçendiere a te contar,
sería enojarte del todo: bástente estos por enxemplo,
pues estos todos por mi mano los derroqué, los
poderosos abaxando, los sobervios a tierra omillando.
E ¿tú agora, lazrada, enfinges de te querer poner
comigo en esamen de campo? Bien se paresçe que la
tu grand sobervia te fizo de caer como a los susodichos; e /a/ muchos otros por el mundo contesçe; que
vienen a tal estado que su saña non pueden resistir
cayeron a tierra. E ¡cómo está bien el pobre lazrado
e /cuitado/ [134] ser sobervio, e el flaco infingir de fuerte,
e el loco presumir de mucho seso o infingir de sabio,
el grosero de letrado gloriarse, el rudo torpe de muy
avistado! Por ende, Pobreza, dime ¿de quién confías,
que plazer veas de ti mesma? Pues fuerça non alcanças:
amigos, pues non tienes; servidores, ya te lo ves;

---

[133] En los incunables continúa esta lista:
«... emperadores e reyes, al rey Dario e famoso cavallero; a
Alexandre, que del universo mundo fué señor; a Sanson y a Golias;
al grand emperador e victorioso Pompeo; Julio Cesar; a Cipion,
grand conquistador; al grand Membrot, que fizo la torre de Babilonia; al rey de Athenas; al grand Priamo, rey de los troyanos; al
grand Roboan, rey de los judios; la grand reina Dido, reina de
Cartago; al fuerte Sedechias, rey de Jherusalem; al rey Antiocho,
rey de Persia; al famoso Anibal, señor de Cartago; a Tristan de
Leonis; a Lançarote de Lago e a Lançalao, rey de Napoles, e otros
infinitos reyes e grandes de España...»
Pero, puesto que esta continuación repite mucho de lo anterior, es
sin duda un error.
[134] El ms. y el incunable de 1498 dicen *curado*. Preferimos la
lección del incunable de 1500, *cuytado*.

bien querientes, ni uno sólo, que non es oy persona ninguna biva que bien te quiera, nin tu compañía ame nin desee, segund que de alto ya dixe. Si de tu lengua rallar confías, sed çierta que /si/ al examen venimos, que nada non te valdrá.» Acabado de dezir esto la Fortuna, dixo la Pobreza: «Fortuna, ¿plázete dezir más? Pues yo te juro que si tus palabras cumplieses como las pedricas, otrosí tus fechos fizieses así como los dizes; si tus amenazas como infinges así las esecutases, ya todo el mundo tiempo ha que sería estroído. Fablas mucho de gorja; pero si venimos a la prueva, yo sé que levarás en la coca. Por ende, agora, sin más rallar, sea así; yo, en lo que dixe, afirmarme quiero: desciende a pie, que sin más tardar luego te quiero fazer conoçer cómo /tú/ eres una falsa burladora, engañadora universal de todo el mundo, non aviendo miedo nin verguença de mal fazer, e lo peor perseverar todavía en locura. Por ende, si te atreves, non pongas escusas; pero so tal pacto e condiçión quel vençedor ponga ley al vençido, e demás, quel vençido aya de estar por la ley del vencedor: esto por siempre jamás.» La Fortuna respondió: «Plázeme de lo fazer porque non entiendas que non oso, aunque me es feo, desonesto e de grand vituperio e mengua de me yo egualar con cosa tan sohez e de tan poco valor. Ca mucho vengo aquí a menos de mi honra, e todos los que lo supieren me lo reputarán a poca pro /e/ mezquindad egualarme yo, quel universo mando e rijo, contigo que, por la que eres, toda criatura fuye de ti. Es menester, empero, que me des buenas fianças por las cuales sea /yo/ segura; que si yo te vençiere —como de fecho verás— que te faga estar para siempre jamás por la ley que yo te pusiere. Pero esto veo imposible; que, como ya de suso dixe, nin tú tienes amigos nin parientes que bien te quieran, nin tienes quien por ti torne. Pues, Pobreza, di a quién me darás por fianças e luego veme presta para te fazer conosçer que eres falsa, bigarda, lisonjera e disimuladora, umil a parte de fuera, sobervia de dentro, peor que Satanás.» Respondió la Pobreza: «Dígote, Fortuna, que si tú me vençes, yo quiero ser tu prisionera para siempre jamás; todas aquellas prisiones que te pluguiere me pon: non te escuses por esto, nin demandes más fianças, que esto te deve bastar e deves ser contenta.» La Fortuna respondió: «Pobreza, porque non entiendas que me escuso o refuyo a la plaça, piensa que me plaze dello e mucho dello só contenta, e luego lo pongo por obra.» Desçendió la Fortuna del cavallo muy soberviamente, e soltóle las riendas por tierra e vínose fazia la Pobreza a grandes pasos, contados a manera de gigante, toda así como venía loçana con sus arreos, faziendo grandes continentes a manera de luchador; e apretóse mucho el cuerpo, viniendo de puntillas en tierra, meneando los ombros, estirándose como gato, bramando como león, los ojos encarniçados, los dientes apretando pensando sumir la Pobreza luego que della travase. Pero sabiendo la Pobreza que fuerça infingida muy poco presta nin vale —segund dize el sabio Catón, non vale nada la braveza de muestra, que muchas vezes vimos el vençido sobrar al vençedor, mayormente aquellos que de palabras vençen e matan, que non es para nada el dicho sin el fecho— que muchos veemos que se mucho alaban, diziendo que farán e dirán, pero quando al fecho vienen el dezir es /panfear/[135], el fecho idlo buscar. E ella usava de aquesta arte; pero la Pobreza entendió la manera, diziendo entre sí: «Fortuna, entendida eres, e non te pienses espantarme con tus gestos bravos de león, a manera de italianos, genoveses o lombardos, que de corsario a corsario no hay ganançia sinón de /muchas/ puñadas, e al partir de la batalla solos los barriles el vençedor alcança del vençido vazíos, que non mucha medra. Si enfinges, Fortuna, yo te entiendo.» E en esto estando, la Pobreza non se movió, antes con grand umildad esperó que ella se llegase. Veníase rascando la Pobreza su sarna que la

---

[135] En el ms. y en el incunable de 1498 se lee *porfiar*. Preferimos la lección del incunable de 1500, *panfear* («fanfarronear», *DCELC*), que el arcipreste ha usado anteriormente, (I, 30).

comía, non por burla, concomiéndose toda, doliéndose de la dolor que en sí pasava. Empero las dos, Fortuna e Pobreza, juntáronse ya en uno e andovieron un rato en torno buscando presas la una contra la otra. La Pobreza tomó a la Fortuna la una mano a los pechos e la otra a la çintura, /e/ la Fortuna echó mano a la Pobreza, la una mano al cuello /e/ la otra al braço derecho, e començáronse a tentar de fuerça. E como la Fortuna estava gruesa e muy poderosa, paresçía al comienço como que sobrava a la Pobreza de grand fuerza, e començó de dezir: «Agora, doña villana, te demostraré yo qué cosa es igualarse los ribaldos con los buenos, yo te mostraré fablar de papo. E començóla de estremeçer que así sonavan sus huesos como nuezes en costal, e armóle la mediana cuidándola derribar. Desque vido que non le valía nada aquella manera, cometióle de una encontrada por ver si la llevaría; vido que non le empeçió con las dos que le avía parado, púsole un traspié pensándola derrocar; desque vido que non podía por aquellas maneras su voluntad complir, tentóla de sacaliña por ver si la vençería, e non la pudo sobrar. Dixo: «Le yo daré a esta villana los tornos e le faré desmemoriar.» Vido que a mal nin a bien non la podía de tierra arrancar, tomó tanta malenconía que cuidava rebentar. Dixo: «Aquesta villana de torno de braços con un gayón de pura fuerça la averé de derrocar.» Cometióle, mas non pudo algo en ella mellar. Provóla con un desvío si pudiera con ella maestramente en tierra dar; quisiera a braço partido algund tanto de la tentar con algund arte de pies por se poder della honrar; pero ya a mal nin a bien non la podía sobrar, nin, lo peor que era, de sí desviar. Empero la Pobreza /imaginó/ en sí: «Esta villana está gruesa como toro. Si la yo dexo porfiar guardándome de sus maneras, la faré fuertemente sudar; pero quiero estar agora queda. Ella sus fuerças prueve en mí e cometa lo que quisiere, fuerça e maneras; que jamás non la armaré fasta que la vea cansada con su orgullo, fuerça e locura, e entonçe tomarla he a tiempo que non podrá resollar; averá perdido fuerça, maneras, brío e locura; e luego bía a escotar: serle a doble trabajo e dolor trasdoblado quando su daño a par ojo viere.» Durante esta porfía, la Fortuna, como estava gruesa, mucho arreada e de vestiduras cargada, ya non podía resollar con la grand fuerça que avía puesto para la Pobreza querer derribar: ya non amenazava nin podía fablar. Desque vido la Fortuna que a mal iva su fecho, querríase della apartar. La Pobreza, desque vido que la Fortuna desfallecía, començó a rebivir diziendo: «¡Ahe, doña loca engrosada, que non es tiempo de burlar, nin es todo panfear! Agora veré yo cómo burlas tú de los mal vestidos. Yo te faré agora pareçer los deleites, plazeres, solazes, gasajados que fasta aquí tomaste. Agora, Fortuna, va la cosa como deve e el arado como suele; más somera va la reja que tú podiste sentir e imaginar. ¡Bía, bía al escotar! Di, falsa burladora, ¿dó tu fortaleza? ¿dó tu orgullo? Fortuna, ¿dó tu pompa e vanagloria? ¿dó tu brío e loçanía?» Quisiera la Fortuna en aquella ora allende de los Perineos e de los Alpes montes itálicos alexada estar más que no en poder de la Pobreza demorar. E quando la Pobreza vido que era ya tiempo de tomar vengança de la Fortuna —la qual non se podía ya mover, nin menear, nin resollar, tanto estava ya cansada de la gran fuerça que con la Pobreza provado avía— entonçe la Pobreza entró en ella e armóle de rezio, e paróle la ancha, e alçole las piernas en el aire, la cabeça escontra la tierra e dexóla venir, e dio con ella una tan gran caída que la cuidó çiertamente rebentar. E como la cuitada dio de espaldas, alcançó a dar con la cabeça en tierra e dio tan fuerte cabeçada, que vesiblemente le pareció que le quebrantara la cabeça e le saltara fuego de los ojos, en tanto que del todo la vista perdió e pareçióle el mundo todo ser estrellado. ¡O de la cuitada! Quien la vido poco tiempo avía e después la vido en tierra vençida e medio muerta, non siento persona tan cruel que de los ojos non llorara. E estando así la Fortuna en tierra como muerta sin sentido alguno, en tanto que todo el

estómago se le rebolvió de cansançio por tornar lo
que en él tenía, la Pobreza luego saltóle encima e
púsole el un pie en la garganta que la quería afogar,
diziendo: «¡Doña traidora, non es todo delicados
manjares tragar!» E dávale con el pie en la garganta
tanto que la lengua le fazía un palmo sacar, e con el
otro pie en el cuerpo le dio de coçes que la quería
rebentar, diziendo: «¡Doña falsa mala, non es todo
en camas deleites folgar; la dura tierra te conviene
agora de provar!» Rompióle todas las preciosas vestiduras e arreos que tenía; sola en cuero la dexó,
diziendo: «Conviene, doña engañadora, la pobreza
por fuerça provar; que a lo menos yo de grado e por
mi voluntad la tomé; mas tú agora, mal que te pese, la
averás de soportar.» Diole en la cara e en los ojos
tantos de golpes que apenas los ojos le pareçían,
diziendo: «¡Fuera, fuera fermosura! ¡Non es tiempo
de más aquí estar! De antes llamavas tú a mí fea e de
terrible acatadura, diziendo que me mirase al espejo.
Mírate pues, tú, Fortuna, agora, e verás cómo soy yo
fermosa en comparación de ti, que tu cara non tiene
vista nin pareçe ser sinón cosa fe e espantable. Di,
tú, pues, agora ¿dónde son tus solazes? ¿Dónde son
tus plazeres e gasajados? ¿Dónde están los que de
nonnada feziste? ¿Dónde están los que tanto ayu-
daste? Di, pues, agora que te vengan ayudar e a
valer.» La Fortuna estonçes, como medio muerta,
començó a fablar, diziendo: «Óyeme, señora Pobreza, e ave merçed de mí: salva mi vida e miembros,
que yo confieso mi pecado; yo conosco mi error; de
todo me arrepiento; soy cierta agora que yo erré
contra ti. Ave merced de mí —¡non muera sola, por
Dios!— pues que siempre fuiste e eres tan benigna, tan mansa e amorosa. Las obras de misericordia sé que siempre las compliste, cumple agora esta
buena obra en mí. ¡O, señora Pobreza, falle agora la
Fortuna esta gracia en ti! Non te tengas por cruel,
pues fasta aquí fueste benigna. ¿Qué provecho te
verná al vençido más vençelle, al por armas sobrado
tormentalle, al que está muerto matalle? Faz de mí lo

que quisieres; ponme aquella ley que te pluguiere; que pues yo me do por vençida yo quiero tener la ley de ti que eres vençedora. ¡Áve merçed de mí agora!» La Pobreza, movida entonçes a piedad, dixo: «Fortuna, non son estas las palabras que me dezías poco tiempo ha, que tanta era tu sobervia e loçanía que non te conosçías; pero a venir oviste a la melena. Tomen, pues, otros enxemplo en ti: non confíe, *por ende*, ninguno de poderío, riquezas e favor, fuerça nin estado; que a la fin a la razón, justiçia e derecho es a venir, e la lucha durar puede e maneras.» Pero tomen enxemplo los que leyeren aquí e por tanto verás quánto faze la sobervia e quánto caríe la presunción; quánto faze el mal fablar, que la lengua non es de fierro, mas corta más que espada. ¡Quántos e quántas mueren e han mucho mal por fablar con sobervia e mal dezir e mal responder! En verdad te digo que agora *te* lo quiero mostrar. Lee este libro que este año fize, e fallarás que de mill que son en este año muertos de sus dolençias, por ocasiones e por justiçias, los más de *los* ochoçientos dellos murieron por mal fablar e por *la* lengua non refrenar; que cuando el ome o la muger está irado o irada, non guarda *lo* que dize delante algunos; nin aun quando departe *o* fabla de otros a las vezes. Por ende su lengua a la muerte los condepna e da sentençia contra el mal diziente; que por aquel mal dezir deve morir e penar, fablando lo que non deve, donde non deve, e de quien non deve. Pues bien lo dio por enxemplo el sabio Catón donde dixo: «La primera virtud quel ome o muger deve aver, pienso que es, de mal fablar e mucho fablar, refrenar su lengua; quel que mucho fabla, de nesçesario conviene de errar»[136]. Por ende dize el enxemplo vulgar: «Fabla la boca, [por do] lieva la coca.» Donde dize Salamón: «Guarda tu lengua e non quieras mucho fablar en público nin en

---

[136] *Dicta*, I, 4: «Virtutem primam esse puto compescere linguam Proximus ille Deo est, qui scit ratione tecere.»

secreto de tu menor, igual o mayor, e espeçialmente de tu señor o rey, que por secreto que tú el mal dixeres, guárdate que non pase alguna ave por el aire bolando que le lieve las nuevas» [137]. Por tanto, *se* dize: «Guarda qué dizes, que las paredes a las oras oyen e orejas tienen.» Por ende, el que fablare de otro, tres cosas guarde e non errará: la primera que faga cuenta que aquel de quien fabla que lo tiene delante e se lo diría delante sin temor lo que detrás dice dél; digo sin temor razonable, que muchos con locura e tastardía dizen algunas cosas non devidas a otros delante, diziendo: «Yo ge lo osaré dezir», e así lo faze *de fecho con* poca discriçión o corto juizio. Pero, por ende, non se sigue que aquello es dicho osar nin discreto fablar, antes es locura e poco seso e atrevimiento loco, e muchas vezes *veemos* venir dello grandes enojos e daños. La segunda cosa que ha de guardar el que fablare de otro detrás dél, sí es: que fable tales cosas *dél* que en todo logar ge las pueda dezir onesta e buenamente sin cargo nin verguença. La tercera es que guarde bien con quién lo fabla, que sea tal persona que le non descubra si tal poridad fuere. Por ventura alguno fablando dize de otro lo que non conviene, porque, sabido, se vee a las vezes en verguença, e por cosa que non va nin viene. Que si de los fablantes de otros las cosas dichas fuesen sabidas e retraídas, ¡o quánto mal sería por el mundo! Guarde, por ende, quien fablare, que fable con amigo que le guarde, e déstos fállanse pocos oy. Por ende, poco falar es oro, mucho rallar es lodo. Por ende, Fortuna, si tú fueras de tu lengua cortés e non me desonraras como desonraste, nin fablaras tanto como fablaste, non vinieras a lo que veniste. Bien es verdad

---

[137] Quizás se refiera a *Proverbiorum* 25, 8-9: «Quae viderunt oculi tui, ne proferas in iurgo tuo, ne postea emendare non possis, cum deshonestaveris amicum tuum / causam tuam tracta cum amico tuo, et secretum extraneo ne reveles.»

que a las veces non es desonra el que es ser desonrado nin mal fablado de algunas lenguas que ay, que así son mal dizientes que nunca podrían de otro bien dezir. Así que del malo el bueno ser loado non ge lo tenga a gracia, del bueno deve desear ome e querer ser loado e honrado; del malo e mal diziente dexarlo *decir* e pasarlo so disimulaçión con risa e gesto alegre, pues de su oficio es mal dezir. Que muchas vezes premite nuestro Señor que los buenos sean desonrados, disfamados e abiltados de los malos, por que los buenos, bien obrando, non se sobervescan e teman a Dios; que si peligro[so] es el mal bevir, non es muy seguro el bien obrar, por quanto requiere continuación fasta la fin. Por ende, diga quien dixere que los fechos dan testimonio, e las malas lenguas son miembros del diablo. Por ende, Fortuna, así fize de ti yo. Pero agora *que* te conosçes sintiendo la culpa ser en ti e me demandas perdón con misericordia, denegar non te lo podría.» Luego la Pobreza dexó a la Fortuna levantar, como medio atordida e casi muerta más que biva, e dixo la Pobreza: «Arrodíllate, Fortuna, agora delante mí e reçibe mi sentençia e la ley que tengo para siempre de *te* poner.» E la Fortuna de continente, las manos juntadas, las rodillas en tierra, desnuda como nasçiera, e la cabeça inclinada fazia la tierra, e los ojos baxos e muy omilde; la Pobreza se asentó ençima de un valladar e dixo así: En el nombre del Ihu. Xpo. primeramente invocado, sólo Dios delante mis ojos avido, non movida por saña, ira nin malenconía, nin por otra *cosa* alguna que a la presente sentençia pronunciar me mueva, salvo los méritos e las cosas que la Fortuna fasta oy fizo, los males e los daños que en el mundo fasta en esta ora procuró; visto e reconocido e por verdad sabido, mayormente por confisión della mesma, que se a llamado del universo mundo deesa; visto más, e por ella en mi presençia otorgado, que dezía que dava a las cosas ser e non ser con neçesidad, fuera de voluntad e libre e franco alvedrío; visto como conosçió que ella abaxava a los poderosos e *ensalzava en estado alto* a los

baxos; visto *e* por ella non negado que ella fazía e
poder tenía del pobre fazer rico e del rico pobre; visto
e reconoçido e non por ella negado cómo dezía que si
alguno le venía mal o daño, muerte o lisión, o algund
otro caso desastrado, que ella dezía que lo procurava
e fazía; eso mesmo si *la* buena suerte o dicha alguno
alcançava, que por ella lo avía; visto en cómo fasta
oy ha traído el mundo con estas cosas e otras muchas
más burlado e engañado por las razones susodichas,
por ella otorgadas, dichas e non negadas, *e* por otras
muchas que alegar podría, *que* desde el comienço del
mundo fasta oy ha fecho, dicho e por obra complido,
Ihus., fallo que la devo condepnar e condepno justamente: en fasta la fin del mundo esté en cadenas
presa, atada e bien guardada en una grande palanca; e
que de allí nunca se mueva nin vaya, salvo con aquel que
de allí la viniere a desatar e levar; e con aquel, que de allí
la desatare, mando que vaya adonde él quisiere
e por bien toviere, e con otro ninguno non. E por mi
sentençia definitiva, e por siempre jamás, así lo pro-
nunçio en estos e por estos escritos. Condepnación
de costas al presente non fago, por çiertas razones
que mi coraçón a lo non fazer me mueve. Dada en
tierra de Babilonia, año que regnava Nembrot, rey de
la tierra suya, en el mes de julio, antes del caimiento
de la torre, jueves catorze días del dicho mes pasados,
a la ora de prima, quando de rayos el sol la tierra rega-
va e las bestias de la sombra a la luz salían, reinante
Saturno en la casa de Mercurio, Júpiter estando enfermo de cólica pasion.» E rezada e publicada e leída
la dicha sentençia por la Pobreza, luego dixo la Fortuna que non apelava della, antes que la quería complir e guardar por siempre, segund que en ella de
'verbo ad verbum' se contenía. E luego la Pobreza
tomó a la Fortuna e levóla a una grand palanca que
estava fincada, e allí con fuertes cadenas la ató para
siempre jamás, donde nunca se pudo partir, nin ir, nin
soltar, salvo con aquel que allí la fuere a buscar e
desatar. E —ella, como dicho es, atada, bien presa e
recabdada— partióse luego la Pobreza de allí e fuese

luego para *Babilonia* [138], e desde allí andovo e anda
fasta oy día por todo el mundo; e quando alguno non
se lo piensa, con él yanta e cena, e a las vezes ella se
convida en algunos logares, que ella enoja de rezio a
aquellos con quien usa e platica. Pero tiene esta
condición e tacha: que es como señora, que con el
que le plaze a ella estar e folgar o mucho o poco
tiempo, conviene que así sea; que en ello non ay
alcada, salva la superioridad de Nuestro Señor *Jesu
Christo*. El enojo es por demás, e la malenconía es de
balde: lieva la carga, pues, porque más vale por grado
tomar lo que por fuerça se a de levar. Por ende,
amigos, ya avedes oído cómo la Fortuna *grand*
tiempo ha que está aprisionada, e con *muy fuertes*
cadenas bien al palo atada por sentençia definitiva
por la *muy humilde e paciente* Pobreza dada. De oy
más, pues, ninguno nin alguna alegue que la su ventura le fizo malo o mala e le dio ocasión de mal fazer
o reçebir, de ser pobre o rico; non eche culpa a la
Fortuna, fado nin ventura —que una cosa son— salvo
a sí mesmo que la va a soltar e desatar de aquel palo e
cadenas donde la Pobreza la dexó atada; e diga el
enxemplo vulgar: «Amigo, ¿quién te firió?» diga: «Yo
mesmo que me lo busqué; yo me lo tengo e me lo
fallé»; non diga: «La ventura mía lo fizo, *e* mi dicha
que así avía de ser; mi mala postremería que lo avía
de fazer; mis días que non eran complidos; mi ora de
mal aver que non era llegada; *en* día aziago mi madre
me parió, en ora menguada nasçí; en mal signo fui
engendrado, en fuerte planeta fui conçebido.» Todos
estos e otros dichos son falsos, malos e reprovados
por el juizio e seso natural *e* el franco alvedrío que la
criatura tiene e que a la persona le es dado, conosçiendo quando faze bien o mal. Pues si le non plaze dexarse de fazer mal, quando vee que faze mal, non dé culpa
a la ventura, al fado nin a la planeta, sinón a sí mesmo

---

[138] En el ms. se lee *Bolonna*. Preferimos la lección de los dos
incunables, *Babilonia.*

que se lo procuró, le plugo e lo quiso. Ay otras personas que dizen, non como estas susodichas, salvo: «¿Por qué feziste esto?» «El diablo me lo fizo fazer, e consejóme, engañóme, que yo non lo quisiera fazer», e non quieren conosçer su culpa e propio error, dando cargo dello al *diablo* [139], a la fortuna e planeta e a su calidad por colorar su yerro, maldad e pecado. Ay otros que dizen —e bien— si mal les viene o mal fazen, dizen: «¡Bendito sea Dios que yo lo meresco esto e mucho más! Yo lo fize; yo lo cometí; yo soy digno e mereçedor por mis culpas e pecados desto e de mucho más. ¡Dios sea loado! ¡Bendito sea su santo nombre! Si lo que yo meresco me viniese, días ha que estaría so la tierra, si non fuese por la grand misericordia de Dios. Pues ruégote, Señor, que en este mal me quieras dar paciencia, porque mal pasando te alabe e bien *haviendo te* conosca, e nin con el mal /desespere/ nin con el bien me sobervesca.» Estos atales dizen bien e la propia verdad, *e* los otros *la* grand falsedad; mas, como susodicho he ya, ay *lenguas* [140] que non son sinón para mal dezir, e omes e mugeres ay que non nasçieron sinón para mal fazer e mal acabar por su *propia* [141] voluntad —non que planeta nin fado los apremia a mal fazer e mal obrar— con liberalidad e franco alvedrío, puro, libre e desembargado. En esto non ay alcada; el glosar es por demás; nin los achaques son escusados, que si al mundo con tales dichos quieren engañar —porque los reçiben a las vezes por mayor engaño— a Dios Nuestro Señor, empero, nunca se le esconde la verdad, pues con Él avemos a venir a razón e juizio, e non se le esconde nada, e dél avemos a reçebir sentençia. ¡Por Dios, cada qual conosca su verdad e de sus

---

[139] En el ms. se lee *pecado*. En los incunables se dice *diablo*, que completa mejor el sentido de la frase.

[140] En el ms. pone *algunas*. Preferimos lo que dicen los incunables, *lenguas*.

[141] En el ms. se lee *grand*. Es preferible *propia*, de los incunables.

culpas culpe a sí, e conosca a Dios que le non puede, aunque quiera, engañar! Por ende, dize David en el salmo «Dios, vinieron gentes en la tu heredad», dize adelante un verso: «Señor, derrama Tú la tu ira en las gentes que te non conosçieron e en los regnos que el tu santo nombre *no* invocaron»[142]. Conclúyese que él que dexa a Dios e su santo nombre e poderío, e se somete a fados *e* planetas, que si fadas malas le vinieren, por su culpa obrando se las tenga.

CAPÍTULO III

De cómo algunos quieren reprovar lo que Dios faze, con argumentos

Agora por dar conclusión a esta materia o manera de fablar muy reprovada —aunque millares de auctoridades se podrían traer en prueva dello, pero por non ser más prolixo, çeso— digo, pues, que sólo Nuestro Señor *es* el que faze e desfaze, e da ser e non ser, vieda e manda, e so el su absuluto poderío todas las cosas son puestas sin dubda; e la criatura así es en su propio *poderío* e franco alvedrío que puede de sí fazer lo que le pluguiere con la permisión de aquel verdadero Sidrac. Por ende non dé culpa a otro nin ninguno, que ya Salamón dixo: «El varón sabio señorea

---

[142] *Psalmi* 78, 6: «Effunde iram tuam in gentes quae te non noverunt, et in regna quae nomen tuum non invocaverunt.»

las estrellas»¹⁴³. Pues non las estrellas nin planetas señorean a él; que si sabio es e de mal fazer se guarda, señoreará fados e planetas; pero si loco fuere e mal quisiere fazer, cuéntelo a sí mesmo. Dize Catón: «*Como* tú, ombre, seas poco sabio e las cosas por razón non goviernes, non quieras dezir fortuna, pues que non ay fortuna ser de bien o mal causadora»¹⁴⁴. Por ende, el que sabio quisiere ser, tome juizio e seso natural en algund tanto de cantidad; tome más el juizio de la discreción por medida e egualdad; tome más las dos pesas quintales para pesar —conviene saber, amor e temor de Dios— con grand maduridad; *tenga* más la criatura este peso con la mano de la justiçia, con grand diligençia e curiosidad, e tome después la fortuna, fados, planetas, signos e fadas, e póngalos a *la* una balança; e los méritos suyos de bien fazer e bien obrar póngalos en la otra balança, e verá cómo el mesmo peso dirá la verdad: que los méritos de las buenas obras mucho más pesarían que non los vanos pensamientos de las cosas que non son, nin jamás fueron nin serán. E en esto concluyo, salvo mejor juizio. Aunque ay algunos que dizen: «¡Oh cuitado! ¡O cuitada! este mal, esta ocasión, este daño que me vino, pues yo non me lo procuré, nin fui causa dello; que descuidado estava quando me vino; durmiendo estava quando me contesçió; rezando estava quando me dio; labrando estava quando me firió; non fazía mal a ninguno quando me acaesçió; pues ¿cómo me dizen agora que la persona es causa de su mal, porque él o ella se lo procura o busca; pues si lo buscó e falló que se lo tenga? Pero esto digo que razonable es *a* aquel que lo busca, pero el que está descuidado o otro bien faziendo, o en su

---

¹⁴³ Quizás se refiera al *Liber Sapientiae,* 7, 28-29: «Neminem enim diligit Deus, nisi eum qui cum sapientia hinabitat. / Est enim haec speciosior sole et super omnem dispositionem stellarum, luci comparata invenitur prior.»
¹⁴⁴ *Dicta,* IV, 3: «Cum sis incautus, nec rem ratione gubernes / Noli fortunam, quae non est, dicere caecam.»

casa la muger filando o labrando e a ninguno non mal faziendo, e viene un caso fortuito que me cae alguna cosa e le da en la cabeça e lo mata, e otros casos inopinados, incogitados, que de cada día contecen las personas non lo procurando, pues, aquí, ¿*qué* me dirás, amigo?» Aquí te quiero responder en una de dos maneras insolubles: la primera ¿quién es el que quiere a Dios demandar, por qué fue esto, por qué conteçió aquello? ¿Non sabes que los juizios e secretos de Dios, como dize el profeta David, son muchos e muy fondos? E como ya de alto te dixe, guarda que te dize el sabio Catón: «Dexa los secretos de Dios a solo Dios e non quieras escodriñar qué son *ni* quáles son, nin porqué son, que es gran fallía e dar de la cabeça a la pared.» E como Nuestro Señor Dios dixo a Sant Pablo: «Paulo, Paulo, ¿por qué me persigues» cata que duro es *de* lançar coces contra el aguijón. Así que dura cosa es a ninguno querer meterse más adelante que non deve, nin querer saber más que conviene. Por ende, *de* bien o mal sey contento con lo que Dios te da o diere o permite que ayas; mérito averás en lo sofrir buenamente; non se fará menos por bien que lo tomes otramente. Por ende, como dize Job: «Si las buenas cosas alegremente de las manos de Dios recebimos, las malas, empero, ¿cómo non las soportaremos?»[145] Otra razón te quiero asignar, que será en orden la segunda: bien sabes *tú* que no ha de pasar bien sin gualardón, nin mal sin pena. Pues dime, ¿desde el día en que nasçiste cometiste algunos pecados o feziste algunos males o daños? Si dizes que non, falso dizes; que Sant Juan en la su primera canónica dize: «Si dezimos que pecados non avemos, nosotros mesmos nos engañamos.» Por ende

---

[145] *Dicta*, II, 2· «Quid Deus intendat, noli perquirere sorte: / Quid statuat de te, sine te deliberat ille.» La cita de San Pablo procede de *Acta Apostolorum*, 22, 7: «Et decidens in terram, audivi vocem dicentem mihi: Saule, Saule, quid me persequeris?» La última referencia es a *Iob*, 2, 10: «...si bona suscepimus de manu Dei, mala quare non suscipiamus?...»

non ay ninguno que de pecado sea escusado, mortal o venial, segund más o menos. Pero si dizes que cometiste algunos, dime: ¿quándo fuiste dellos punido? Dirásme nunca, o que al presente non se te acuerda que por ellos ovieses mal, daño e enojo nin puniçión, adversidad nin tentaçión. Pues dime, si Nuestro Señor fuese vindicativo e luego que la criatura peca luego le puniese, non creo que duraría mucho la criatura en el mundo. Por tanto, Él mesmo dixo en su Evangelio: «Non quiero yo la muerte del pecador, mas que biva e se convierta»[146]. Pues si por su infinida clemençia e piedad le plaze esperarte oy, mañana, un año e muchos, e tú non çesas de pecar e sus mandamientos traspasar de cada día más, pues non te maravilles si alguna ora te viene algund daño o mal, aunque lo tú non procuravas entonçe nin buscavas; que ya los tenía procurado e buscado, si el rincón de tu coraçón guardares e bien en ello imaginares e pensares; que los pecados viejos fechos en moçedad naçen e rebotan de rezio a la vejedad; e lo que feziste agora un año pagas a las vezes oy en este día, que Nuestro Señor todo lo que feziste, fazes e farás, vee e mira, e de alto acata más cada día e cada ora, e cada tiempo a cada instante. Lee en el himno de las *Laudes,* de la feria quinta, comiença «Catad que la luz se levanta»[147], en el postrimero verso dize: «Catad que la atalaya está sobre vosotros, el qual en todos vuestros días todos vuestros fechos considera e acata, del comienço de la luz fasta la tarde», queriendo dezir desde la verdad fasta el viçio, o desde el bien fecho que es *luz fasta el mal fecho que es* tiniebra e noche, obscuridad e tarde. Así que Nuestro

---

[146] *Epistolae Joannis* I, 1, 8: «Si dixerimus quoniam peccatum non habemus: ipsi nos seducimus, et veritas in nobis non est.» La última cita no procede de los Evangelios, sino de *Ezechielis,* 23, 11: «... dicit Dominus Deus: nolo mortem impii, sed ut convertatur impius a vita sua et vivat.»

[147] Se refiere al *Breviarium Romanum,* «Ad laudes», «Lux ecce surgit aurea».

Señor todo lo vee, pero espera correpçión e enmienda a tiempo, a vezes largo, a vezes breve, segund la *su* divinal providençia. Por esto dizen muchos: «¡O qué buen juez es Nuestro Señor! Sinón fuese por dos cosas: la primera, que non ay apelaçión de su sentençia; la segunda, que es muy vagaroso e muy tarde faze sus execuçiones», que querría el ombre o la muger, que luego que otro le faze mal o daño o injuria, que luego le diese en ese punto la pena sin más tardar Nuestro Señor Dios. Pues considera que algunos son en el mundo que aunque pueden e poderío tienen, non dan pena luego que ge la mereçen, que antes esperan correpçión e enmienda. Pues si en los omes terrenales se falla esa virtud ¿non se aya de fallar sin grado de compaçiencia en el Señor Dios, tan homilde paçiente, de infinita bondad, que Él nunca falleçió clemençia, misericordia nin piedad? Non non; que non es de poner en lengua nin solo tener emaginaçión a los infinitos dones de graçia —dada de graçia— a nosotros cada día por Él otorgados, non segund mereçemos por nuestros pecados contra su Majestad e clemençia cometidos. Lee en la leyenda de Sant Nicolás, donde dize: «¡O maravillosa piedad del Señor! Maravillosa clemençia suya que como es tan poderoso e al qual ninguno non puede resistir nin dezir: ¿Por qué esto, Señor, fazes?» Empero non luego a los que le yerran fiere, nin a los que contra Él vienen desfaze, nin quiere que ninguno en pecado se pierda, nin amenaza como faze el tirano; antes con claras señales, tales que son como miraglos, advierte al mal fechor que se arrepienta de los males que cometió, non parando mientes a su mal bevir continuado, como sea tierra e della criado. Pero, vista la poca correpçión e poca consideraçión de la graçia que al pecador faze en le non compender de pecado mortal, de le esperar a penitençia, consiente *e* permite quel malo sea ferido del maço a las vezes «in pueriçia», juventud, mançebía o vejedad. Considera, pues, que barvero tienes, e que te as con él por fuerça de rapar: ave temor por ende que te non rape en seco;

quel apretar los dientes te será por demás. E non digo más; entiéndelo si querrás, si non arepentirte as. Por ende no te maravilles si tú eres punido de los males por ti cometidos en los pasados tiempos, cada que le a Él plaze, quiere e por bien tiene. Vee *tú* aquí, pues, dos razones por las quales non te deves maravillar por qué los males, las muertes, las ocasiones e daños vienen a las vezes súbitos e arrebatados. Por ende, *el propheta* David nos conseja muy bien donde dize en el penúltimo verso del salmo «Dios de los dioses fabló e llamó la tierra», *e* dize *ansí* el verso: «Entended bien vosotros, los que olvidades a Dios, que alguna vez non vos arrebate e non aya quien vos defienda.» En otro logar dize en la leyenda de las vírgines en el Evangelio: «¡Velad, velad, amigos, por quanto non sabés el día nin la ora que Nuestro Señor ha de venir!» [148], el qual a las vezes viene como torvellino arrebatado e muy a desora e descuidado. Por ende, amigos, velad. Plégale a Nuestro Señor Poderoso Ihu. X.º —encarnado, primogénito, engendrado por la palabra de Dios Padre en aquel virginal vientre de la su reverenda e bendita Madre— que así velemos e nos aperçibamos, e del enemigo Satanás nos guardemos, e de los viçios nos corrijamos, e de los pecados en bien nos enmendemos, para *que* quando aquel glorioso esposo Ihu. X.º las sus divinales bodas quisiere çelebrar, nos falle velando, orando e aperçebidos con nuestras candelas ençendidas —que son las conçiencias nuestras— en Ihu. Xpo. elevados porque meresçamos ser dignos de entrar con Él en aquella fiesta tan maravillosa, e en aquel convite tan presçioso de aquellas *tan sanctas e* benditas bodas de la gloria de paraíso para siempre jamás, amén [149]. A Dios gracias.

---

[148] *Psalmi,* 49, 22: «Intelligite haec, qui obliviscimini Deum, ne quando rapiat, et non fit, qui eripiat.» *Mateo,* 24, 42: «Vigilate ergo, quia nescitis, qua Dominus vester venturus sit.»

[149] El arcipreste alude aquí a la parábola de las diez vírgenes (*Mateo,* 25, 1-14) que amonesta «lampadas semper ornatas habere». Capellanus también termina su «De Reprobatio Amoris» recordando este pasaje en San Mateo.

Acabóse este registro a dies días del mes de Julio, año del Nuestro Salvador de mill e quatrocientos e sesenta e seis años. Escrivólo Alfonso de Contreras.

El autor face fin [150]
a la presente obra e demanda perdón si en algo de lo que ha dicho ha enojado o no bien dicho

Aquellos a quien natura de sus bienes dotó e amor siempre quiso dar favor e gozo, que oyan de su amigo mi breve tal o qual epístola enderezco, a los quales paz e salud sea otorgada con amor de aquellas en cuyo disfavor del todo puesto so. Hermanos en Jesucristo, yo, pues, forçado hove de ocupar mi entendimiento en diversas e muchas imaginaciones, si mejor me sería tal disfavor, haviendo proseguir lo comiença-do, continuado ex propósito, o nuevamente buscar paz e buena concordia de aquellas que siempre matan sin cuchillo ni espada e tormentan a quien quieren sin que bevan la toca. Pero si aver quisiere su amor e querencia, conviene que al huego e bivas llamas ponga el libro que compuse de aquel breve tractado de la reprobación del loco amor e vano contra Dios e mundano [151]. *E yo, muy congoxado del*

---

[150] El ms. termina con el «Dios gracias» del capítulo anterior. Sin embargo, los incunables continúan con la siguiente *Demanda* que, para nosotros, no contradice nada de lo que se ha dicho en el tratado. Por lo tanto, la consideramos auténtica. Véase nuestra introducción.

[151] El arcipreste recuerda aquí el «breve tractado» de Juan de Ausim, que cita en el prólogo. ¿Recordaría esto un autor apócrifo? Nótese también cómo alude al título del tercer libro del *De Amore*, «De Reprobatio Amoris», que para él es «de la reprobación del loco amor e vano contra Dios e mundo.»

pensamiento tal, retráxeme algund tanto al sueño
natural, e desque adormido comencé de soñar que
sobre mí veía señoras más de mill, que el mundo ya
por cierto no las aborresciera por ser de tal gala, de
nombre e renombre famosas, más de tanto fermosas,
ya sin par graciosas a par que gentiles, si en stima
del pie hasta encima traían esecuciones a manera de
martirio, dando los golpes tales de ruecas e chapines,
puños e remesones, qual sea en penitencia de los
males que hize e aun de mis pecados. Diciendo:
«Loco atrevido, ¿dó te vino osar de escrevir ni hablar
de aquellas que merescen del mundo la victoria?
Have, have memoria quanto de nos haviste algund
tiempo pasado gasajado. Pues no digas aún desta
agua no beveré, que a la vejez acostumbra entrar el
diablo artero en la cabeza vieja del torpe vil asno.»
E en esto estando, parescióme la una que se aventajava
a tirar por mis cabellos, rastrándome por tierra, que
merced no valía demandarle de quedo que conocer
me pluguiese. La segunda quel pie me puso en la
garganta a fin de me ahogar, que la lengua sacar me
hazía un palmo; las otras no pude devisar, quel
golpe de los chapines me cerrava la vista; las ruecas
e las aspas quebravan sobre mí como sobre un mancebo que fuera de soldada, que a mi sembrar quedé
más muerto que no bivo, que morir más amava que
tal dolor passar. Congoxado de tormento, sudando,
desperté e pensé que en poder de crueles señoras me
havía fallado. Empero tal o qual mi sentido cobrado,
sentí e conoscí el mal dónde me venía; pero quedé
espantado e apenas conociera el que solía, o si era
verdad o sueño o vanidad; temblava, Dios lo sabe,
que quisiera tener cabe mí compañía para me consolar. ¡Guay del que duerme solo! Por ende, pensé,
siquisiera, hermanos, por descanso y reposo de mí, de
vos comunicar del todo mi trabajo, como a aquellos
que siento que havéis tal sentido, que me daréis
sentido, si debo yo morir penando por tal. Por ende,
hermanos, de dos uno demando, o paz haya e perdón
final, bien querencia de aquellas so qual manto beví

en esta vida, o que queme el libro que yo he acabado e no perezca. Mas, con arrepentimiento demando perdón dellas, e me lo otorguen o que quede el libro y yo sea mal quisto para mientra biva de tanta linda dama, o que pena cruel sea. En el año octavo, a diez de Setiembre, fue la presente escriptura, reinante Júpiter en la casa de Venus, estando mal Saturno de dolor de costado. Pero ¡guay del cuitado que siempre solo duerme con dolor de axaqueca e en su casa rueca nunca entra todo el año! Este es el pejor daño.

DEO GRATIAS.

Glosario [1]

avoçesar: bostezar.
abondado: abundante.
absolver: absorber.
abuhado: «que trae mala color, el rostro hinchado»
   (*DCELC*); «descolorido, pálido, hinchado» (*Dicc. Autori-dades*).
aconortarse: consolarse, darse por satisfecho, confortarse.
acuçia: astucia.
adilgar: endilgar; «endosar a otro algo desagradable e im-pertinente» (*Dicc. RAE*).
adorífero: odorífero, perfumado.

---

[1] Las obras de referencia utilizadas aquí son las siguientes:
   Joan Corominas, *Diccionario crítico etimológico de la lengua castellana*, Madrid, Berna, 1954-1957.
   Joan Corominas, *Tópica Hespérica*, Madrid, 1972.
   G. Correas, *Vocabulario de refranes y frases proverbiales*, Madrid, 1924.
   Sebastián de Covarrubias y Horozco, *Tesoro de la lengua caste-llana o española*, edición de M. de Riquer, Barcelona, 1943.
   Diccionario de Autoridades, Madrid, 1726-1739.
   Diccionario de la Real Academia Española, Madrid, 1970.
   Diccionario valenciano-castellano de Manuel Joaquín Sanelo, Castellón de la Plana, 1964.
   Samuel Gili Gaya, *Tesoro lexicográfico*, Madrid, 1947-1952.
   Arnald Steiger, «Contribución al estudio del Vocabulario del *Corbacho*», *BRAE*, IX (1922), págs. 503-525; X (1923), págs. 26-54, 158-183, 285-293.
   Arnald Steiger, *Contribución a la fonética del hispanoárabe y de los arabismos en el ibero-románico y el siciliano*, Madrid, 1932.

advininteça: ocasión de pecar (véase J. Corominas, *Tópica Hespérica,* I, 311).

afelgado: que tiene los dientes ralos y desiguales (Steiger, *Vocabulario,* pág. 512).

ajobarse: juntarse, en el sentido figurativo de unirse carnalmente.

alatar: se deriva de una palabra árabe que significa «especiero». En catalán antiguo *alatar,* «adroguer» (Steiger, *Contribución a la fonética del hispano-árabe y de los arabismos en el ibero-románico y el siciliano,* pág. 281).

albarcar: abarcar.

alçada: apelación.

alcandora: camisa en árabe (Gili Gaya, *Tesoro lexicográfico*).

alcofolera: envase donde se guarda el alcohol; en el texto significa vasija donde se guarda el polvo de antimonio que se usa para el afeite de los ojos

alfarda: «paño que cubría el pecho de las mujeres» (*DCELC*).

alfinde, espejo de alfinde: espejo cóncavo; «alfinde è lo stagno che si pone dietro allo specchio, ovvero è uno specchio che rappresenti maggiori le cose...» (Franciosini, 1620, citado en Steiger, reseña de la edición de Mario Penna, *Vox Romanica,* 1954)

alfolva: planta leguminosa de semillas amarillentas y de olor desagradable.

alfombra: «unas manchas que suelen salir al rostro se llaman alhombra, porque causada de abundancia de sangre y calor, ponen aquella parte muy colorada» (Covarrubias).

alfoça: «alforza, pliegue o doblez hecho alrededor y generalmente por la parte inferior de las faldas» (Steiger, *Vocabulario,* págs. 516-18).

algaliado: perfumado de algalia.

alguaquida: «la pajuela mojada en el acrevite para con facilidad encender lumbre...» (*Covarrubias*).

alheñado: teñido con polvo de alheña.

aljuba: «vestidura morisca, especie de gabán con mangas cortas y estrechas» (*Dicc. RAE*).

almadraque: colchón.

almanaca: «collar, brazalete» (*Dicc. RAE*) de perlas irregulares.

almisque: almizcle.

alosa: «también aloja, aloxa: una bebida muy ordinaria en el tiempo del estío, hecha de agua, miel y especias» (Covarrubias).

alperchón: derivado de *alpercha (persicum);* torpe, melón, tonto en su sentido metafórico (Steiger, *Vocabulario,* página 521). Von Richthofen piensa que se deriva de la raíz germánica *alp,* «diablo, demonio» (*ZRPh,* 72 [1956], página 111).

alteria: arteria.

alvanega: «cierta red en forma redonda, que las mugeres usan traer en la cabeça, con que recogen el cabello» (Covarrubias).

alvardán: «farceur, basteleur, un fol» según Ouidin (en Gili Gaya, *Tesoro*).

alvayalde: carbonato de plomo.

alyendo: según Morreale (*NRFH,* X [1956], pág. 223), se trata de un perfume con que se impregnaban los guantes.

ananzea: «recreo, diversión, deleite» (Steiger, *Vocabulario,* página 522).

angelotes: «gommerésine provenant d'une ombrellifere persane: *Astragalus Sarcocolla*» (Steiger, *Vox Romanica,* 14 [1954-1955] pág. 447).

angostura: tristeza, angustia.

anozegado: «dientes untados con nuez moscada» (Steiger, *Vocabulario,* pág. 26-27).

a osadas: «en fe, ciertamente» (*Dicc. RAE*).

apelmazado, apelmazar: «apretar y endurecer alguna cosa aplastándola con los pies; causar molestia y enfado»; *apelmazarse:* «endurecerse y tomar más peso del que es necesario» (*Dicc. Autoridades*).

apremiado, apremiar: «forzar a uno que haga lo que no quiere» (*Dicc. Autoridades*).

apurar: examinar, verificar.

argén: catalanismo, «dinero».

arquibanco: «banco largo con respaldo o sin él y uno o más cajones a modo de arcas, cuyas tapas sirven de asiento» (*Dicc. RAE*).

arracadas: «...los arillos con sus pinjantes, que las mujeres se ponen en las orejas» (Covarrubias).

arteficio: «instrumento en el qual se debana a un tienpo con cinco debanaderas» (Siesso, 1720, en Gili Gaya, *Tesoro*).

asonada: «reunión rumorosa para conseguir tumultuariamente algún fin» (*DCELC*).

atahona: trabajo fatigoso.

atriaca: «antídoto» (*Dicc. RAE*).

avadar: calmarse, aquietarse (*Dicc. RAE*).

aviltar: ofender, calumniar.

axorca: ajorca: argolla de metal que llevaban las mujeres en los brazos o en los pies.

azerufes: «rizos o bucles postizos» (Steiger, *Vocabulario,* página 27-28).

azogado: azogar: contraer una enfermedad por absorber el vapor del mercurio; temblar continuamente.

baço: moreno amarillento.

bachachas: bobo, estúpido.

balandranes: «une sorte de manteau à manche, un palandran, ce mot vient de l'Italien *Palandrana*» (Ouidin, en Gili Gaya, *Tesoro*).

banborras: «bombo, tambor grande» (*DCELC*).

baratar: «dar o recibir una cosa por menos de su precio ordinario» (*Dicc. RAE*); defraudar.

benjuí: «Bálsamo aromático que se obtiene por incisión en la corteza de un árbol del mismo género botánico que el que produce el estoraque en Malaca y en varias islas de la Sonda» (*Dicc. RAE*).

besciado: vejado: perseguido.

bevras: brevas.

blancheta: «un perrillo faldero que Nebrija define *catellus melitensis;* sea perrito de Malta». (*DCELC*).

blanquete: «afeite que suelen usar las mujeres para blanquearse el cutis» (*Dicc. RAE*).

boçezar: bostezar.

bolante: ornamento que usan las mujeres en la cabeza (*DCELC*).

brocar: herir con broca (una bola o guarnición metálica en el centro del escudo).

broslar: bordar.

caçón: pez de mar que «no tiene escamas y el pellejo es áspero y grueso» (*Dicc. Autoridades*).

çaherío: «zaherir: hechar en la cara, reprochar» (*DELC*).

caler: importar, convenir.

cámaras de sangre: diarrea, disentería.

camocán: «brocado usado en Oriente y en España en los siglos medios» (*Dicc. RAE*).

camuso: chato (Steiger, *Vocabulario,* págs. 29-30).

cambrai: «especie de lienzo blanco muy delgado que se fabrica en Cambrai, Francia» (Steiger, *Vocab.*, pág. 28).

canell: canela, la flor de canela: «la flor de la canela: frase que se usa para ponderar una cosa de excelente y buena» (*Dicc. Autoridades*).

cañivete: cuchillo pequeño.

capillo: tocado femenino de encajes; *fama, reputación* metafóricamente.

captivo: desgraciado.

caríe: corrosivo.

carmido: expelido (*Dicc. RAE*).

caronal: carnal.

çerda: «el apellido de la Cerda es ilustrísimo...» (Gili Gaya, *Tesoro*). En nuestro texto se usa irónicamente.

çiliatre: coriandro, cilantro.

çinchado: sellado.

çitronad: diacitrón.

colaçión: «conferencia o plática tenida de los superiores religiosos a los súbditos» (*Dicc. Autoridades*).

collear: menear el cuello (Steiger, *Vocabulario*, pág. 30).

comitançia: concomitancia.

complisión: constitución.

contradictas: «término de la curia cuando la causa se determina sin una de las partes» (Covarrubias).

corredura: burla.

cortapisa: «guarnición de diferente tela que se ponía en ciertas prendas de vestir» (*Dicc. RAE*).

conyudradgo: matrimonio.

cras: mañana.

crespina: «cofia o redecilla que usaban las mujeres para recoger el pelo y adornar la cabeza» (*Dicc. RAE*).

croyo: del catalán *croi*, avaro, mezquino (*DCELC*).

cruzadillo: «tela sesgada de algodón principalmente para calzoncillos» (M. Moliner, *Diccionario del uso español*).

deligir: digerir.

deólogo: teólogo.

desynchalado: desaliñado.

despengar: gastar.

doñegal: «señorial, variedad de higo muy colorado por dentro» (*Dicc. RAE*).

echandillo: «el lienzo en que los niños executan varias labores que sus maestras les enseñan» (*Dicc. Autoridades*).

311

elato: «presuntuoso, soberbio» (*Dicc. RAE*).

embaçado: estúpido.

embolcados: revolcados.

empaliado: «el término es valenciano, y vale la colgadura de telas que se pone en alguna fiesta; y empaliar, colgar la iglesia o el claustro o otro lugar por donde ha de passar la procession» (Covarrubias).

empesçer: impedir, perjudicar.

encobridera: alcahueta.

engasgar: «agarrarse, lanzarse contra una persona para hacer presa, principalmente en el cuello» (Steiger, *Vocabulario*, pág. 31).

escodriñar: investigar, indagar.

eser: «ser» catalanismo.

esguardar: «considerar una cosa o atender a ella» (*Dicc. RAE*).

esquinançia: sofocamiento; «Enfermedad que da en la garganta... Los perros son muy apasionados de este mal, y por eso tomó el nombre del perro, *kion...*» (Covarrubias).

estilado: destilado.

estorach: «es el licor de un árbol que parece al membrillo» (Covarrubias). «Un bálsamo oloroso usado en perfumería y medicina» (*Dicc. RAE*).

estrado: «tertulia de mugeres» (*DCELC*).

estuches: una clase de confites, dulces.

exormado: catalanismo, ¿descalabrado, fuera de sí.

fablilla: cuento, ejemplo, chisme.

fallía: error.

feria: día de la semana fuera de domingo. Como en el portugués, *feira.*

fito: «insistente» (*DCELC*).

fito: «juego que se executa fijando en la tierra un clavo y tirando a él con tejas» (*Dicc. RAE*).

florentín: una tela fabricada en Florencia.

fratichelo: fraticello (Italianismo), fraile menor.

galindo: «torcido» (*Dicc. RAE*).

galocha: «calçado de madera» (Covarrubias).

gañir, gañinan: «aullar» (*DCELC*).

garavato: «hebilla»; también «pretexto».

gayón: término de la lucha.

gorguera: «adorno de lienzo delgado plegado y alechugado que se ponía al cuello» (*Dicc. Autoridades*).

grofa: «prostituta» en el lenguaje del hampa (*Dicc. RAE*).
guallador: del catalán, *galiador:* engañador.

hazino: «avaro, mezquino, miserable» (*Dicc. RAE*).
huerco: ogro.

impla: velo, ornamento para la cabeza.
inflación: vanidad.
invernizo: «dícese de los animales que sienten mucho frío...
o les prueba mucho el invierno» (*Dicc. Autoridades*).

julýo, julío: alegre.

ladradura: remoque, mofarse.
lacdanun: láudano.
landre: peste.
lasa: «pobre, infeliz» en catalán.
lençareja: lienzo.
levantar: imputar.
linum áloe: áloe.
lúa: «guante» (*Dicc. RAE*).
luneta: joya u ornamento de recamado.

llepado: «relamida» (Steiger, *Vocabulario*, pág. 38).

mambre: «identifico esta voz con *ambre,* ámbar gris o
estoraque» (Steiger, *Vocabulario*, págs. 38-40).
manilla: «pulsera» (*Dicc. RAE*).
matafalúa: matalúva, matalahúga, anís (Steiger, *Vocabulario*, pág. 40).
meajuela: galladura (*Dicc. RAE*).
meco: del catalán *mèc,* barbilampiño (*DCELC*).
mediana: término técnico de la lucha.
melena: «obligarle o precisarle a que ejecute una cosa que
no quería hacer» (*Dicc. Autoridades*).
mellar: hacer tambalear.
merguellite: «meñique».
monico: mono, simio.

niespla: «níspero».

ojo de pes: fingir no ver, hacer la vista gorda.
orthiguera: ortiga.

panfear: fanfarronear.

papo: «hablar de papo. Hablar con presunción o vanidad» (*Dicc. Autoridades*).

partidor: «varilla o aguja de plata de que las mugeres se sirven para partir el cabello» (*Dicc. Autoridades*).

pasecólica: «cólico pasajero determinado por indigestión y caracterizado por vómitos y evacuaciones de vientre, que resuelven espontáneamente la dolencia» (*Dicc. Autoridades*).

paternoster: la piedra o pieza gruesa del collar o gargantilla.

paviota: «loca, traviesa» (véase el *DCELC*).

peçilgar: pellizcar.

péndola: pluma.

perexilada: ornamento excesivo y exagerado en la mujer.

permitive: adverbio de *permitir.*

pestraña: patraña.

picacantones: baladrón, fanfarrón.

plaçera: «se llama al sujeto ocioso que se anda en conversación por plazas» (*Dicc. Autoridades*).

popar: despreciar, tener en poco.

pordemás: manta, del francés *pardessu.*

potecillo: vasija.

privança: familiaridad.

profaçar: hablar mal de uno.

pujés: gesto obsceno.

pujes: «puñada».

punchar: catalanismo, *pinchar.*

rallar: irritar.

randado: ornamento de encaje.

rañar: gallego, rascar (*DCELC*).

repicapunto: elegante y perfectamente en orden.

retoçar: «burlarse, ser juguetón; pronto se empleó como eufemismo obsceno» (*DCELC*).

retronchete: joya, u ornamento de recamado.

rexpendar: chisporrotear (*DCELC*).

romí: selvático (*Dicc. RAE*).

ronçería: «expresión de halago o cariño, con palabras o acciones, para conseguir algún fin» (*Dicc. Autoridades*).

sacaliña: movimiento de la lucha.

sobrevienta: sorpresa.

sodenítico: «sodomítico».

sodollo: del catalán *sadoll,* «harto».

314

sofión: bufido de cólera.

tafatá: tafetán.
tastardia: «testarudez» (Steiger, *Vocabulario*, pág. 46).
tejuelo: el blanco en el juego del *chito* o *fito*.
temblante: «especie de ajorca o manilla que usaban las mujeres» (*Dicc. RAE*).
texillo: «listón, ceñidor para abrochar el manto» (*DCELC*).
tiesto: «significaba en lo antiguo lo mismo que *tiesso*» (*Dicc. Autoridades*).
tracto: «traición oculta e infidelidad con que faltando a la fe debida se ofrece entregar alguna plaza, ciudad o fortaleza al enemigo» (*Dicc. Autoridades*).
trascol: «falda de cola que usaban las mujeres» (*Dicc. RAE*).
trepado: «gurnecer con trepa el bordado» (*Dicc. RAE*).
triemelse: trimestral.
trocando: del catalán *trucar, golpear* (*DCELC*).
trompar: «engañar a alguno» (*Dicc. Autoridades*).
trópigo: trópico: «hidrópico».
trunfa: ornamento para la cabeza (Steiger, *Vocabulario*, pág. 48).
unizo: «sin forma».

vasquear: ser ansioso.
vedija: bucle de pelo, mechón de lana.
ventores: «dícese del animal que, guiado por su olfato y el viento, busca un rastro o huye del cazador» (*Dicc. RAE*).
verenjenal: negocio enredado y dificultoso (*Dicc. RAE*).
vogal: complaciente.

xabí: «*jabí*. Dícese de una especie de manzana silvestre y pequeña» (*Dicc. RAE*).
xávega: catalanismo: gran red de esparto.
xeme: un palmo.

Colección Letras Hispánicas

ÚLTIMOS TÍTULOS PUBLICADOS

279 *Vida de don Quijote y Sancho,* MIGUEL DE UNAMUNO.
    Edición de Alberto Navarro.
280 *Libro de Alexandre.*
    Edición de Jesús Cañas Murillo.
281 *Poesía,* FRANCISCO DE MEDRANO.
    Edición de Dámaso Alonso.
282 *Segunda Parte del Lazarillo.*
    Edición de Pedro M. Piñero.
283 *Alma. Ars moriendi,* MANUEL MACHADO.
    Edición de Pablo del Barco.
285 *Lunario sentimental,* LEOPOLDO LUGONES.
    Edición de Jesús Benítez.
286 *Trilogía italiana. Teatro de farsa y calamidad,* FRANCISCO NIE-VA.
    Edición de Jesús María Barrajón.
287 *Poemas y antipoemas,* NICANOR PARRA.
    Edición de René de Costa.
288 *Silva de varia lección II,* PEDRO MEXÍA.
    Edición de Antonio Castro.
289 *Bajarse al moro,* JOSÉ LUIS ALONSO DE SANTOS.
    Edición de Fermín Tamayo y Eugenia Popeanga (6.ª ed.).
290 *Pepita Jiménez,* JUAN VALERA.
    Edición de Leonardo Romero (3.ª ed.).
291 *Poema de Alfonso Onceno.*
    Edición de Juan Victorio.
292 *Gente del 98. Arte, cine y ametralladora,* RICARDO BAROJA.
    Edición de Pío Caro Baroja.
293 *Cantigas,* ALFONSO X EL SABIO.
    Edición de Jesús Montoya.
294 *Nuestro Padre San Daniel,* GABRIEL MIRÓ.
    Edición de Manuel Ruiz-Funes.
295 *Versión Celeste,* JUAN LARREA.
    Edición de Miguel Nieto.
296 *Introducción del símbolo de la fe,* FRAY LUIS DE GRANADA.
    Edición de José María Balcells.
298 *La viuda blanca y negra,* RAMÓN GÓMEZ DE LA SERNA.
    Edición de Rodolfo Cardona.
299 *La fiera, el rayo y la piedra,* PEDRO CALDERÓN DE LA BARCA.
    Edición de Aurora Egido.
300 *La colmena,* CAMILO JOSÉ CELA.
    Edición de Jorge Urrutia (5.ª ed.).

301 *Poesía,* FRANCISCO DE FIGUEROA.
Edición de Mercedes López Suárez.
302 *El obispo leproso,* GABRIEL MIRÓ.
Edición de Manuel Ruiz-Funes Fernández.
303 *Teatro español en un acto.*
Edición de Medardo Fraile (2.ª ed.).
304 *Sendebar.*
Edición de M.ª Jesús Lacarra.
305 *El gran Galeoto,* JOSÉ ECHEGARAY.
Edición de James H. Hoddie.
306 *Naufragios,* ÁLVAR NÚÑEZ CABEZA DE VACA.
Edición de Juan Francisco Maura.
307 *Estación. Ida y vuelta,* ROSA CHACEL.
Edición de Shirley Mangini.
308 *Viento del pueblo,* MIGUEL HERNÁNDEZ.
Edición de Juan Cano Ballesta.
309 *La vida y hechos de Estebanillo González, I*
Edición de Antonio Carreira y Jesús Antonio Gil.
310 *Volver,* JAIME GIL DE BIEDMA.
Edición de Dionisio Cañas (3.ª ed.).
311 *Examen de ingenios,* JUAN HUARTE DE SAN JUAN.
Edición de Guillermo Serés.
312 *La vida y hechos de Estebanillo González, II.*
Edición de Antonio Carreira y Jesús Antonio Cid.
313 *Amor de Don Perlimplín con Belisa en su jardín,* FEDERICO GARCÍA
LORCA
Edición de Margarita Ucelay.
314 *Su único hijo,* LEOPOLDO ALAS «CLARÍN».
Edición de Juan Oleza.
315 *La vorágine,* JOSÉ EUSTASIO RIVERA.
Edición de Montserrat Ordóñez.
316 *El castigo sin venganza,* LOPE DE VEGA.
Edición de Antonio Carreño.
318 *Canto general,* PABLO NERUDA.
Edición de Enrico Mario Santí (2.ª ed.).
319 *Amor se escribe sin hache,* ENRIQUE JARDIEL PONCELA.
Edición de Roberto Pérez.
320 *Poesía impresa completa,* CONDE DE VILLAMEDIANA.
Edición de Francisco Ruiz Casanova.
321 *Trilce,* CÉSAR VALLEJO.
Edición de Julio Ortega.
322 *El baile. La vida en un hilo,* EDGAR NEVILLE.
Edición de María Luisa Burguera.
323 *Facundo,* DOMINGO FAUSTINO SARMIENTO.
Edición de Roberto Yahni.
324 *El gran momento de Mary Tribune,* JUAN GARCÍA HORTELANO.
Edición de M.ª Dolores Troncoso.

325   *Espérame en Siberia, vida mía,* ENRIQUE JARDIEL PONCELA
       Edición de Roberto Pérez.
326   *Cuentos,* HORACIO QUIROGA.
       Edición de Leonor Fleming.
327   *La taberna fantástica. Tragedia fantástica de la gitana*
       Celestina, ALFONSO SASTRE.
       Edición de Mariano de Paco.
328   *Poesía,* DIEGO HURTADO DE MENDOZA.
       Edición de Luis F. Díaz Larios y Olga Gete Carpio.
329   *Antonio Azorín,* JOSÉ MARTÍNEZ RUIZ, «AZORÍN».
       Edición de Manuel Pérez.
330   *Épica medieval española.*
       Edición de Carlos Alvar y Manuel Alvar.
331   *Mariana Pineda,* FEDERICO GARCÍA LORCA.
       Edición de Luis Alberto Martínez Cuitiño.
332   *Los siete libros de la Diana,* JORGE DE MONTEMAYOR.
       Edición de Asunción Rallo.
333   *Entremeses,* LUIS QUIÑONES DE BENAVENTE.
       Edición de Christian Andrès.
334   *Poesía,* CARLOS BARRAL.
       Edición de Carme Riera.
335   *Sueños,* FRANCISCO DE QUEVEDO
       Edición de Ignacio Arellano.
336   *La Quimera,* EMILIA PARDO BAZÁN.
       Edición de Marina Mayoral.
337   *La Estrella de Sevilla,* ANDRÉS DE CLARAMONTE.
       Edición de Alfredo Rodríguez.
338   *El Diablo Mundo. El Pelayo. Poesías,* JOSÉ DE ESPRONCEDA.
       Edición de Domingo Ynduráin.
339   *Teatro,* JUAN DEL ENCINA.
       Edición de Miguel Ángel Pérez Priego.
340   *El siglo pitagórico,* ANTONIO ENRÍQUEZ
       Edición de Teresa de Santos
341   *Ñaque. ¡Ay. Carmela!,* JOSÉ SANCHÍS SINISTERRA.
       Edición de Manuel Aznar Soler.
342   *Poesía,* JOSÉ LEZAMA LIMA.
       Edición de Emilio de Armas.
345   *Cecilia Valdés,* CIRILO VILLAVERDE
       Edición de Jean Lamore.

DE PRÓXIMA APARICIÓN

Libro de Apolonio.
   Edición de Dolores Corbella.
Fábulas literarias, TOMÁS DE IRIARTE.
   Edición de Ángel L. Prieto de Paula.

DATE DUE

JUN 06 1995		
APR 28 1999		
GAYLORD		PRINTED IN U.S.A.